**세이펜을 이용한 학습**

- 세이펜 홈페이지를 방문하세요. www.saypen.com
- 세이펜을 이용한 혁신적인 학습이 가능합니다.(세이펜 별매)

이 책을 아껴주신
- -
독자님의 한 말씀

공부로 만난 책 중 가장 좋아하는 책!! | gjdbsk1234
내용 | 디자인 | ★★★★★

참고서나 학습서는 항상 딱딱하고 재미없다고 생각했는데 이 책이 저의 고정관념을 깨뜨려 놨습니다.
생소한 외국어가 왠지 친근하게(?) 느껴질 정도로 관심을 끄는 내용과 주제로 저의 마음을 사로잡은 이 책!! 강력 추천합니다. @@

직원들이 달라졌어요… | hanna1224
내용 | 디자인 | ★★★★☆

딸아이가 방학 동안 일본어 공부한다고 한 지 얼마되지 않았습니다.
처음엔 그러려니 하고 생각했는데 며칠 전 딸아이의 입에서 일본어가 제법 나오더군요.
그래서 책을 우수직원 수만큼 주문해서 일본연수 갈 때까지 공부하라고 나누어줬습니다.
직원들에게 값지고 의미 있는 선물을 주게 되어 경영주로서 뿌듯하고요 저도 현지에 가서 잘 활용하고 오겠습니다.

깔끔하게 정리되어 머리에 쏙쏙!! | ruridia
내용 | 디자인 | ★★★★★

내용과 문법이 깔끔하게 정리되어 있네요. ^^
또 한 가지 '알아두세요'란 코너에 잼난 일본 상식이 많이 있어서 읽다보니 금방 한 권을 읽게 되네요.
곧 일본여행을 앞두고 있는데, 부록으로 있는 여행회화, 기본단어, 기본문법 가지고 여행을 떠나야할 것 같네요. ^^
한 권 샀는데 5권을 얻은 기분 좋은 책입니다.

진짜 이번에는 일본어 초급은 뗄 수 있을 것 같아요! | chaeny

내용 편집/구성 | ★★★★☆

솔직하게 말해서 영어고 일본어고 간에 맨날 초급책만 사게 되는 것 같다.
하지만 한번도 끝까지 본적은 없고 (ㅠㅠ) 늘 새롭게 공부를 시작할 때마다 새책을 사곤 한다.
새책을 사야 공부가 될 것 같고, 지난번 책에서는 이게 부족했고 저게 부족했고 하는 생각이 든다.
그래서 이번에 또 새롭게 구매한 '독학 일본어 첫걸음 뉴뉴 New New'.
벌써 받은 지 2주 가까이 되고 공부를 좀 하다보니 장점이 눈에 쏙쏙 들어온다.

1. 히라가나 편이 길지 않아 지루하지 않다.
   초급 책은 히라가나, 가타가나에서 사람 완전히 질리게 한다.
   가타가나 외우다가 집어치운 책이 집에 있다. (ㅠㅠ) 기초는 가볍게 넘어가서 좋았다.

2. 발음 시디 좋아요!
   일본어 공부를 아주 조금 하다 보니 TV에 나오는 사람과 내가 왜 이렇게 발음이 다른가.
   발음을 듣고 공부하니 왠지 내가 '네이티브'가 된 것 같이 느껴진다. (완전 과대망상 ^^)

3. 지루하지 않은 회화
   일본 여행가서 느낀 게 그렇게 외워서 갔던 일본어책에 있던 회화가 전혀 쓸모가 없었다.
   그때 책과 패턴도 완전히 다르니 이번에는 써먹을 수 있지 않을까?

4. 좋은 종이질
   이건 좀 의외지만 생각보다 질 나쁜 종이 쓰는 책 많더라. 난 질 좋은게 좋아!

5. 중간 중간 일본문화 소개
   일본 문화를 모르면 공부하기 더 어려운데, 챕터 별로 문화가 소개되어 있어서 재미있었다.

6. 동영상이 공짜래
   아직 못 봤는데 동영상 강의가 공짜라고 해서 꼭 들어볼 참이다.
   이런 책으로 공부하면 혼자해야 해서 해설이 듣고팠는데 이게 웬 떡이냐!!

   이번에는 꼭 책을 다 볼 수 있길 바라며!!!!!

최신
개정판

모든 것이 새롭다

독학

일본어
첫걸음
뉴뉴

강석기 저

New
New

세이펜 학습 기능
첫걸음 교재 최초 적용
(세이펜 별매)

MP3 무료
고음질 음원으로
시원하게!

동영상 강의 무료
유튜브, 홈페이지

SAYPEN SAY GO
www.saypen.com

씨앤톡

초판   1쇄 발행   2008년 01월 16일
초판   40쇄 발행   2019년 02월 25일
개정2판   2쇄 발행   2024년 03월 20일

저자   강석기
발행인   이재현
발행처   리틀씨앤톡

등록일자   2022년 9월 23일
등록번호   제 2022-000106호

ISBN   978-89-6098-612-1 (03730)

주소   경기도 파주시 문발로 405 제2출판단지 활자마을
홈페이지   www.seentalk.co.kr
전화   02-338-0092
팩스   02-338-0097

저자의 말

독학 일본어 첫걸음 뉴뉴(new new)의 세계로 들어오신 걸 진심으로 환영합니다.

일본어를 공부하려는 목적은 정말 다양합니다. 학문적인 성취를 위해 공부하는 것은 말할 것도 없고 일본 드라마를 자막없이 보고 싶다거나 게임이 하고 싶어서 공부를 시작한 사람도 있고 사업상 부득이 일본어를 공부해야 하는 사람도 있습니다.

이러한 사람들을 어떻게 하면 중도에 흥미를 잃어 포기하는 일이 없이 빠른 시일 안에 일본어를 좋아하게 만들 수 있을까를 고민해 왔습니다. 지금껏 여러 권의 교재를 집필해보고 한국인이 어떻게 하면 보다 쉽게 일본어를 할 수 있을까하는 연구도 많이 해보았는데 일본어를 잘 하기 위해서는 일본인의 사고를 이해해야 한다는 결론을 내릴 수 있었습니다. 우리 한국인에게는 한국인에게 맞는 학습 방법이 분명히 있습니다.

일본어는 우리 언어와 너무도 비슷한 점이 많은 언어이므로 그 차이점만을 알게 되면 그 뒤는 단어 암기에만 치중하면 누구나가 성공할 수 있는 외국어입니다. 그런데도 일본어를 중도 포기하거나 너무 어렵다고 얘기하는 경우도 많은데, 이는 일본어를 제대로 이해하지 못한 채 부분적인 것들만 단순히 외우려고 하는 데서 생기는 문제점이 아닐까 합니다.

이 책은 일본어의 뼈대를 우선 명확히 세우는 데 중점을 두고 집필했습니다.

일본어는 어느 정도의 문법 뼈대와 단어만 알면 의사소통에 전혀 문제가 없다고 해도 과언이 아닙니다. 본 책에 나와 있는 뼈대잡기만 잘 이해하고 활용할 수 있으면 일본어의 기본 틀은 확실히 잡을 수 있습니다. 핵심문장과 뼈대잡기는 확실히 이해하고 지나가세요.

패턴회화는 뼈대잡기에 나와 있는 내용을 활용해서 실제로 말하기 연습을 해보는 부분입니다. 단어만 조금 알면 얼마든지 활용해서 많은 문장을 만들낼 수 있을 것입니다.

그동안 10여년의 출판 현장의 경험을 최대한 살려 보다 쉽고 편하게 학습자들이 일본어 학습에 재미를 느낄 수 있도록 페이지 한 쪽 한 쪽에 정성을 기울였습니다.

아무쪼록 본서가 일본어 학습을 시작하신 분들의 의욕을 더욱 높일 수 있는 책이 되길 바라면서 마지막으로 이 책이 나오기까지 여러 가지로 지원을 아끼지 않았던 사장님과 동료들 그리고 가족에게 이 자리를 빌어 감사의 말씀 전합니다.

2008년 1월 저자

구성과 특징

이 책은 총 20과로 구성되어 있으며 제1부(일본어 기초 지식), 제2부(일본어 뼈대잡기), **부록편**(오래 오래 기억되는 그림 단어)로 나뉘어 있습니다. 제1부에서는 본격적인 일본어 학습에 앞서 알아야 할 전반적인 내용을 알기 쉽게 풀어 설명하였고, 제2부에서는 일본어의 기본 구조를 확실히 알 수 있게 한국인에게 꼭 필요한 문법 사항을 난이도 순으로 정리하였습니다. 또 부록편에서는 일상생활에 꼭 필요한 기본 단어를 그림을 통해 보다 쉽게 암기할 수 있도록 구성하였습니다.

한 과의 주요 내용

사진
간단한 설명을 덧붙인 일본 관련 사진을 시작 페이지마다 한 장씩 볼거리로 제공했습니다. 가볍게 읽고 일본 관련 상식을 넓혀 보세요.

이것만은 꼭!
그 과에서 놓쳐서는 안 될 핵심 포인트를 정리한 곳입니다.

이 과의 주요 내용
그 과에서 다루는 내용을 간략하게 정리한 곳이에요.

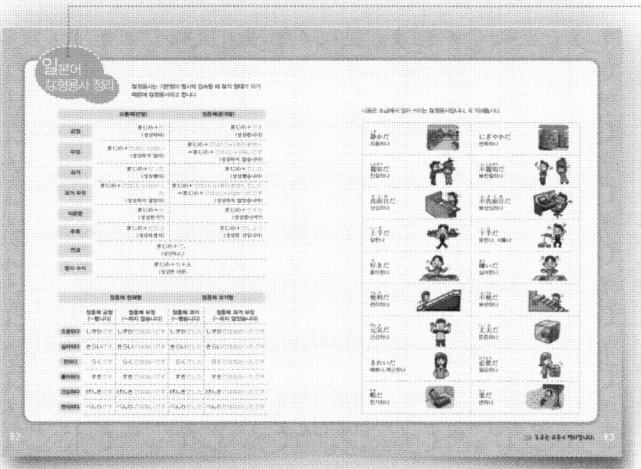

일본어 핵심 정리
그 과를 학습하기에 앞서 문법적으로 우선 정리되어야 할 내용을 초보자가 이해하기 쉽도록 도표식으로 정리했습니다.

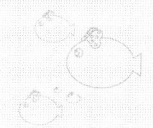

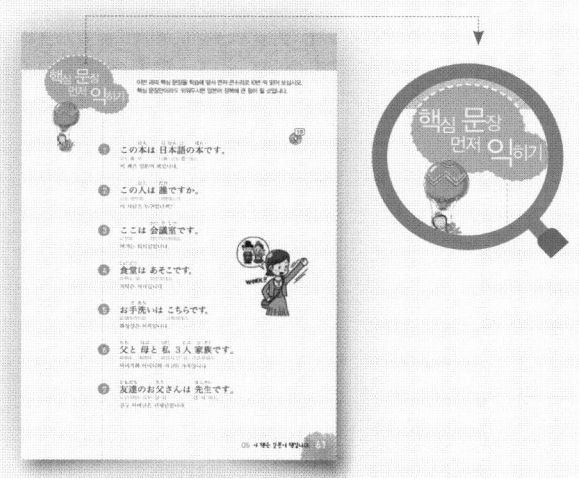

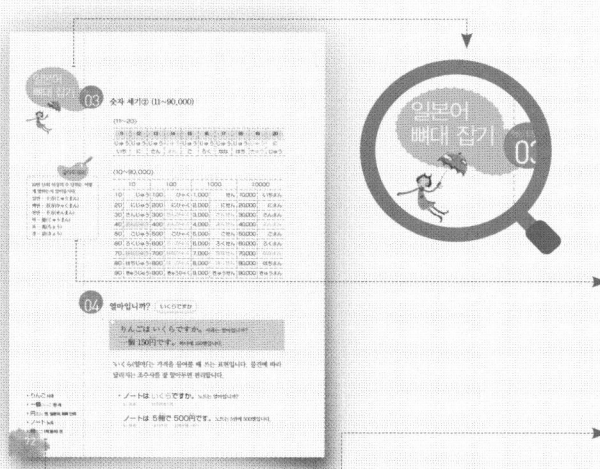

핵심 문장 먼저 익히기

그 과에서 가장 중요한 핵심 문장을 예문 중에서 골라 뽑았습니다. 이 문장만 외워도 일본어 기본은 저절로 이루어 질 거예요.

일본어 뼈대 잡기

일본어의 기본 뼈대를 하나씩 잡아주는 부분입니다. 기본 설명을 잘 읽고 예문을 보면 이해하는 데 어려움이 없을 거예요.

알아두세요!

예문으로만은 부족한 부분을 보충설명했습니다.

예문에 새로 나온 단어

회화문 말해보기

일본어 뼈대잡기에 나와 있는 내용을 중심으로 두 사람이 주고 받는 대화와 간단한 문장이 번갈아 등장합니다. 큰 소리로 반복해서 읽어보고 자꾸 들어보세요.

예문과 회화문 등에 일본어 발음에 어려움을 겪는 분들을 위해 한글 발음을 넣었습니다. 그러나 한글 발음만으로는 정확한 일본어 발음이 어려우므로 테이프를 자주 듣고 비교하면서 확실한 발음이 될 때까지만 참고하세요.

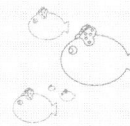

한 걸음 더 upgrade

1 왕초보를 위한 일본어
기본 단어 일본어 말하기의 첫 단계

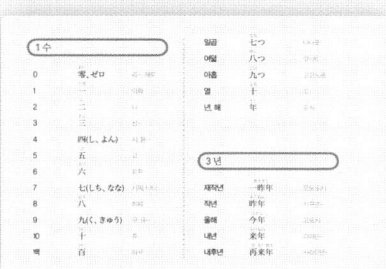

일본어는 기본적으로 우리말과 어순이 같으므로 기본 단어만 익혀도 일본인과 대화가 가능하답니다. 한 단어 한 단어 외우다 보면 어느 틈엔가 왕초보에서 벗어나 있는 당신의 모습에 깜짝 놀라실 것입니다.

2 왕초보를 위한 일본어
기본 문법 – 회화에 꼭 필요한 알짜 문법

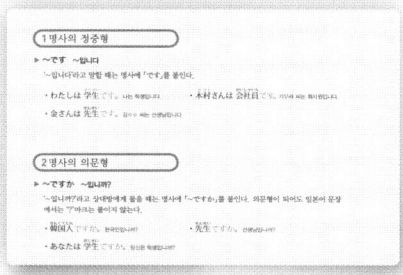

회화에 꼭 필요한 기본적인 문법들만 골라 엮었습니다. 일본어의 기본 문형(긍정, 부정, 의문문), 품사별 핵심 문법 정리 등 첫걸음에서 중요하게 다루어야 할 부분만 요약 정리하여 일본어의 기본을 잡는 데 크게 도움이 될 것입니다.

3 왕초보를 위한 상황별
패턴 회화 – 회화에 꼭 필요한 여러 가지 표현들

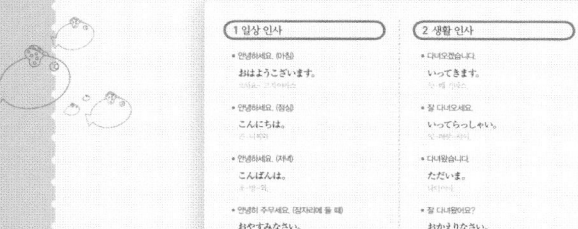

일본어로 얘기하려면 기본적으로 알고 있어야 할 표현들이 있겠지요? 인사, 감사, 사과, 허락, 금지, 소개, 쇼핑 등 독특하게 쓰이는 표현은 상황별로 찾아 볼 수 있게 꾸몄습니다.

4 왕초보를 위한 일본어
여행 회화 – 이제 일본으로 떠나요!

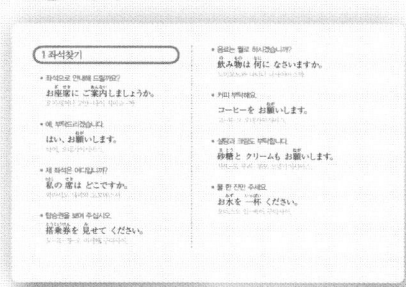

처음부터 너무 많은 것을 바라지 말고 주제별로 필요한 문장을 조금씩 익혀 나가세요. 주제별로 찾기 쉽게 구성되어 있습니다.

5 가나 쓰기가 쉬워지는
일본어 펜맨십 – 일본어 가나가 너무 쉬워요.

초보자도 혼자서 쉽게 히라가나 및 가타카나를 습득할 수 있도록 구성했습니다.
필순을 보면서 따라 쓰기 연습을 해보세요. 히라가나, 가타카나를 끝내고 본 책에 들어가면 일본어가 더욱 쉬워집니다.

일본어 첫걸음 뉴뉴가 제공하는
특별 부록 소개

1 일본어 오십음도 대형 브로마이드

일본어 오십음도를 한눈에 볼 수 있게 꾸몄습니다.
히라가나 및 가타카나를 완전히 읽을 수 있을 때까지 벽에 붙여놓고 수시로 보면서 연습해 보세요.

2 일본어 발음을 확실하게 잡아줄
오디오 CD (MP3 무료 다운로드)

핵심 문장 먼저 익히기와 패턴 회화, 그리고 회화문 말해보기가 녹음되어 있습니다.
자주 자주 듣고 따라서 연습해 보세요.

3 일본어의 기본을 확실히 잡아 주는
음성 강의 + 동영상 강의

책으로만은 이해하기 힘들었던 내용은 동영상을 통한 친절한 해설 강의로 해결하십시오. 학원에 나가지 않아도 일본어의 기본을 확실하게 끝내실 수 있을 것입니다.

차례

contents

제1부 | 일본어의 기초지식편

다음은 제1부의 주요 내용입니다.

- 일본어 오십음도
- 품사별 핵심 정리
- 일본어 기본 표현

일본어 문자는 히라가나(平仮名 ひらがな)와 가타카나(片仮名 かたかな) 그리고 한자(漢字 かんじ)의 조합으로 이루어집니다.

① **히라가나** : 일본어의 기본적인 문자로 사용되고 있습니다.

행 단	あ행	か행	さ행	た행	な행	は행	ま행	や행	ら행	わ행	ん
あ단	あ	か	さ	た	な	は	ま	や	ら	わ	ん
い단	い	き	し	ち	に	ひ	み		り		
う단	う	く	す	つ	ぬ	ふ	む	ゆ	る		
え단	え	け	せ	て	ね	へ	め		れ		
お단	お	こ	そ	と	の	ほ	も	よ	ろ	を	

② **가타카나** : 외래어, 의태어, 의성어, 인명, 지명, 강조 등에 사용됩니다.

행 단	ア행	カ행	サ행	タ행	ナ행	ハ행	マ행	ヤ행	ラ행	ワ행	ン
ア단	ア	カ	サ	タ	ナ	ハ	マ	ヤ	ラ	ワ	ン
イ단	イ	キ	シ	チ	ニ	ヒ	ミ		リ		
ウ단	ウ	ク	ス	ツ	ヌ	フ	ム	ユ	ル		
エ단	エ	ケ	セ	テ	ネ	ヘ	メ		レ		
オ단	オ	コ	ソ	ト	ノ	ホ	モ	ヨ	ロ	ヲ	

③ **한자(漢字)** : 한자는 음독(音読 おんよみ)과 훈독(訓読 くんよみ)으로 구분해서 읽습니다. 음독은 한자의 음을 읽는 것이고, 훈독은 한자의 뜻으로 읽는 것을 말합니다.

読　どく – 음독　예 読書 どくしょ (독서)
　　　よむ – 훈독　예 読売 よみうり (요미우리)

일본어는 한국어와 많이 비슷합니다.

특히 처음 단계에서는 「어순」과 「문장의 구성」이 비슷해 단순히 단어만 대입해도 말이 되므로 다른 언어에 비해 공부하기가 훨씬 쉽습니다.

<table>
<tr><td>私</td><td>は</td><td>日本語</td><td>を</td><td>熱心に</td><td>勉強します。</td></tr>
<tr><td>저</td><td>는</td><td>일본어</td><td>를</td><td>열심히</td><td>공부합니다.</td></tr>
</table>

1. 명사

〈보통체〉 우리말의 반말에 해당합니다.

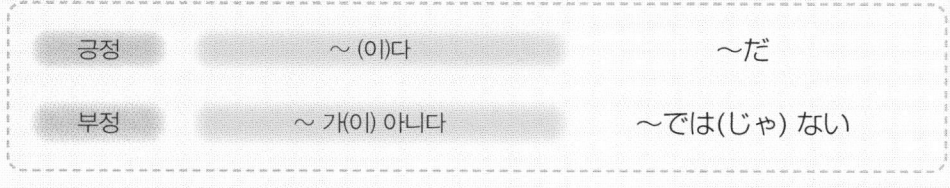

긍정	~ (이)다	~だ
부정	~ 가(이) 아니다	~では(じゃ) ない

*じゃない는 주로 회화에서 쓰임

예 사과다.　　　　りんごだ。

　　사과가 아니다.　りんごではない。

　　　　　　　　　　じゃない。

〈정중체〉 우리말의 존대말에 해당합니다.

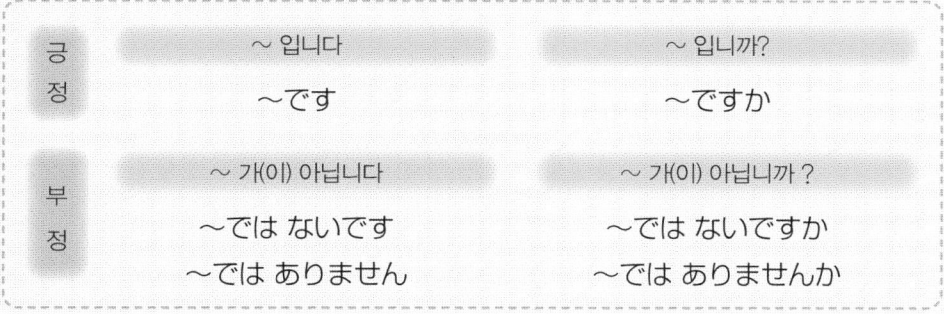

긍정	~ 입니다 ~です	~ 입니까? ~ですか
부정	~ 가(이) 아닙니다 ~では ないです ~では ありません	~ 가(이) 아닙니까? ~では ないですか ~では ありませんか

예 우산입니다.　かさです.　　　우산이 아닙니다　かさではありません.

　　우산입니까?　かさですか.　　우산이 아닙니까?　かさではありませんか.

2. 대명사

(1) 인칭 대명사

저 / 나	당신	그	그녀	저희들
私 / 私	あなた	彼	彼女	私たち

おれ	ぼく	わたし	わたくし	남성어
	あたし	わたし	わたくし	여성어

보통

(2) 의문사

언제	누구 누가	어디 어디서	무엇 무엇을	어떻게	왜
いつ	だれ だれが	どこ どこで	何 何を	どう	なぜ (どうして)

(3) 지시어

	사물	인칭	장소
이	이것 これ	이분 この方	여기 ここ
그	그것 それ	그분 その方	거기 そこ
저	저것 あれ	저분 あの方	저기 あそこ

예 이것은 책입니다.　　　　これは 本ほんです.

그 분은 사장님입니다.　　その方かたは 社長しゃちょうです.

저기가 학교입니다.　　　あそこが 学校がっこうです.

3. 조사

주격	목적	나열	수단	장소	소유	한정	동격	생물
는(은) 가(이)	를(을)	와(과)	로(으로)	에서	의	에	도	에게
は が	を	と	で	で	の	に	も	に

4. 형용사

사물의 성질이나 상태를 나타내는 것을 형용사라고 합니다.

일본어의 형용사는 크게 두 가지가 있습니다.

· い형용사 … 어미가 「い」로 끝나는 형용사

· な형용사 … 어미가 「だ」로 끝나는 형용사

    명사를 수식할 때 「~な+명사」 형태가 되기 때문에 な형용사라고 합니다.

(1) い형용사

	바쁘다	바쁩니다	비쁩니까?
긍 정	忙(いそが)しい	忙しいです	忙しいですか
	바쁘지 않다	바쁘지 않습니다	바쁘지 않습니까?
부 정	忙しくない	忙しくありません	忙しくありませんか

(2) な형용사

	조용하다	조용합니다	조용합니까?
긍 정	静(しず)かだ	静かです	静かですか
	조용하지 않다	조용하지 않습니다	조용하지 않습니까?
부 정	静かではない	静かではありません	静かではありませんか

5. 동사

동사는 동작이나 움직임을 나타내는데, 일본어 동사는 모두 「う단」으로 끝나고
세 종류가 있습니다.

1 그룹(5단동사)	기본형 어미가 「る」가 아닌 것 또는 「る」로 끝나지만 「る」 앞에 「い/え단」이 아닌 것
2 그룹(1단동사)	기본형 어미가 「る」 「る」 바로 앞에 「い/え단」인 것
3 그룹(변격동사)	활용법칙에 적용 못하는 동사 「する(하다)」「来くる(오다)」 2가지 뿐임

(1) 정중형(ます형) 활용법

1 그룹(5단동사)	어미 「う단」을 「い단」으로 바꾸고 「ます」를 붙임 書かく(쓰다) → 書き + ます(씁니다)
2 그룹(1단동사)	어미 「る」를 빼고 「ます」를 붙임 食たべる(먹다) → 食べ + ます(먹습니다)
3 그룹(변격동사)	する(하다) → します(합니다) 来くる(오다) → 来きます(옵니다)

(2) 정중부정형 : 정중형 ます를 ません으로 바꾸면 됩니다.

	기본형	정중형	정중부정형
1 그룹(5단동사)	書く 쓰다	書きます 씁니다	書きません 쓰지 않습니다
2 그룹(1단동사)	食べる 먹다	食べます 먹습니다	食べません 먹지 않습니다
3 그룹(변격동사)	する 하다	します 합니다	しません 하지 않습니다
	来る 오다	来ます 옵니다	来ません 오지 않습니다

6. 그밖의 기본 표현

(1) 희망 : ~하고 싶다(~たい)

ます형의 ます를 빼고 ~たい를 붙입니다.

가다	가고 싶다	가고 싶습니다
行いく	行き+たい	行きたいです

(2) 과거 : ~했다(~た)

1그룹 동사는 어미에 따라 활용법이 달라집니다.

		기본형	과거형
1그룹 (5단)	う·つ·る→った む·ぶ·ぬ→んだ く→いた ぐ→いだ す→した	買かう 사다 読よむ 읽다 書かく 쓰다 泳およぐ 헤엄치다 話はなす 말하다	買った 샀다 読んだ 읽었다 書いた 썼다 泳いだ 헤엄쳤다 話した 말했다
2 그룹(1단동사)	る → た	食たべる 먹다	食べた 먹었다
3 그룹(변격동사)		する 하다 来くる 오다	した 했다 来きた 왔다

(3) 진행 : ~고 있다(~ている)

		기본형	진행형
1그룹 (5단)	う·つ·る→って む·ぶ·ぬ→んで く→いて ぐ→いで す→して	買かう 사다 読よむ 읽다 書かく 쓰다 泳およぐ 헤엄치다 話はなす 말하다	買って+いる 사고 있다 読んで+いる 읽고 있다 書いて+いる 쓰고 있다 泳いで+いる 헤엄치고 있다 話して+いる 말하고 있다
2 그룹(1단동사)	る → て	食たべる 먹다	食べて+いる 먹고 있다
3 그룹(변격동사)		する 하다 来くる 오다	して+いる 하고 있다 来きて+いる 오고 있다

(4) 목적 : ～하러 가다/오다(～に 行く/来る)

ます형의 ます를 빼고 に를 붙입니다.

	기본형	목　　적
1 그룹(5단동사)	買う 사다	買います → 買いに+行く 사러 가다
2 그룹(1단동사)	食べる 먹다	食べます → 食べに+行く 먹으러 가다
3 그룹(변격동사)	する 하다	します → しに +行く 하러 가다
	来る 오다	목적으로 쓸 수 없음

(5) 가정 : ～면(～ば)

1 그룹(5단동사)	어미「う단」을「え단」으로 바꾸고「ば」를 붙임 書く(쓰다) → 書け+ば(쓰면)
2 그룹(1단동사)	어미「る」를 빼고「れば」를 붙임 食べる(먹다) → 食べ+れば(먹으면)
3 그룹(변격동사)	する(하다) → すれば(하면) 来る(오다) → 来れば(오면)

(6) 부탁 : ～해 주세요(～てください)

		기본형	진행형
1 그 룹 (5단)	う・つ・る→って む・ぶ・ぬ→んで く→いて ぐ→いで す→して	買う 사다 読む 읽다 書く 쓰다 泳ぐ 헤엄치다 話す 말하다	買って+ください 사 주세요 読んで+ください 읽어 주세요 書いて+ください 써 주세요 泳いで+ください 헤엄쳐 주세요 話して+ください 말해 주세요
2 그룹(1단동사) る→て		食べる 먹다	食べて+ください 먹어 주세요
3 그룹(변격동사)		する 하다 来る 오다	して+ください 해 주세요 来て+ください 와 주세요

(7) 권유 : ~합시다(~ましょう)

ます형의 ます를 빼고 ましょう를 붙입니다.

	기본형	권 유
1 그룹(5단동사)	書く 쓰다	書きます → 書き＋ましょう 씁니다　　　씁시다
2 그룹(1단동사)	食べる 먹다	食べます → 食べ＋ましょう 먹습니다　　먹읍시다
3 그룹(변격동사)	する 하다	します → し＋ましょう 합니다　　합시다
	来る 오다	来ます → 来＋ましょう 옵니다　　옵시다

(8) 가능 : ~할 수 있다

1 그룹(5단동사)	어미 「う단」을 「え단」으로 바꾸고 「ます」를 붙임 書く(쓰다) → 書け＋ます(쓸 수 있습니다)
2 그룹(1단동사)	어미 「る」를 빼고 「られます」를 붙임 食べる(먹다) → 食べ＋られます(먹을 수 있습니다)
3 그룹(변격동사)	する(하다) → できます(할 수 있습니다) 来る(오다) → 来られます(올 수 있습니다)

제2부 | 기본 뼈대 세우기편

다음은 제2부의 주요 내용입니다.

- 문자와 발음
- 기본적인 인사말 배우기
- 명사 활용하기
- 형용사 활용하기
- 동사 활용하기

01 문자와 발음(히라가나)
ひらがな

마네키네코

고양이가 왼팔을 들고 있으면 사람을, 오른팔을 들고 있으면 돈을 부른다는 마네키네코(招まねき猫ねこ). 색에 따라 흰색은 복, 금색은 돈을 부르고 검은색은 나쁜 기운 퇴치, 빨간 색은 병을 예방한다고 합니다.

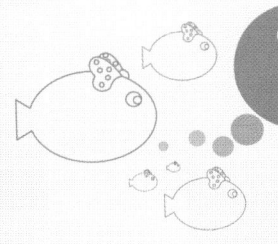

이것만은
꼭!!

■ 히라가나

50음도로 이루어진 히라가나는 헤이안시대(794~1192)에 한자의 초서체를 기초로 만든 것으로, 만들어질 당시에는 주로 여성들에 의해 사용되었다고 합니다. 현대 일본어에서는 46개의 글자가 기본문자로 사용되고 있습니다.

이 과의 주요 내용!

- 히라가나 청음
- 히라가나 탁음
- 히라가나 반탁음
- 히라가나 요음
- 히라가나 장음
- 히라가나 촉음
- 히라가나 발음

히라가나 청음

성대를 울리지 않는 맑은 소리를 청음이라고 합니다.

01 CD

あ行 ▶ 우리말의 「아·이·우·에·오」와 비슷하며, 「う」는 「우」와 「으」의 중간발음.

あ	い	う	え	お
a	i	u	e	o
あい 사랑	いす 의자	うし 소	いえ 집	あお 파랑
a i	i su	u shi	i e	a o

    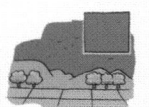

か行 ▶ 「ㄱ」과 「ㅋ」의 중간음, 말 중간이나 끝에서는 「ㄲ」에 가깝게 발음.

か	き	く	け	こ
ka	ki	ku	ke	ko
かお 얼굴	かき 감	きく 국화	いけ 연못	こえ 목소리
ka o	ka ki	ki ku	i ke	ko e

さ行 ▶ 우리말의 「사·시·스·세·소」와 비슷하며, 「す」는 「스」와 「수」의 중간발음.

さ	し	す	せ	そ
sa	shi	su	se	so
さくら 벚꽃	しか 사슴	すいか 수박	せかい 세계	そと 밖
sa ku ra	shi ka	su i ka	se ka i	so to

  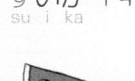 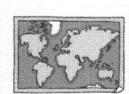 

た行

▶ 「ㄷ」과 「ㅌ」의 중간발음. 말 중간이나 끝에서는 「따·찌·쯔·떼·또」에 가깝게 발음.

た	ち	つ	て	と
ta	chi	tsu	te	to
たこ 문어 ta ko	くち 입 ku chi	つき 달 tsu ki	て 손 te	いと 실 i to

な行

▶ 우리말의 「나·니·누·네·노」와 같은 발음.

な	に	ぬ	ね	の
na	ni	nu	ne	no
なす 가지 na su	かに 게 ka ni	いぬ 개 i nu	ねこ 고양이 ne ko	つの 뿔

は行

▶ 우리말의 「ㅎ」과 같음. 「ふ」는 「흐」와 「후」의 중간발음.

は	ひ	ふ	へ	ほ
ha	hi	fu	he	ho
はち 벌 ha chi	ひ 불 hi	ふく 옷 fu ku	へそ 배꼽 he so	ほし 별 ho shi

       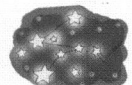

히라가나 청음

01 CD

ま行

▶ 우리말의 「마·미·무·메·모」와 같음.

ま	み	む	め	も
ma	mi	mu	me	mo
くま 곰 ku ma	みみ 귀 mi mi	むし 벌레 mu shi	め 눈 me	もも 복숭아 momo

や行

▶ 우리말의 「야·유·요」와 같음.

や		ゆ		よ
ya		yu		yo
やま 산 ya ma		ゆみ 활 yu mi		ひよこ 병아리 hi yo ko

ら行

▶ 우리말의 「라·리·루·레·로」와 같음. 「る」는 「루」와 「르」의 중간발음

ら	り	る	れ	ろ
ra	ri	ru	re	ro
らくだ 낙타 ra ku da	となり 이웃 to na ri	くるま 차 ku ru ma	すみれ 제비꽃 su mi re	ふろ 목욕탕 fu ro

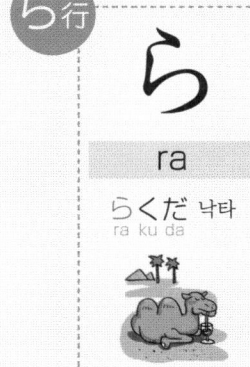    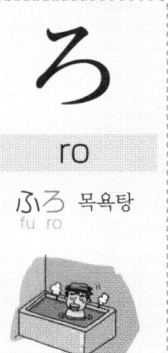

わ行 ▶ 「わ」는 「와」, 「を」는 「오」와 같음.

ん行 ▶ 우리말의 「ㄴ, ㅁ, ㅇ」 받침과 같은 역할을 하며, 뒤에 오는 음에 따라 발음이 달라짐.

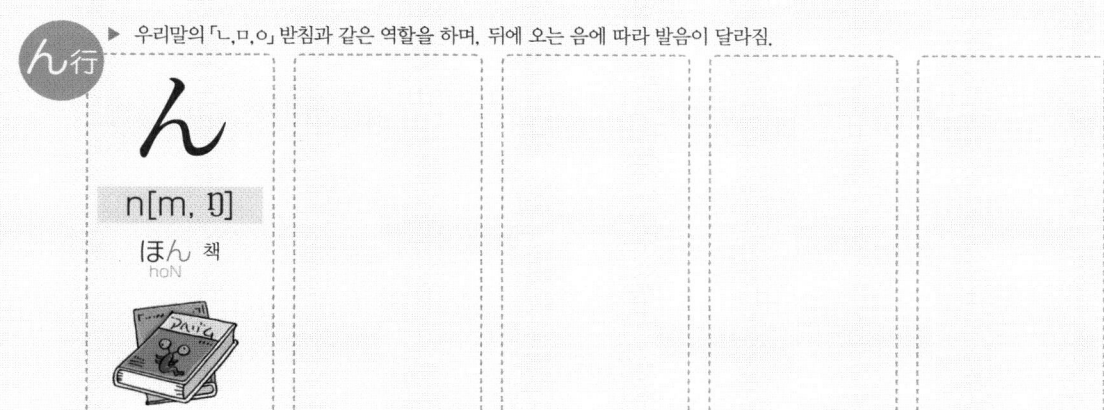

히라가나
탁음

청음 중에서 「か/さ/た/は행」의 오른쪽 위에 「゛」을 붙인 글자들입니다.
성대를 울리는 소리로 탁한 소리가 나기 때문에 탁음이라고 합니다.

が行
▶ 우리말의 「가·기·구·게·고」와 같음.

が	ぎ	ぐ	げ	ご
ga	gi	gu	ge	go
けが 상처 ke ga	かぎ 열쇠 ka gi	かぐ 가구 ka gu	かげ 그림자 ka ge	ごはん 밥 go ha n

ざ行
▶ 우리말의 「자·지·즈·제·조」와 같음.

ざ	じ	ず	ぜ	ぞ
za	zi	zu	ze	zo
ざる 소쿠리 za ru	かじ 화재 ka zi	みず 물 mi zu	かぜ 바람 ka ze	ぞう 코끼리

     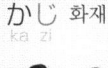    

だ行
▶ 우리말의 「다·지·즈·데·도」와 같음.

だ	ぢ	づ	で	ど
da	ji	zu	de	do
ひだり 좌 hi da ri	はなぢ 코피 ha na ji	こづつみ 소포	でんわ 전화 de N wa	まど 창문 ma do

       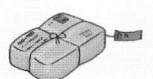  

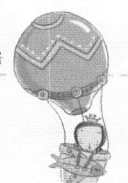

ば行 ▶ 우리말의 「바·비·부·베·보」와 같음. 「ぶ」는 「부」와 「브」의 중간발음.

ば	び	ぶ	べ	ぽ
ba	bi	bu	be	bo
ばら 장미 ba ra	へび 뱀 he bi	ぶた 돼지 bu ta	べんとう 도시락 be n to u	ぼうし 모자 bo · shi

 **히라가나 반탁음**

반탁음은 「は행」의 오른쪽 위에 반탁점인 「 ° 」을 붙인 글자입니다.
청음이나 탁음에 비해 센소리가 납니다.

ぱ行 ▶ 우리말의 「파·피·푸·페·포」와 같음. 「ぷ」는 「푸」와 「프」의 중간발음.

ぱ	ぴ	ぷ	ぺ	ぽ
pa	pi	pu	pe	po
ぱんだ 판다 pan da	えんぴつ 연필 e m pi tsu	てんぷら 튀김 te m pu ra	ぺんぎん 펭귄 pe n gi n	さんぽ 산책 sam po

히라가나 요음

반모음인 「や·ゆ·よ」가 다른 가나와 함께 쓰여 그 가나와 함께 한 글자처럼 발음됩니다. 가나의 오른쪽 밑에 작게 쓰며, 「い단」의 글자와 함께 씁니다.

04 CD

きゃ	きゅ	きょ	ぎゃ	ぎゅ	ぎょ
kya	kyu	kyo	gya	gyu	gyo

しゃ	しゅ	しょ	じゃ	じゅ	じょ
sya	syu	syo	zya	zyu	zyo

ちゃ	ちゅ	ちょ	にゃ	にゅ	にょ
chya	chyu	chyo	nya	nyu	nyo

ひゃ	ひゅ	ひょ	びゃ	びゅ	びょ
hya	hyu	hyo	bya	byu	byo

ぴゃ	ぴゅ	ぴょ
pya	pyu	pyo

みゃ	みゅ	みょ	りゃ	りゅ	りょ
mya	myu	myo	rya	ryu	ryo

히라가나 장음

장음은 같은 모음과 모음이 연달아 나올 때 발생하고, 읽을 때는 한 박자의 장음을 길게 늘여 두 박자로 발음합니다. 주로 외래어 표기에 쓰이는 가타가나의 경우엔 장음을 「ー」로 표기합니다.

〈발음비교〉

おばあさん(oba-saN) 할머니
おばさん(obasaN) 아주머니

---

1   あ단 장음   あ단글자 + あ

· おかあさん (oka-saN) 엄마

---

2   い단 장음   い단글자 + い

· おにいさん (oni-saN) 오빠
· おじいさん (ozi-saN) 할아버지

---

3   う단 장음   う단글자 + う

· くうき (ku-ki) 공기
· ゆうき (yu-ki) 용기

4 え단 장음 　え단글자 + え/い(한자어일 경우)

- おねえさん (one-saN) 언니, 누나
- せんせい (sense-) 선생님
- すいえい (suie-) 수영

5 お단 장음 　お단글자 + う/お

- びょういん (byo-iN) 병원
- おとうさん (oto-saN) 아버지
- とおい (to-i) 멀다
- おおさか (o-saka) 오사카

히라가나
촉음

촉음이란 「っ」를 작게 써서 표기하며 우리말의 받침과 같은 역할을 합니다.

※뒤에 오는 음에 따라 발음이 달라집니다.

1 「っ」 + か行 k「ㄱ」으로 발음

- いっかい(ikkai) 일 층
- いっこ(ikko) 한 개

2 「っ」 + さ行 s「ㅅ」으로 발음

- ざっし(zasshi) 잡지
- さっそく(sassoku) 즉시

3 「っ」 + た行 t「ㄷ」으로 발음

- きって(kitte) 우표
- あさって(asatte) 모레

4 「っ」 + ぱ行 p「ㅂ」으로 발음

- いっぱい(ippai) 가득
- しっぽ(shippo) 꼬리

히라가나
발음

발음인「ん」은 한자의 영향을 받아 생긴 것으로 말의 첫 머리에는 쓰이지 않습니다.
우리말의「ㄴ, ㅁ, ㅇ」받침과 같은 역할을 합니다.
※뒤에 오는 음에 따라 발음이 달라집니다.

1　　ま、ば、ぱ行 앞에서는 m「ㅁ」으로 발음.

· けんぶつ (kembutsu) 구경　· さんま (samma) 꽁치
· しんぱい (shimpai) 걱정

2　　さ、ざ、た、だ、な、ら行 앞에서는 n「ㄴ」으로 발음.

· けんり (kenri) 권리　　　· しんせつ (shinsetsu) 친절
· あんない (annai) 안내　　· はんたい (hantai) 반대

3　　か、が行 앞에서는 ŋ「ㅇ」으로 발음.

· でんき (deŋki) 전기　　　· りんご (riŋgo) 사과

4　　あ、は、や、わ行 앞이나 단어의 맨 끝에서는 N「ㄴ과 ㅇ」중간발음.

· にほん (nihoN) 일본　　· ほんや (hoNya) 서점
· おでん (odeN) 어묵, 오뎅　· でんわ (deNwa) 전화

02 문자와 발음(가타카나)
カタカナ

세쯔분

'福ふくは内うち鬼おには外そと'(복은 안으로 귀신은 밖으로). 일본에서는 입춘 전날인 세쯔분(節分せつぶん)에 귀신을 쫓기 위해 이렇게 말하며 콩을 뿌립니다. 이날 자기 나이만큼 콩을 먹으면 한해를 건강하게 보낼 수 있다고 합니다.

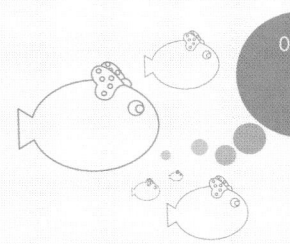

이것만은
꼭!!

■ **가타카나**

히라가나와 마찬가지로 50음도로 이루어진 가타카나는 한자의 획을 기초로 만들어졌습니다. 주로 외래어나 의성어, 의태어, 동식물의 이름 등에 쓰이는데, 외래어의 증가로 그 사용 빈도가 계속 늘어나고 있습니다.

이 과의 주요 내용!

- 가타카나 청음
- 가타카나 탁음
- 가타카나 반탁음
- 가타카나 요음
- 가타카나 촉음
- 가타카나 발음

가타카나
청음

성대를 울리지 않는 맑은 소리를 청음이라고 합니다.

ア行 ▶ 우리말의 「아·이·우·에·오」와 비슷하며, 「ウ」는 「우」와 「으」의 중간발음.

ア	イ	ウ	エ	オ
a	i	u	e	o

アイロン 다리미	イルカ 돌고래	ウイスキー	エアコン 에어컨	オムレツ 오믈렛
a i ron	i ru ka	u i su ki -	e a kon	o mu re tsu
		위스키		

   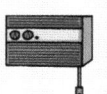 

カ行 ▶ 「ㄱ」과 「ㅋ」의 중간음, 말 중간이나 끝에서는 「ㄲ」에 가깝게 발음.

カ	キ	ク	ケ	コ
ka	ki	ku	ke	ko

カメラ 카메라	キウイ 키위	ミルク 우유	ケーキ 케이크	コーヒー 커피
ka me ra	ki u i	mi ru ku	ke - ki	ko - hi -

サ行 ▶ 우리말의 「사·시·스·세·소」와 비슷하며, 「ス」는 「스」와 「수」의 중간발음.

サ	シ	ス	セ	ソ
sa	shi	su	se	so

サーカス 서커스	シーソー 시소	スカート 스커트	セーター 스웨터	ソウル 서울
sa - ka su		su ka to	se - ta -	so - ru

  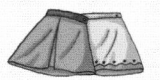  

タ行

▶「ㄷ」과 「ㅌ」의 중간발음. 말 중간이나 끝에서는 「따·찌·쯔·떼·또」에 가깝게 발음.

タ	チ	ツ	テ	ト
ta	chi	tsu	te	to

タオル 수건
ta o ru

チーズ 치즈
chi - zu
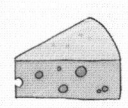

ツアー 단체 여행
tsu a -

テスト 테스트, 시험
te su to

トマト 토마토
to ma to

ナ行

▶ 우리말의 「나·니·누·네·노」와 같은 발음.

ナ	ニ	ヌ	ネ	ノ
na	ni	nu	ne	no

ナイフ 나이프, 칼
na i fu

テニス 테니스
te ni su

カヌー 카누
ka nu -

ネクタイ 넥타이
ne ku ta i

ノート 노트
no - to

ハ行

▶ 우리말의 「ㅎ」과 같음. 「フ」는 「흐」와 「후」의 중간발음.

ハ	ヒ	フ	ヘ	ホ
ha	hi	fu	he	ho

ハート 하트
ha - to -

ヒーター 히터
hi - ta -

フルーツ 과일
- - tsu

ヘア 헤어
he a

ホテル 호텔
ho te ru

가타카나
청음

08
CD

マ行
▶ 우리말의 「마·미·무·메·모」와 같음.

マ

ma

マウス 마우스
ma u su

ミ

mi

ミシン 재봉틀
mi shi n

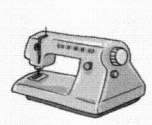

ム

mu

ハム 햄
ha mu

メ

me

メロン 멜론
me ro n

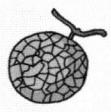

モ

mo

モニター 모니터
mo ni ta -

ヤ行
▶ 우리말의 「야·유·요」와 같음.

ヤ

ya

ヤクルト
ya ku ru to
요구르트

ユ

yu

ユニホーム
yu ni ho - mu
유니폼

ヨ

yo

クレヨン
ku re yon
크레파스

ラ行
▶ 우리말의 「라·리·루·레·로」와 같음. 「ル」는 「루」와 「르」의 중간발음

ラ

ra

ラジオ 라디오
ra zi o

リ

ri

リボン 리본
ri bo n

ル

ru

ルーム 방
ru - mu

レ

re

レモン 레몬
re mo n

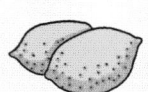

ロ

ro

ローズ 장미
ro - zu

36

ワ行 ▶ 「ワ」는 「와」, 「ヲ」는 「오」와 같음.

ワ				ヲ
wa				wo[o]

ワイン 와인
wa iN

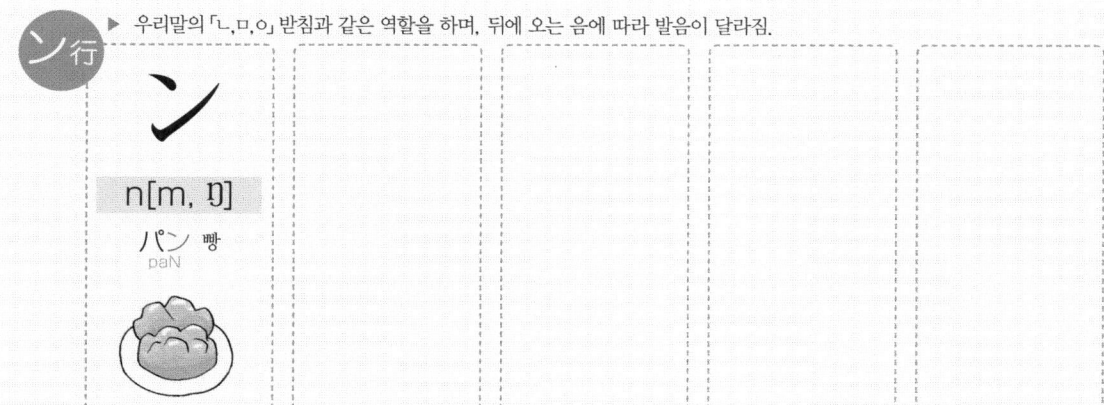

ン行 ▶ 우리말의 「ㄴ, ㅁ, ㅇ」 받침과 같은 역할을 하며, 뒤에 오는 음에 따라 발음이 달라짐.

ン				
n[m, ŋ]				

パン 빵
paN

가타카나 탁음

청음 중에서 「カ/サ/タ/ハ행」의 오른쪽 위에 「゛」을 붙인 글자들입니다.
성대를 울리는 소리로 탁한 소리가 나기 때문에 탁음이라고 합니다.

ガ行 ▶ 우리말의 「가·기·구·게·고」와 같음.

ガ	ギ	グ	ゲ	ゴ
ga	gi	gu	ge	go
ガラス 유리창	ギター 기타	グラフ 그래프	ゲーム 게임	ゴルフ 골프
ga ra su	gi ta -	gu ra fu	ge - mu	go ru fu

  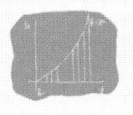  

ザ行 ▶ 우리말의 「자·지·스·제·조」와 같음.

ザ	ジ	ズ	ゼ	ゾ
za	zi	zu	ze	zo
デザート 디저트	ジーンズ 청바지(진)	ズボン 바지	ゼロ 숫자 0	リゾート 리조트
de za to	zi - n zu	zu bon	ze ro	ri zo - to

ダ行 ▶ 우리말의 「다·지·즈·데·도」와 같음.

ダ	ヂ	ヅ	デ	ド
da	ji	zu	de	do
ダイヤモンド 다이아몬드			デパート 백화점	ドア 문
da i yamondo			de pa - to	do a

 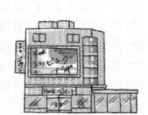 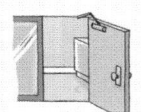

38

バ行 ▶ 우리말의 「바·비·부·베·보」와 같음. 「ブ」는 「부」와 「브」의 중간발음.

バ	ビ	ブ	ベ	ボ
ba	bi	bu	be	bo
バス 버스 ba su	テレビ 텔레비전 te re bi	ブーツ 부츠 bu - tsu	ベル 벨, 초인종 be ru	ボール 볼, 공 bo - ru

가타카나 반탁음

반탁음은 「ハ행」의 오른쪽 위에 반탁점인 「 ゜」을 붙인 글자입니다.
청음이나 탁음에 비해 센소리가 납니다.

パ行 ▶ 우리말의 「파·피·푸·페·포」와 같음. 「プ」는 「푸」와 「프」의 중간발음.

パ	ピ	プ	ペ	ポ
pa	pi	pu	pe	po
パン 빵 paN	ピアノ 피아노 pi a no	プール 풀, 수영장 pu - ru	ペン 펜 pe N	ポスト 우체통 po su to

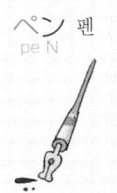

가타카나
요음

반모음인 「ヤ·ユ·ヨ」가 다른 가나와 함께 쓰여, 그 가나와 함께 한 글자처럼
발음됩니다. 가나의 오른쪽 밑에 작게 쓰며, 「イ단」의 글자와 함께 씁니다.

キャ	キュ	キョ	ギャ	ギュ	ギョ
kya	kyu	kyo	gya	gyu	gyo
シャ	シュ	ショ	ジャ	ジュ	ジョ
sya	syu	syo	zya	zyu	zyo
チャ	チュ	チョ	ニャ	ニュ	ニョ
chya	chyu	chyo	nya	nyu	nyo
ヒャ	ヒュ	ヒョ	ビャ	ビュ	ビョ
hya	hyu	hyo	bya	byu	byo
ピャ	ピュ	ピョ			
pya	pyu	pyo			
ミャ	ミュ	ミョ	リャ	リュ	リョ
mya	myu	myo	rya	ryu	ryo

가타카나
촉음

촉음이란 「ッ」를 작게 써서 표기하며 우리말의 받침과 같은 역할을 합니다.
※뒤에 오는 음에 따라 발음이 달라집니다.

1 　「ッ」＋ カ行　k「ㄱ」으로 발음

- サッカー(sakka-) 축구
- ミュージック(myu-zikku) 음악

2 　「ッ」＋ サ行　s「ㅅ」으로 발음

- レッスン(ressuN) 레슨
- エッセイ(essei) 수필

3 　「ッ」＋ タ行　t「ㄷ」으로 발음

- チケット(chiketto) 티켓
- キッチン(kitchiN) 부엌

4 　「ッ」＋ パ行　p「ㅂ」으로 발음

- ストップ(sutoppu) 스톱
- スリッパ(surippa) 슬리퍼

발음인 「ン」은 한자의 영향을 받아 생긴 것으로 말의 첫 머리에는 쓰이지 않습니다.
우리말의 「ㄴ, ㅁ, ㅇ」 받침과 같은 역할을 합니다.
※뒤에 오는 음에 따라 발음이 달라집니다.

1　マ、バ、パ行 앞에서는 m「ㅁ」으로 발음.

- サンプル (sampuru) 샘플
- メンバー (memba-) 멤버
- キャンパス (kyampasu) 캠퍼스

2　サ、ザ、タ、ダ、ナ、ラ行 앞에서는 n「ㄴ」으로 발음.

- アナウンサー (anaunsa-) 아나운서
- フレンド (furendo) 친구
- トンネル (tonneru) 터널

3　カ、ガ行 앞에서는 ŋ「ㅇ」으로 발음.

- アンコール (aŋko-ru) 앙코르
- シングル (shiŋguru) 싱글

4　ア、ハ、ヤ、ワ行 앞이나 단어의 맨 끝에서는 N「ㄴ과 ㅇ」 중간발음.

- ワイン (waiN) 와인
- デザイン (dezaiN) 디자인
- パンフレット (paNfuretto) 팸플릿

03 안녕하세요!
こんにちは!

만화방

일본의 만화방(まんが喫茶きっさ). 커피숍을 고유 일본어로 喫茶店きっさてん이라고 하는데서 유래했습니다. 차보다는 만화나 인터넷 같은 서비스를 시간제 요금을 받고 제공하고 있습니다.

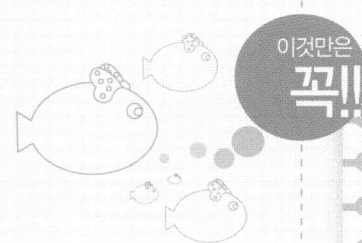

이것만은
꼭!!

■ 기본 인사말

오늘은 일본어의 기본적인 인사말을 배워 보도록 하겠습니다. 아침에 일어나서부터 잠들 때까지 일상적으로 사용하는 인사말을 우리와 비교하며 공부해 봅시다.

이 과의 주요 내용!

- 인사말 배우기
- 기본 인사
- 감사 인사
- 사과 인사
- 헤어질 때 인사

01 일상 인사하기

> おはようございます。 안녕하세요.(아침인사)
> こんにちは。 안녕하세요.(낮인사)
> こんばんは。 안녕하세요.(저녁인사)

이렇게 읽어요

おはようございます
오하요-고자이마스
こんにちは 곤-니찌와
こんばんは 곰-방와

'おはようございます'는 일어나서 오전 10시 정도까지 쓰이며, 윗사람에게는 'おはようございます', 아랫사람이나 친구에게는 'おはよう'라고 합니다.

'こんにちは'는 보통 오전 10시부터 해가 질 때까지 쓰이며 윗사람, 아랫사람 구분없이 사용합니다.

'こんばんは'는 해가 지고 저녁 식사가 끝날 무렵부터 잠잘 때까지 사용합니다.

02 잠자기 전 인사하기

> おやすみなさい。 안녕히 주무세요.
> おやすみ。 잘 자.

이렇게 읽어요

おやすみなさい
오야스미 나사이
おやすみ 오야스미

잠들기 전 인사입니다. 아랫사람이나 친구에게는 'おやすみ'라고만 해도 됩니다.

おやすみ。

おやすみなさい。

03 감사 인사하기

ありがとうございます。 고맙습니다.
どういたしまして。 천만에요.

이렇게 읽어요

ありがとうございます
아리가또- 고자이마스
どういたしまして
도- 이따시마시떼

고마움을 나타내는 가장 대표적인 인사 표현이 '**ありがとうございます**'입니다. 아랫사람이나 친구에게는 '**ありがとう**'라고만 해도 됩니다.

ありがとうございます

04 사과 인사하기

すみません。 죄송합니다. (감사합니다. 실례합니다. 여보세요)
だいじょうぶです。 괜찮습니다.

이렇게 읽어요

すみません
스미마셍-
だいじょうぶです
다이죠-부데스

'**すみません**'은 사과할 때 쓰는 대표적 표현입니다. 더 공손하게 사과하고 싶을 때는 '**もうしわけございません**'을 쓰면 되고, 아랫사람이나 친구한테는 '**ごめんね**'라고 하면 됩니다.

すみません。

だいじょうぶです。

05 외출하기 전 인사하기

> いってきます。 다녀오겠습니다.
>
> いってらっしゃい。 다녀오세요.

이렇게 읽어요

いってきます
잇-떼기마스
いってらっしゃい
잇-떼랏-샤이

외출할 때 주고 받는 인사입니다. 'いってきます'를 직역하면 '갔다 오겠습니다' 즉, '다녀오겠습니다'라는 인사가 되고, 'いってらっしゃい'는 '갔다 오세요, 다녀오세요'가 됩니다.

いってきます。

いってらっしゃい。

06 외출에서 돌아와 인사하기

> ただいま。 다녀왔습니다.
>
> おかえりなさい。 어서 오세요.

이렇게 읽어요

ただいま
다다이마
おかえりなさい
오까에리나사이

외출에서 돌아와 주고 받는 인사입니다. 격식을 차려 인사한다면 'ただいまかえりました(지금 돌아왔습니다)'라고 하지만, 보통 생략해서 'ただいま'라고 하며, 'おかえりなさい'도 'おかえり'로 줄여 말할 수 있습니다.

ただいま。

おかえりなさい。

07 식사 전과 식사 후 인사하기

> **いただきます。** 잘 먹겠습니다.
> **ごちそうさまでした。** 잘 먹었습니다.

이렇게 읽어요

> いただきます
> 이따다끼마스
> ごちそうさまでした
> 고찌소−사마데시따

'いただきます'는 식사나 음식을 먹기 전에 하는 인사말로, 혼자 있는 경우에도 빠뜨리지 않고 하는 인사입니다. 'ごちそうさまでした'는 음식을 다 먹고 나서 하는 인사말로 줄여서 'ごちそうさま'라고도 합니다.

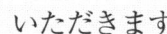

08 권유와 감사 인사하기

> **どうぞ。** 어서(하십시오).
> **どうも。** 고맙습니다.

'どうぞ(아무쪼록, 부디, 제발)'는 영어의 'please'와 비슷한 말로 상대방에게 무엇을 권하거나 부탁할 때 쓰입니다.

'どうも'도 여러 가지 뜻을 가진 말로 감사, 반가움, 고마움, 사과, 요구 등을 나타낼 때 사용합니다.

이렇게 읽어요

> どうぞ 도−조
> どうも 도−모

일본어
인사하기

14
CD

헤어질 때 인사하기

> さよ(う)なら。 안녕히 가세요.
>
> じゃあね。 그럼 (안녕히 가세요).

일본에서는 '안녕히 가세요/계세요'를 구분하지 않고 'さようなら'를 쓰며, 'さよなら'라고 하기도 합니다. 장기간 보지 못할 경우에 사용하므로 매일 만나는 사람에게는 'さようなら' 보다 'またね・じゃあね・また、あした'라는 인사말을 많이 씁니다

이렇게 읽어요

さよ(う)なら 사요-나라
じゃあね 쟈-네

さよ(う)なら。

じゃあね。

14
CD

퇴근할 때 인사하기

> おさきにしつれいします。 먼저 실례하겠습니다.
>
> おつかれさまでした。 수고하셨습니다.

'おさきにしつれいします'는 퇴근할 때나 어떤 모임에서 먼저 자리를 떠야 할 경우에 남아 있는 사람들에게 합니다.
'おつかれさまでした'는 하루 종일 일하느라 고생했다는 뜻으로 하는 인사말입니다. 손아래사람에게 친근하게 말할 때는 'ごくろうさん' 또는 'おつかれ'까지만 말해도 됩니다.

이렇게 읽어요

おさきにしつれいします
오사끼니 시쯔레이시마스
おつかれさまでした
오쯔까레사마데시따

おさきにしつれいします

04

나는 회사원입니다.
私は 会社員です。

오다이바

도쿄만을 매립하여 만든 해양 공원오다이바(お台場だいば). 볼거리와 즐길거리가 많아 남녀노소 누구에게나 인기 있습니다. 도쿄 최고의 야경 스폿이기도 하여 연인들의 데이트 장소로도 사랑받고 있습니다.

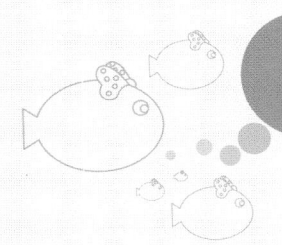

이것만은
꼭!!

■ 명사의 기본 용법

오늘은 일본어의 명사와 이를 이용한 기본 구문에 대해 공부합니다. 먼저 일반 명사를 말하는 방법에 대해 알아보고 사람을 나타내는 인칭 대명사와 이것·그것·저것·어느 것을 말하는 지시대명사, 명사와 명사를 연결하는 조사 '～の'에 대해서도 살펴보겠습니다.

이 과의 주요 내용!

- 명사의 기본문
- 인칭대명사
- 지시대명사 – 'これ·それ·あれ·どれ'
- 명사와 명사 연결하기 – '～の'
- 자기 소개 하기

명사의 기본문 정리

사물이나 사람, 숫자, 위치 등을 말하는 단어를 '명사'라고 합니다. 명사 자체는 문장 속에서 변하지 않으며, 거의 모든 품사들과 결합합니다.

● 명사의 기본문

	보통체(반말)	정중체(존대말)
긍정	学生がくせい＋だ (학생이다)	学生＋です (학생입니다)
부정	学生＋では(じゃ)ない (학생이 아니다)	学生＋では(じゃ)ありません ＝学生＋では(じゃ)ないです (학생이 아닙니다)
과거	学生＋だった (학생이었다)	学生＋でした (학생이었습니다)
과거 부정	学生＋ではなかった (학생이 아니었다)	学生＋ではありませんでした ＝学生＋ではなかったです (학생이 아니었습니다)
의문문	学生＋か (학생이니?)	学生＋ですか (학생입니까?)
추측	学生＋だろう (학생이겠지)	学生＋でしょう (학생일 거예요)
연결	学生＋で、 (학생이고,)	

* じゃ는 では의 줄임말

* ではないです＝ではありません

● 인칭 대명사

1인칭	2인칭	3인칭	부정칭
私わたし 저	あなた 당신	彼かれ 그	どなた 어느 분
僕ぼく 나	君きみ 너	彼女かのじょ 그녀	誰だれ 누구
俺おれ 나	お前まえ 너		

* 私わたし는 남녀 공용으로 사용하고, あなた는 주로 여성어로 사용

* 僕ぼく, 俺おれ, 君きみ, お前まえ는 남성어

한눈에 익히는
필수 어휘

초급에서 많이 쓰이는 명사이므로 꼭 익혀 둡시다.

水 물 	お茶_{ちゃ} 차 	コーヒー 커피 
ビール 맥주 	車_{くるま} 자동차 	タクシー 택시 
バス 버스 	新幹線_{しんかんせん} 신칸센 	本_{ほん} 책 
えんぴつ 연필 	ペン 펜 	携帯電話_{けいたいでん わ} 휴대전화 
かさ 우산 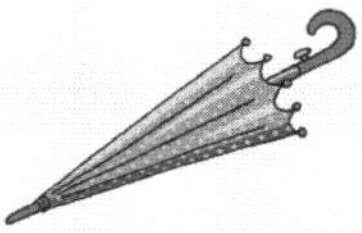	時計_{と けい} 시계 	学校_{がっこう} 학교 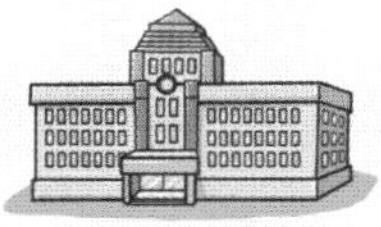
銀行_{ぎんこう} 은행 	郵便局_{ゆうびんきょく} 우체국 	トイレ 화장실 
ラーメン 라면 	すし 초밥 	刺身_{さし み} 생선회 

핵심 문장 먼저 익히기

이번 과의 핵심 문장을 학습에 앞서 먼저 큰소리로 10번 씩 읽어 보십시오.

핵심 문장만이라도 외워두시면 일본어 정복에 큰 힘이 될 것입니다.

1

私は 会社員です。

와따시와 가이샤인-데스.

나는 회사원입니다.

2

私は 学生ではありません。

와따시와 가꾸세-데와 아리마센-.

나는 학생이 아닙니다.

3

田中さんは 先生ですか。

다나까상-와 센-세-데스까.

다나카 씨는 선생님입니까?

4

はい、そうです。

하이. 소-데스.

네, 그렇습니다.

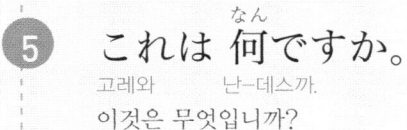

5

これは 何ですか。

고레와 난-데스까.

이것은 무엇입니까?

6

それは 雑誌です。

소레와 잣-시데스.

그것은 잡지입니다.

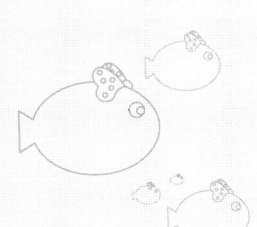

7

あれは 私のです。

아레와 와따시노데스.

저것은 내 것입니다.(~의 것)

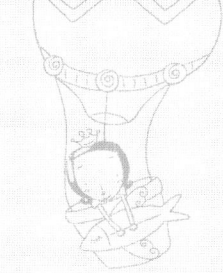

일본어
뼈대 잡기

01 핵심 포인트

~는 ~입니다 　명사 정중체 긍정형

> わたし　　かいしゃいん
> 私は 会社員です。 나는 회사원입니다.

'は'는 우리말의 '은, 는'에 해당하는 조사입니다. 'は'가 조사로 쓰일 때는 발음을 '하'가 아닌 '와'로 해야 합니다. 'です(입니다)'는 'だ(이다)'의 정중체(존대말)입니다.

- 会社員かいしゃいん 회사원
- 学生がくせい 학생
- 韓国人かんこくじん 한국인

> かいしゃいん
> 会社員だ → 会社員です
> 회사원이다　　회사원입니다

알아두세요!

일본어의 마침표는 우리와 달리 원을 그린 형태인 「。」을 씁니다. 점으로 찍지 않도록 주의하세요.

- わたし　　がくせい
  私は 学生です。 나는 학생입니다.
  와따시와 가꾸세-데스

- わたし　　かんこくじん
  私は 韓国人です。 나는 한국인입니다.
  와따시와 강-꼬꾸진-데스

02 핵심 포인트

~는 ~가 아닙니다 　명사 정중체 부정형

> わたし　　がくせい
> 私は 学生ではありません。 나는 학생이 아닙니다.

'ではありません(~가 아닙니다)'은 'です(입니다)'의 부정형입니다. 회화체에서는 줄여서 'じゃありません'이라고 합니다.

> がくせい
> 学生だ → 学生です → 学生では(じゃ)ありません
> 학생이다　　학생입니다　　학생이 아닙니다

- 銀行員ぎんこういん 은행원
- 先生せんせい 선생님

- わたし　　ぎんこういん
  私は 銀行員じゃありません。 나는 은행원이 아닙니다.
  와따시와 깅-꼬-인-쟈 아리마센-

- わたし　　せんせい
  私は 先生じゃありません。 나는 선생님이 아닙니다.
  와따시와 센-세-쟈 아리마센-

~는 ~입니까? 명사 정중체 의문문

> ^{た なか}
> 田中さんは 先生ですか。 다나카 씨는 선생님입니까?
>
> はい、そうです。 네, 그렇습니다.
>
> いいえ、ちがいます。 아니요, 아닙니다.

'か(까?)'는 문장 끝에 와서 의문문을 만듭니다. 대답은 'はい(네)'와 'いいえ(아니요)'를 써서 답합니다.

> ^{せんせい}
> 先生だ → 先生です → 先生ですか
> 선생님이다   선생님입니다   선생님입니까

• これ せんせい
• そうです 그렇습니다
• ちがいます 아닙니다
• 中国人 ちゅうごくじん
  중국인
• 医者 いしゃ 의사

• ^イ李さんは ^{ちゅうごくじん}中国人ですか。 이 씨는 중국인입니까?
  이상-와   쮸-고꾸진-데스까

  はい、そうです。 네, 그렇습니다.
  하이,   소-데스

• ^{キム}金さんは ^{い しゃ}医者ですか。 김 씨는 의사입니까?
  기무상-와   이샤데스까

  いいえ、ちがいます。 아니요, 아닙니다.
  이-에   찌가이마스

알아두세요!

'さん'은 우리 말의 '~씨'에 해당하지만 우리말의 '~씨'보다는 친근한 어감입니다. 보통 성(姓) 다음에 붙여서 쓰고 상사나 선생님에게는 직함을 붙여 부르는 게 좋습니다.

나라 이름

^{かんこく}韓国 한국	^{に ほん}日本 일본	^{ちゅうごく}中国 중국
アメリカ 미국	フランス 프랑스	イギリス 영국
イタリア 이탈리아	インド 인도	タイ 태국
オーストラリア 호주	カナダ 캐나다	ドイツ 독일
ブラジル 브라질	スペイン 스페인	ロシア 러시아

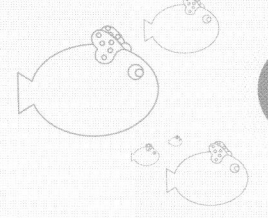

04 이것은 ~입니다 [지시대명사]

これは 何^{なん}ですか。 이것은 무엇입니까?

우리말의 '이것·그것·저것·어느 것'에 해당하는 표현으로 일본어에는 'これ·それ·あれ·どれ'가 있습니다. 'これ(이것)'는 자신에게 가까이 있는 것을 말할 때, 'それ(그것)'는 상대방에 가까이 있는 것을, 'あれ(저것)'는 모두에게 멀리 떨어져 있는 것을 말할 때 사용하며, 'どれ(어느 것)'는 세 가지 이상이 있을 때 사용합니다.

これ	それ	あれ	どれ
이것	그것	저것	어느 것

• 何^{なん} 무엇
• 雑誌^{ざっし} 잡지
• ノート 노트
• 帽子^{ぼうし} 모자

• それは 雑誌^{ざっし}です。 그것은 잡지입니다.
　소레와　　잣-시데스

• あれは ノートです。 저것은 노트입니다.
　아레와　　노-또데스

• 金^{キム}さんの帽子^{ぼうし}は どれですか。 김(영민) 씨 모자는 어느 것입니까?
　기무산-노 보-시와　　도레데스까

(16 CD)

패턴회화

회화문에서 이렇게 쓰여요! 잘 연습해 보세요~!

A これは ☐☐☐ ですか。　　　　이것은 ~입니까?

B いいえ、☐☐☐ ではありません。 아니요, ~가 아닙니다.

　それは ☐☐☐ です。　　　　　그것은 ~입니다.

---

1 えんぴつ・ペン 연필 / 펜　　　2 雑誌^{ざっし}・じしょ 잡지 / 사전

3 テープ・ビデオ 테이프 / 비디오　4 つくえ・いす 책상 / 의자

일본어
뼈대 잡기

핵심 포인트
05

조사 の (の의 용법)

これは 私(わたし)の本(ほん)です。 이것은 내 책입니다.(~의)

これは 私(わたし)のです。 이것은 내 것입니다.(~의 것)

'の'는 조사로서 우리말의 '~의'에 해당합니다. 우리말에서는 흔히 생략되지만, 일본어에서는 명사와 명사를 연결할 때 반드시 'の'를 써야 합니다. 또한 소유를 나타내는 '~의 것'이란 뜻으로도 쓰입니다.

• 本(ほん) 책
• 誰(だれ) 누구

- それは 誰(だれ)の本(ほん)ですか。 그것은 누구 책입니까?
  소레와   다레노 혼–데스까

  これは 金(キム)さんのです。 이것은 김(영민) 씨 것입니다.
  고레와   기무상–노데스

- これは 金(キム)さんの本(ほん)ですか。 이것은 김(영민) 씨 책입니까?
  고레와   기무상–노 혼–데스까

  はい、それは 金(キム)さんのです。 네, 그것은 김(영민) 씨 것입니다.
  하이, 소레와   기무상–노데스

알아두세요!

일본어에서는 원칙적으로 물음표와 느낌표를 쓰지 않습니다. 하지만 공적인 문서 이외에는 대부분 쓰고 있습니다.

17
CD

패턴회화

회화문에서 이렇게 쓰여요! 잘 연습해 보세요~!

A これは 金(キム)さんの [   ] ですか。 이것은 김(영민) 씨의 ~입니까?

B はい、金(キム)さんのです。 네, 김(영민) 씨 것입니다.

いいえ、金(キム)さんのではありません。 아니요, 김(영민) 씨 것이 아닙니다.

1 時計(とけい) 시계   2 かばん 가방

3 てちょう 수첩   4 車(くるま) 자동차

핵심 포인트

06 자기 소개하기

18 CD

> はじめまして。 처음 뵙겠습니다.

'はじめまして(처음 뵙겠습니다)'는 상대방과 처음 만났을 때 하는 인사말로 윗사람 아랫사람 구분없이 쓸 수 있습니다.
다음은 인사말의 전형적인 패턴이므로 이름·나라 이름·직업 등을 넣어 자기 소개를 해 봅시다.

• はじめまして。 처음 뵙겠습니다.
  하지메마시떼

  私は　姜 多妍　です。 저는 (성과 이름)입니다.
  와따시와　강 다 연　데스

  韓国人　です。 (나라 이름)사람입니다.
  강-꼬꾸진-　데스

  大学生　です。 (직업 이름)입니다.
  다이가꾸세-　데스

  どうぞ、よろしく お願いします。 아무쪼록 잘 부탁드립니다.
  도-조　　　요로시꾸　　오네가이시마스

  응답 표현

• こちらこそ。 どうぞ、よろしく お願いします。
  고찌라꼬소　　　　　도-조　　　요로시꾸　　　오네가이시마
  저야말로 잘 부탁 드립니다.

직업 이름

• 高校生 고등학생	• 大学生 대학생	• 大学院生 대학원생
• OL 여회사원	• 主婦 주부	• 弁護士 변호사
• 公務員 공무원	• 看護婦 간호사	• エンジニア 기술자

회화문
말해보기

A これは あなたの 本ですか。
고레와　　아나따노 혼-데스까.

B はい、そうです。私のです。
하이.　　소-데스.　　와따시노데스.

A 何の 本ですか。
난-노 혼-데스까.

B 英語の 本です。
에-고노 혼-데스.

• 何なんの 무슨
• 英語えいご 영어
• 中国語ちゅうごくご 중국어

A それも 英語の 本ですか。
소레모　　에-고노 혼-데스까.

B いいえ、英語の 本ではありません。
이-에.　　에-고노 혼-데와 아리마센-.
中国語の 本です。
쮸-고꾸고노 혼-데스.

A 이것은 당신 책입니까?
B 네, 그렇습니다. 제 것입니다.
A 무슨 책입니까?
B 영어 책입니다.
A 그것도 영어 책입니까?
B 아니요, 영어 책이 아닙니다.
　중국어 책입니다.

05

이 책은 일본어 책입니다.
この本は 日本語の 本です。

파칭코

일본인의 네 명 중 한 명이 즐긴다는 국민적 게임 파친코(パチンコ). 많은 성인 남녀가 즐기지만 중독성이 강하고 관련 사건사고가 끊이지 않아 사회적인 문제가 되고 있습니다.

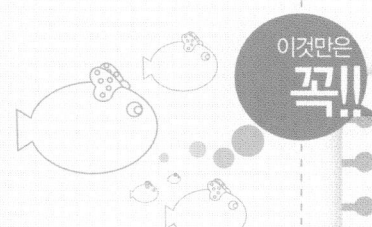

이것만은 꼭!!

■ 명사의 기본 용법

오늘은 명사 중에서도 지시대명사와 물건과 사람의 수 세기, 가족을 나타내는 말에 대해 알아보겠습니다. 지시대명사는 사물을 말할 때뿐만 아니라 장소와 방향을 가리킬 때도 쓰이니 헷갈리지 않도록 잘 구분하세요. 그리고 기본적인 조사에 대해서도 알아봅시다.

이 과의 주요 내용!

- 지시대명사 – 'こ · そ · あ · ど'
- 기본 조사 정리
- 숫자 세기① – '0~10'
- 가족 말하기

기본 조사정리

조사는 명사나 동사, 형용사 같은 다른 품사들에 접속하여 문장을 인용, 가정, 목적, 나열 등으로 나타내는 데 도움을 주는 품사입니다.

は	은/는	これは 本ほんです。 이것은 책입니다.
が	이/가	私わたしが 姜カンです。 내가 강(석기)입니다.
と	와/과	父ちちと 兄あに。 아빠와 형(오빠).
も	도	これも 本ほんです。 이것도 책입니다.
を	을/를	ご飯はんを 食たべます。 밥을 먹습니다.
へ	에, 으로	学校がっこうへ 行いきます。 학교에 갑니다.
の	의	日本語にほんごの 本ほんです。 일본어 책입니다
	것	私わたしのです。 내 것입니다.
	인	友達ともだちの 山田やまださんです。 친구인 야마다 씨입니다.
に	에	日本にほんに 行いきます。 일본에 갑니다.
で	에	全部ぜんぶで いくらですか。 전부에 얼마입니까?
	에서	学校がっこうで 勉強べんきょうします。 학교에서 공부합니다.
	으로	電車でんしゃで 帰かえります。 전철로 돌아갑니다.

こそあど 정리

	こ	そ	あ	ど
사물	これ 이것	それ 그것	あれ 저것	どれ 어느 것
지시	この 이	その 그	あの 저	どの 어느
방향	こちら 이쪽	そちら 그쪽	あちら 저쪽	どちら 어느 쪽
장소	ここ 여기	そこ 거기	あそこ 저기	どこ 어디

이번 과의 핵심 문장을 학습에 앞서 먼저 큰소리로 10번 씩 읽어 보십시오.
핵심 문장만이라도 외워두시면 일본어 정복에 큰 힘이 될 것입니다.

① この本は 日本語の本です。
고노 홍-와　　　니홍-고노 혼-데스.
이 책은 일본어 책입니다.

② この人は 誰ですか。
고노 히또와　　　다레데스까.
이 사람은 누구입니까?

③ ここは 会議室です。
고꼬와　　　가이기시쯔데스.
여기는 회의실입니다.

④ 食堂は あそこです。
쇼꾸도-와　　아소꼬데스.
식당은 저기입니다.

⑤ お手洗いは こちらです。
오떼아라이와　　　　고찌라데스.
화장실은 이쪽입니다.

⑥ 父と 母と 私 3人 家族です。
찌찌또　하하또　와따시 산-닝- 가조꾸데스.
아버지와 어머니와 저 3인 가족입니다.

⑦ 友達のお父さんは 先生です。
도모다찌노 오또-상-와　　　센-세-데스.
친구 아버님은 선생님입니다.

일본어
뼈대 잡기

01 이·그·저·어느 〔지시어〕

この本は 日本語の本です。 이 책은 일본어 책입니다.

'この·その·あの·どの'는 우리말의 '이·그·저·어느'에 해당하는 표현으로, 우리말에서도 '이·그·저·어느' 다음에 명사를 붙여 말하는 것처럼 'この·その·あの·どの + 명사'의 형태로 쓰입니다.

この 本ほん	その 本	あの 本	どの 本
이 책	그 책	저 책	어느 책
この 人ひと	その 人	あの 人	どの 人
이 사람	그 사람	저 사람	어느 사람

• 本ほん 책
• 誰だれ 누구
• 韓国かんこく 한국

• この人は 誰ですか。 이 사람은 누구입니까?
  고노 히또와   다레데스까

  → その人は 韓国の金さんです。 그 사람은 한국의 김(영민) 씨입니다.
    소노 히또와   강-꼬꾸노 기무산-데스

02 여기·거기·저기·어디 〔장소〕

ここは 会議室です。 여기는 회의실입니다.

'ここ·そこ·あそこ·どこ'는 'こ·そ·あ·ど' 표현 중 하나로 장소를 나타냅니다.

ここ	そこ	あそこ	どこ
여기	거기	저기	어디

• 会議室かいぎしつ 회의실
• 図書館としょかん 도서관
• 食堂しょくどう 식당

• そこは 図書館です。 거기는 도서관입니다.
  소꼬와   도쇼깐-데스

• 食堂は あそこです。 식당은 저기입니다.
  쇼꾸도-와   아소꼬데스

03 이쪽 · 그쪽 · 저쪽 · 어느 쪽 〔방향〕

お手洗(てあら)いは こちらです。 화장실은 이쪽입니다.

- お手洗(てあら)い 화장실
- 学校(がっこう) 학교

'こちら · そちら · あちら · どちら'는 방향을 나타냅니다.

こちら （こっち） 이쪽	そちら （そっち） 그쪽	あちら （あっち） 저쪽	どちら （どっち） 어느 쪽

- 学校(がっこう)は どちらですか。 학교는 어느 쪽입니까?
  각-꼬-와 　 도찌라데스까

  → 学校(がっこう)は あちらです。 학교는 저쪽입니다.
  각-꼬-와 　 아찌라데스

알아두세요!

화장실은 일본어로 'お手洗い'라고 하는데, 영어의 'toilet'에 해당하는 'トイレ'도 많이 씁니다. 일본의 화장실은 우리나라와 달리 몸을 씻는 곳과 용변을 보는 곳이 나누어져 있다는 것 알아두세요.

패턴회화

회화문에서 이렇게 쓰여요! 잘 연습해 보세요~!

A すみません、　　　は どちらですか。
　　　　　　　　　　죄송합니다만, ~은 어느 쪽입니까?

B 　　　は 　　　です。 　~은 ~입니다.

1 レストラン・こちら 레스토랑 / 이쪽
2 教室(きょうしつ)・あちら 교실 / 저쪽
3 銀行(ぎんこう)・ここ 은행 / 여기
4 事務室(じむしつ)・あそこ 사무실 / 저기

일본어
뼈대 잡기

핵심 포인트
04

숫자 세기① (0~10)

でん わ ばんごう
電話番号は012-345-6789です。
전화번호는 012-345-6789입니다

알아두세요!

전화번호 사이의 '-'는 일본어에
서는 'の'로 읽습니다.

'4'의 'し'는 발음이 '死(し)'와 같아 주로 'よん'으로 읽고, '7'도 '8'과 구별하기 위해 'なな'로 많이 읽습니다. 일본어 숫자는 연결되는 조수사에 따라 읽기가 조금씩 달라지므로 확실히 암기해야 합니다.

〈0~10〉

영	일	이	삼	사	오	육	칠	팔	구	십
ゼロ れい	いち	に	さん	し よん	ご	ろく	しち なな	はち	く きゅう	じゅう

핵심 포인트
05

가족 소개하기

か ぞく　なんにん
家族は 何人ですか。 가족은 몇 명입니까?
よにん
家族は 4人家族です。 가족은 4인 가족입니다.

일본어에서는 자기 가족을 말할 때와 남의 가족을 말할 때가 다릅니다. 남에게 자기 가족을 말할 때는 존칭을 쓰지 않는 점에 주의해야 합니다.

• 家族かぞく 가족
• 何人なんにん 몇 명

〈사람 수 세기〉

1명	2명	3명	4명	5명
ひとり 1人	ふたり 2人	さんにん 3人	よにん 4人	ごにん 5人

6명	7명	8명	9명	10명
ろくにん 6人	しちにん 7人	はちにん 8人	きゅうにん 9人	じゅうにん 10人

64

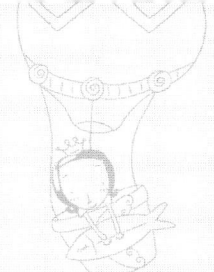

〈가족 말하기〉

가족	자기 가족을 말할 때	남의 가족을 부를 때
할아버지	祖父そふ	おじいさん
할머니	祖母そぼ	おばあさん
아버지	父ちち	お父とうさん
어머니	母はは	お母かあさん
형 / 오빠	兄あに	お兄にいさん
누나 / 언니	姉あね	お姉ねえさん
남동생	弟おとうと	弟おとうとさん
여동생	妹いもうと	妹いもうとさん

알아두세요!

일본어에서는 가족 상호간에는 존경어를 사용하지 않습니다.

패턴회화

[21 CD]

회화문에서 이렇게 쓰여요! 잘 연습해 보세요~!

A 何人なんにん 家族かぞくですか。　　　　몇 명 가족입니까?

B ☐ 家族かぞくです。　　　　～ 가족입니다.

　　☐ と ☐ と私わたしです。　　～와 ～와 저입니다.

1 5人にん・父ちち・母はは・姉あね・兄あに 5명 / 아빠 / 엄마 / 누나(언니) / 형(오빠)

2 2人ふたり・祖母そぼ 2명 / 할머니

3 3人にん・妹いもうと・弟おとうと 3명 / 여동생 / 남동생

회화문
말해보기

A 金さんの家族は 何人ですか。
기무상-노 가조꾸와 난-닌-데스까.

B 3人 家族です。
산-닝 가조꾸데스.

A じゃ、この方が お母さんですね。
쟈. 고노 가따가 오까-상-데스네.

B はい、そうです。母です。
하이. 소-데스. 하하데스.

A じゃ、この方は お父さんですね。
쟈. 고노 가따와 오또-상-데스네.

B はい、そうです。父です。
하이. 소-데스. 찌찌데스.

- 家族かぞく 가족
- 方かた 분
- お母かあさん 어머니
- 母はは 엄마
- お父とうさん 아버지
- 父ちち 아빠

해석

A 김(영민) 씨 가족은 몇 명입니까?

B 3인 가족입니다.

A 그럼, 이 분이 어머님이겠군요.

B 네, 맞아요. 엄마예요.

A 그럼, 이 분은 아버님이지요?

B 네, 그래요. 아빠예요.

06

지금 몇 시입니까?
今 何時ですか。

히나마쓰리

히나마쓰리(ひなまつり)는 3월 3일에 여자아이의 성
장과 행복을 기원하는 행사입니다. 2월부터 집안에 ひ
な壇だん을 마련하고 그 위에 인형들을 올려놓는데,
이 인형들은 3월 3일이 지나고 빨리 치우지 않으면 시
집을 늦게 간다는 속설이 있습니다.

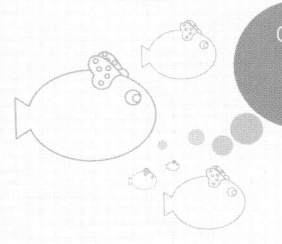

이것만은
꼭!!

■ 명사의 기본 용법

오늘은 먼저 일본어의 조수사에 대해 공부한 후 시간과 관련된 표현
들과 10이상의 숫자를 세는 방법, 그리고 날짜와 요일을 말하는 방법
들에 대해 알아봅시다.

이 과의 주요 내용!

- 조수사
- 시간을 묻는 표현 – '何時'
- 숫자 세기②–'11~90,000'
- 숫자 세기③–'하나~열'
- 날짜 말하기
- 요일 말하기

조수사 정리

숫자나 순서를 세는 데 쓰는 품사를 조수사라고 합니다. 일본어도 우리말처럼 사물이나 단위의 종류에 따라 헤아리는 말이 다르므로 나올 때마다 그때그때 외워 두도록 합시다.

	개수 (〜個:개)	동물 (〜匹:마리)	책, 노트 (〜冊:권)	차, 가전 (〜台:대)	연필, 병 (〜本:자루)
1	いっこ	いっぴき	いっさつ	いちだい	いっぽん
2	にこ	にひき	にさつ	にだい	にほん
3	さんこ	さんびき	さんさつ	さんだい	さんぽん
4	よんこ	よんひき	よんさつ	よんだい	よんほん
5	ごこ	ごひき	ごさつ	ごだい	ごほん
6	ろっこ	ろっぴき	ろくさつ	ろくだい	ろっぽん
7	ななこ	ななひき	ななさつ	ななだい	ななほん
8	はちこ	はっぴき	はっさつ	はちだい	はっぽん
9	きゅうこ	きゅうひき	きゅうさつ	きゅうだい	きゅうほん
10	じゅっこ	じゅっぴき	じゅっさつ	じゅうだい	じゅっぽん
몇	なんこ	なんびき	なんさつ	なんだい	なんぽん

이번 과의 핵심 문장을 학습에 앞서 먼저 큰소리로 10번 씩 읽어 보십시오.
핵심 문장만이라도 외워두시면 일본어 정복에 큰 힘이 될 것입니다.

1 今 何時ですか。
이마 난-지데스까.
지금 몇 시입니까?

2 会社は 何時から 何時までですか。
가이샤와 난-지까라 난-지마데데스까.
회사는 몇 시부터 몇 시까지입니까?

3 9時から 5時までです。
구지까라 고지마데데스.
9시부터 5시까지입니다.

4 りんごは いくらですか。
링-고와 이꾸라데스까.
사과는 얼마입니까?

5 それを 二つ ください。
소레오 후따쯔 구다사이.
그것을 두 개 주세요

6 何月 何日ですか。
낭-가쯔 난-니찌데스까.
몇 월 며칠입니까?

7 今日は 何曜日ですか。
교-와 낭-요-비데스까.
오늘은 무슨 요일입니까?

일본어
뼈대 잡기

핵심 포인트

01

시간 묻기

今 何時ですか。 지금 몇 시입니까?
6時 30分です。 6시 30분입니다.

시간 표현도 우리와 거의 같으므로 시간 관련 단어들만 잘 정리해서 외워두면 됩니다.

- 今いま 지금
- 時じ 시
- 分ふん 분
- 秒びょう 초

알아두세요!

4시 25분
よじ にじゅうごふん

9시 10분 전
くじ じっぷん まえ

정각 2시
ちょうどにじ

	時 시	分 분	秒 초
1	いちじ	いっぷん	いちびょう
2	にじ	にふん	にびょう
3	さんじ	さんぷん	さんびょう
4	よじ	よんぷん	よんびょう
5	ごじ	ごふん	ごびょう
6	ろくじ	ろっぷん	ろくびょう
7	しちじ	ななふん	ななびょう
8	はちじ	はちふん はっぷん	はちびょう
9	くじ	きゅうふん	きゅうびょう
10	じゅうじ	じ(ゅ)っぷん	じゅうびょう
11	じゅういちじ	じゅういっぷん	じゅういちびょう
12	じゅうにじ	じゅうにふん	じゅうにびょう
몇	なんじ	なんぷん	なんびょう

〈기타 시간 표현〉

午前 오전	午後 오후	～分前 ～분 전
正午 정오	～時過ぎ(~시가 조금 지남)	

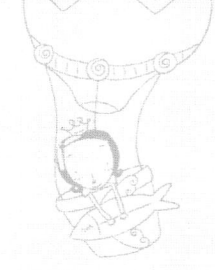

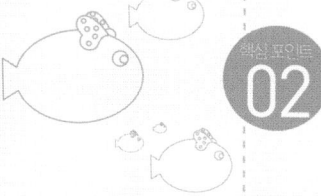

02 ~부터 ~까지 ~から~まで

かいしゃ　なんじ　なんじ
会社は 何時から 何時までですか。
회사는 몇 시부터 몇 시까지입니까?

じ　　　　じ
9時から 5時までです。 9시부터 5시까지입니다.

'~から(~부터, ~에서)'는 시간과 장소의 출발점을 나타내고, '~ 까지)'는 도착점을 나타냅니다.
まで(~까지)'는 도착점을 나타냅니다.

- 会社かいしゃ 회사
- ソウル 서울
- 釜山プサン 부산
- 月がつ 월

プ　サン
- **ソウルから 釜山まで。** 서울에서 부산까지.
  소ー루까라　　　　푸산ー마데

がつ
- **1月から 12月まで。** 1월에서 12월까지.
  이찌가쯔까라　쥬ー니가쯔마데

패턴회화 회화문에서 이렇게 쓰여요! 잘 연습해 보세요~!

なんじ
A ☐☐☐ は 何時からですか。　　　~은 몇 시부터입니까?

B ☐☐ は ☐☐ からです。　　　~은 ~부터입니다.

1 **テスト・2時** 테스트 / 2시
じ
2 **学校・9時30分** 학교 / 9시 30분
がっこう　じ　ぶん
3 **銀行・10時** 은행 / 10시
ぎんこう　じ
4 **夕ご飯・7時45分** 저녁식사 / 7시 45분
ゆう　はん　じ　ふん

숫자 세기② (11~90,000)

⟨11~20⟩

11	12	13	14	15	16	17	18	19	20
じゅういち	じゅうに	じゅうさん	じゅうよん/し	じゅうご	じゅうろく	じゅうなな/しち	じゅうはち	じゅうきゅう	にじゅう

⟨10~90,000⟩

	10		100		1,000		10,000	
10	じゅう	100	ひゃく	1,000	せん	10,000	いちまん
20	にじゅう	200	にひゃく	2,000	にせん	20,000	にまん
30	さんじゅう	300	さんびゃく	3,000	さんぜん	30,000	さんまん
40	よんじゅう	400	よんひゃく	4,000	よんせん	40,000	よんまん
50	ごじゅう	500	ごひゃく	5,000	ごせん	50,000	ごまん
60	ろくじゅう	600	ろっぴゃく	6,000	ろくせん	60,000	ろくまん
70	ななじゅう	700	ななひゃく	7,000	ななせん	70,000	ななまん
80	はちじゅう	800	はっぴゃく	8,000	はっせん	80,000	はちまん
90	きゅうじゅう	900	きゅうひゃく	9,000	きゅうせん	90,000	きゅうまん

알아두세요!

10만 단위 이상의 수 단위는 어떻게 말하는지 알아둡시다.
십만 – 十万 じゅうまん
백만 – 百万 ひゃくまん
천만 – 千万 せんまん
억 – 億 おく
조 – 兆 ちょう
경 – 京 きょう

핵심 포인트
04

얼마입니까? 〔 いくらですか 〕

> **りんごは いくらですか。** 사과는 얼마입니까?
> **一個 150円です。** 하나에 150엔입니다.
> いっこ   えん

'いくら(얼마)'는 가격을 물어볼 때 쓰는 표현입니다. 물건에 따라 달라지는 조수사를 잘 알아두면 편리합니다.

- りんご 사과
- 一個 いっこ 한 개
- 円 えん 엔, 일본의 화폐 단위
- ノート 노트
- 冊 さつ (책 등의) 권

- **ノートは いくらですか。** 노트는 얼마입니까?
  노-또와   이꾸라데스까

  ノートは 5冊で 500円です。 노트는 5권에 500엔입니다.
  さつ   えん
  노-또와   고사쯔데   고햐꾸엔-데스

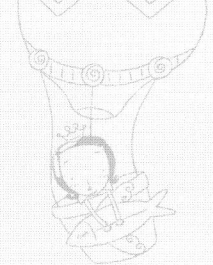

05 숫자 세기③ (하나~열)

> それを 二つ ください。 그것을 두 개 주세요.
>
> (ふた)

일본어도 우리말 하나에서 열처럼 고유 읽기가 있습니다. 'くださ
い'는 '주세요'라는 뜻입니다.

〈고유 수사 읽기〉

하나	둘	셋	넷	다섯	여섯	일곱	여덟	아홉	열
ひとつ	ふたつ	みっつ	よっつ	いつつ	むっつ	ななつ	やっつ	ここのつ	とお
一つ	二つ	三つ	四つ	五つ	六つ	七つ	八つ	九つ	十

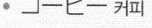
- コーヒー 커피

- これは ひとつ いくらですか。 이것은 하나에 얼마입니까?
  고레와　　　히또쯔　　이꾸라데스까

- コーヒーを ください。 커피를 주십시오.
  코-히-오　　　구다사이

25 CD

패턴회화

회화문에서 이렇게 쓰여요! 잘 연습해 보세요~!

A この ⬚ は いくらですか。　이 ~은 얼마입니까?

B ⬚ 円です。　　　　　　　　　~엔입니다.
　　　　(えん)

A では、これを ください。　　그럼, 이것을 주세요.

---

1 デジカメ・25,800　디지털카메라 / 25,800

2 テレビ・88,000　텔레비전 / 88,000

3 DVDプレーヤー・56,500　DVD플레이어 / 56,500

4 ビデオカメラ・124,000　비디오카메라 / 124,000

날짜 말하기

何月 何日ですか。 몇 월 며칠입니까?
(なんがつ なんにち)

일본어에서는 1일에서 10일, 그리고 14일, 20일, 24일은 특별하게 읽으므로 주의해야 합니다.

〈월 읽기〉

1월	2월	3월	4월	5월	6월
いちがつ	にがつ	さんがつ	しがつ	ごがつ	ろくがつ

7월	8월	9월	10월	11월	12월
しちがつ	はちがつ	くがつ	じゅうがつ	じゅういちがつ	じゅうにがつ

알아두세요!

1965년 1월 16일
せんきゅうひゃくろくじゅうごねん
いちがつじゅうろくにち

4월 8일
しがつ ようか

9월 24일
くがつ にじゅうよっか

〈날짜 읽기〉

1일	2일	3일	4일	5일	6일	7일
ついたち	ふつか	みっか	よっか	いつか	むいか	なのか
8일	9일	10일	11일	12일	13일	14일
ようか	ここのか	とおか	じゅういちにち	じゅうににち	じゅうさんにち	じゅうよっか
15일	16일	17일	18일	19일	20일	21일
じゅうごにち	じゅうろくにち	じゅうしちにち	じゅうはちにち	じゅうくにち	はつか	にじゅういちにち
22일	23일	24일	25일	26일	27일	28일
にじゅうににち	にじゅうさんにち	にじゅうよっか	にじゅうごにち	にじゅうろくにち	にじゅうしちにち	にじゅうはちにち
29일	30일	31일				
にじゅうくにち	さんじゅうにち	さんじゅういちにち				

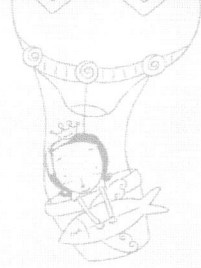

07 요일 말하기

> 今日は 何曜日ですか。 오늘은 무슨 요일입니까?
> きょう　　なんようび

요일을 물을 때는 '何_{なん}(무슨)'을 사용하여 묻습니다.

알아두세요!

요일을 이야기할 때는 '日'나 '曜日'를 생략하기도 합니다.
예 水曜から 休みです。
　　すいよう　　　やす
　 수요일부터 휴일입니다.

〈요일 읽기〉

월요일	화요일	수요일	목요일	금요일	토요일	일요일
げつようび	かようび	すいようび	もくようび	きんようび	どようび	にちようび
月曜日	火曜日	水曜日	木曜日	金曜日	土曜日	日曜日

〈시제〉

그제	어제	오늘	내일	모레
一昨日おととい	昨日きのう	今日きょう	明日あした	明後日あさって

지지난 주	지난 주	금주	다음 주	다다음 주
先々週せんせんしゅう	先週せんしゅう	今週こんしゅう	来週らいしゅう	再来週さらいしゅう

제작년	작년	금년	내년	내후년
一昨年おととし	去年きょねん	今年ことし	来年らいねん	再来年さらいねん

패턴회화

회화문에서 이렇게 쓰여요! 잘 연습해 보세요~!

A [　　　　] は いつですか。　　　～는 언제입니까?

B [　　　　] です。　　　～입니다.

1 会議 ・ 7月3日　회의 / 7월 3일
　 かいぎ　がつみっか

2 出張 ・ 来週の 月曜日から　출장 / 다음 주 월요일부터
　 しゅっちょう　らいしゅう　げつようび

3 パーティー ・ 今週の 土曜日　파티 / 금주 토요일
　 こんしゅう　どようび

4 誕生日 ・ 1月14日　생일 / 1월 14일
　 たんじょうび　がつじゅうよっか

5 子供の 日 ・ 5月5日　어린이날 / 5월 5일
　 こども　ひ　がついつか

회화문 말해보기

A いらっしゃいませ。
이랏-샤이마세.

B すみません。あのカメラは いくらですか。
스미마센-. 아노 카메라와 이꾸라데스까.

A どれですか。
도레데스까.

B あの赤い カメラです。
아노 아까이 카메라데스.

A あれは 25,000円です。
아레와 니망-고셍-엔-데스.

B では、それを ください。
데와, 소레오 구다사이.

A はい、ありがとうございます。
하이. 아리가또-고자이마스.

- いらっしゃいませ 어서 오세요
- カメラ 카메라
- 赤あかい 빨갛다

알아두세요!

'すみません'에는 여러 가지 뜻이 있습니다. '미안합니다'라는 뜻으로 많이 쓰이지만, 가게 등에서 점원을 부를 때는 '저기요, 계세요'의 뜻으로 쓰입니다. 그리고 뭔가를 물어볼 때는 '실례합니다', 남이 나를 위해 수고를 해 주었을 때는 '고맙습니다'의 뜻으로도 쓰입니다.

해석

A 어서오세요.
B 저기요. 저 카메라는 얼마입니까?
A 어느 것입니까?
B 저 빨간 카메라입니다.
A 저것은 2만 5천 엔입니다.
B 그럼. 그것을 주세요.
A 네. 감사합니다.

76

07

일본어는 쉽습니다.
日本語は やさしいです。

약국

일본의 약국(薬局やっきょく)은 의약품뿐만 아니라 샴푸, 세제, 화장품, 화장지 등을 판매하고 있어 생활용품 판매점으로 착각할 정도입니다. 드물지만 조제약만을 전문으로 하는 곳도 있습니다.

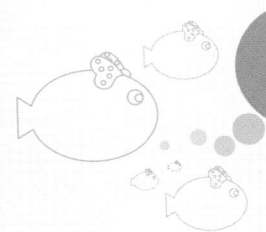

이것만은
꼭!!

■ い형용사의 기본 용법

오늘은 일본어의 형용사에 대해 공부합니다. 일본어의 형용사는 'い형용사'와 'な형용사' 두 종류가 있습니다. 두 가지 중 오늘은 'い형용사'의 용법과 초급에서 많이 쓰이는 'い'형용사에 대해 알아보겠습니다.

이 과의 주요 내용!

- い형용사 정리
- い형용사 긍정 및 부정형
- い형용사 て형
- い형용사 명사수식

일본어
い형용사 정리

い형용사는 모든 기본형의 어미가 「い」로 끝납니다.

	보통체(반말)	정중체(존대말)
긍정	おおきい (크다)	おおきい＋です (큽니다)
부정	おおき＋くない (크지 않다)	おおき＋くありません ＝おおき＋くないです (크지 않습니다)
과거	おおき＋かった (컸다)	おおき＋かったです (컸습니다)
과거 부정	おおき＋くなかった (크지 않았다)	おおき＋くありませんでした ＝おおき＋くなかったです (크지 않았습니다)
의문문	おおきい＋か (크니?)	おおきい＋ですか (큽니까?)
추측	おおき＋かろう (클 것이다)	おおきい＋でしょう (클 것입니다)
연결	おおき＋くて、 (크고,)	
명사 수식	おおきい＋ビル (큰 빌딩)	

	정중체 현재형		정중체 과거형	
	정중체 긍정 (~입니다)	정중체 부정 (~지 않습니다)	정중체 과거 (~이었습니다)	정중체 과거 부정 (~지 않았습니다)
크다	おおきいです	おおきくないです	おおきかったです	おおきくなかったです
작다	ちいさいです	ちいさくないです	ちいさかったです	ちいさくなかったです
좋다	いいです	よくないです	よかったです	よくなかったです
나쁘다	わるいです	わるくないです	わるかったです	わるくなかったです
맛있다	おいしいです	おいしくないです	おいしかったです	おいしくなかったです
맛없다	まずいです	まずくないです	まずかったです	まずくなかったです

한눈에 익히는
필수 어휘

초급에서 많이 쓰이는 い형용사이므로, 아래 형용사만큼은 꼭 익혀 둡시다.

おお 大きい 크다 ちい 小さい 작다		たか 高い 높다 ひく 低い 낮다	
たか 高い 비싸다 やす 安い 싸다	999000000　130	はや 速い 빠르다(속도) おそ 遅い 느리다	
なが 長い 길다 みじか 短い 짧다		ひろ 広い 넓다 せま 狭い 좁다	
あたら 新しい 새 것이다 ふる 古い 낡다		あつ 暑い 덥다 さむ 寒い 춥다	
あか 明るい 밝다 くら 暗い 어둡다		おお 多い 많다 すく 少ない 적다	
あつ 厚い 두껍다 うす 薄い 얇다		おいしい 맛있다 まずい 맛없다	

핵심 문장
먼저 익히기

이번 과의 핵심 문장을 학습에 앞서 먼저 큰소리로 10번 씩 읽어 보십시오.

핵심 문장만이라도 외워두시면 일본어 정복에 큰 힘이 될 것입니다.

1 日本語は やさしいです。
にほんご

니홍-고와　　　야사시-데스.

일본어는 쉽습니다.

2 この料理は とても おいしいです。
りょうり

고노 료-리와　　　도떼모　　　오이시-데스.

이 요리는 아주 맛있습니다.

3 この本は 面白くないです。
ほん　　おもしろ

고노 홍-와　　　오모시로꾸나이데스.

이 책은 재미있지 않습니다.

4 あの店は サービスが よくありません。
みせ

아노 미세와　　　사-비스가　　　요꾸아리마센-.

저 가게는 서비스가 좋지 않습니다.

5 飛行機は 大きくて 速いです。
ひこうき　　おお　　　はや

히꼬-끼와　　　오-끼꾸떼　　하야이데스.

비행기는 크고 빠릅니다.

6 彼女は やさしい 人です。
かのじょ　　　　ひと

가노죠와　　　야사시-　　　히또데스.

그녀는 상냥한 사람입니다.

7 これは 高い カメラです。
たか

고레와　　　다까이　　카메라데스.

이것은 비싼 카메라입니다.

일본어 뼈대 잡기

핵심 포인트 **01**

~은 ~입니다
い형용사 정중체 긍정형

> <ruby>日本語<rt>に ほん ご</rt></ruby>は やさしいです。 일본어는 쉽습니다.

'い형용사'의 어미 'い' 뒤에 명사문과 마찬가지로 'です(입니다)'를 붙이면 정중체(존대말)가 됩니다. 'か(까?)'를 붙여주면 의문문이 되는 것도 명사문과 같습니다.

- ソウルは <ruby>大<rt>おお</rt></ruby>きいです。 서울은 큽니다.
  소-루와　　　　　오-끼-데스

- <ruby>日本<rt>に ほん</rt></ruby>の<ruby>夏<rt>なつ</rt></ruby>は <ruby>暑<rt>あつ</rt></ruby>いですか。 일본의 여름은 덥습니까?
  니혼-노 나쯔와　　아쯔이데스까

- この<ruby>料理<rt>りょう り</rt></ruby>は とても おいしいです。 이 요리는 아주 맛있습니다.
  고노 료-리와　　　 도떼모　오이시-데스.

- <ruby>今日<rt>きょう</rt></ruby>は <ruby>寒<rt>さむ</rt></ruby>いです。 오늘은 춥습니다.
  교-와　　　사무이데스

- やさしい 쉽다
- ソウル 서울
- <ruby>夏<rt>なつ</rt></ruby> 여름
- <ruby>暑<rt>あつ</rt></ruby>い 덥다
- とても 아주, 대단히
- おいしい 맛있다
- <ruby>寒<rt>さむ</rt></ruby>い 춥다

CD 29

패턴회화

회화문에서 이렇게 쓰여요! 잘 연습해 보세요~!

A <ruby>日本語<rt>に ほん ご</rt></ruby>は どうですか。　　　일본어는 어떻습니까?

B <ruby>日本語<rt>に ほん ご</rt></ruby>は ⬚⬚⬚ です。　　　일본어는 ~습니다.

1 おもしろい　재미있다
2 やさしい　쉽다
3 <ruby>難<rt>むずか</rt></ruby>しい　어렵다

일본어 뼈대 잡기 02

~은 ~지 않습니다 〔い형용사 정중체 부정형〕

この本は 面白くないです。 이 책은 재미있지 않습니다.

'い형용사'의 보통체(반말) 부정형은 어미 'い'를 빼고 'くない(～지 않다)'를 붙여 주면 되고, 정중체(존대말)로 바꾸려면 'くない' 뒤에 'です'를 붙여 주면 됩니다. 'ないです'와 'ありません'은 똑같은 말이므로 바꿔써도 됩니다.

- この問題は あまり 難しくないです(＝くありません)。
  고노 몬-다이와   아마리   무즈까시꾸나이데스(＝꾸아리마셍-)
  이 문제는 그다지 어렵지 않습니다.

- 日本の料理は ぜんぜん 辛くないです(＝くありません)。
  니혼-노 료-리와   젠-젠-   가라꾸나이데스(＝꾸아리마셍-)
  일본 요리는 전혀 맵지 않습니다.

- あの店は サービスが よくないです(＝くありません)。
  아노 미세와   사-비스가   요꾸나이데스(＝꾸아리마셍-)
  저 가게는 서비스가 좋지 않습니다.

- 問題 もんだい 문제
- あまり 그다지, 별로
- 難 むずかしい 어렵다
- 全然 ぜんぜん 전혀
- 辛 からい 맵다
- サービス 서비스

알아두세요!

'いい・よい(좋다)'는 부정형의 활용을 할 때는 'よい'로만 활용을 합니다. 즉 'いい'의 부정형은 'いくない'가 아니고 'よくない(좋지 않다)'로 해야 합니다.

패턴회화

회화문에서 이렇게 쓰여요! 잘 연습해 보세요~!

A このパンは ☐ですか。   이 빵은 ~입니까?

B はい、☐です。   네, ~입니다.

　いいえ、☐ないです。   아니요, ~지 않습니다.

1 おいしい 맛있다　　　　　2 高い 비싸다

3 安い 싸다　　　　　　　　4 やわらかい 부드럽다

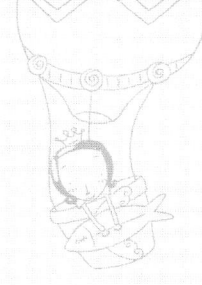

03 ~하고, ~해서 [い형용사의 て형(접속과 나열)]

駅<small>えき</small>から 近<small>ちか</small>くて おいしいです。 역에서 가깝고 맛있습니다.

'い형용사' 어간에 'くて'를 연결하면 '~하고, ~해서'의 뜻이 됩니다. 즉 문장과 문장을 연결하거나 단어를 나열할 때 쓰입니다.

• 駅<small>えき</small> 역
• 近<small>ちか</small>い 가깝다
• 厚<small>あつ</small>い 두껍다
• 飛行機<small>ひこうき</small> 비행기
• 速<small>はや</small>い 빠르다

• この本<small>ほん</small>は 厚<small>あつ</small>くて 難<small>むずか</small>しいです。 이 책은 두껍고 어렵습니다.
  고노 홍－와   아쯔꾸떼   무즈까시－데스

• 飛行機<small>ひこうき</small>は 大<small>おお</small>きくて 速<small>はや</small>いです。 비행기는 크고 빠릅니다.
  히꼬－끼와   오－끼꾸떼   하야이데스

04 ~은 ~한 ~입니다 [い형용사의 명사 수식]

彼女<small>かのじょ</small>は やさしい 人<small>ひと</small>です。 그녀는 상냥한 사람입니다.

'い형용사'가 명사를 수식할 때는 기본형 그대로 연결하면 됩니다.

• 中国<small>ちゅうごく</small> 중국
• 国<small>くに</small> 나라
• カメラ 카메라

• 中国<small>ちゅうごく</small>は 大<small>おお</small>きい 国<small>くに</small>です。 중국은 큰 나라입니다.
  쮸－고꾸와   오－끼－   구니데스

• これは 高<small>たか</small>い カメラです。 이것은 비싼 카메라입니다.
  고레와   다까이   카메라데스

31 CD

회화문에서 이렇게 쓰여요! 잘 연습해 보세요~!

A 姜<small>カン</small>さんは どんな 人<small>ひと</small>ですか。 강(석기) 씨는 어떤 사람입니까?

B 姜<small>カン</small>さんは ☐☐☐ 人<small>ひと</small>です。 강(석기) 씨는 ~한 사람입니다.

1 明<small>あか</small>るい 밝다   2 礼儀正<small>れいぎただ</small>しい 예의바르다

회화문 말해보기

A 日本語の勉強は どうですか。
にほんご べんきょう
니홍-고노 벵꾜-와   도-데스까.

B そうですね。難しいですが、面白いです。
むずか   おもしろ
소-데스네.   무즈까시-데스가   오모시로이데스.

A 日本語の先生は どんな 人ですか。
にほんご せんせい   ひと
니홍-고노 셍-세-와   돈-나   히또데스까.

B 背が 高くて やさしい 女の人です。
せ たか   おんな ひと
세가   다까꾸떼   야사시-   온-나노히또데스.

A 日本語の学校は 近いですか。
にほんご がっこう ちか
니홍-고노   각-꼬-와   지까이데스까.

B はい、近いです。
ちか
하이.   지까이데스.

A 教室は 広いですか。
きょうしつ ひろ
교-시쯔와   히로이데스까.

B いいえ、広くないです。狭いです。
ひろ   せま
이-에.   히로꾸나이데스.   세마이데스.

- 勉強べんきょう 공부
- 面白おもしろい 재미있다
- 背せが 高たかい 키가 크다
- やさしい 상냥하다
- 教室きょうしつ 교실
- 広ひろい 넓다
- 狭せまい 좁다

알아두세요!

'키가 큽니다'는 일본어로 '背せが 高たかいです'입니다. 우리말과 혼동하여 '背が 大きいです'라고 하는 사람들이 많은데, 틀리지 않도록 주의하세요.
반대로 '키가 작습니다'는 '背が 低ひくいです'입니다.

해석

A 일본어 공부는 어떻습니까?
B 글쎄요. 어렵습니다만 재미있습니다.
A 일본어 선생님은 어떤 사람입니까?
B 키가 크고 상냥한 여자 선생님입니다.
A 일본어 학원은 가깝습니까?
B 네, 가깝습니다.
A 교실은 넓습니까?
B 아니요. 넓지 않습니다. 좁습니다.

08

아주 맛있었습니다.
とても おいしかったです。

도시락

도시락(お弁当べんとう). 많은 사람이 이용하는 만큼 일본에는 수많은 종류의 도시락이 있습니다. 사진의 幕まくの内うち弁当べんとう는 하얀 쌀밥에 많은 반찬이 있는 도시락의 종합 선물세트라고 할 수 있습니다.

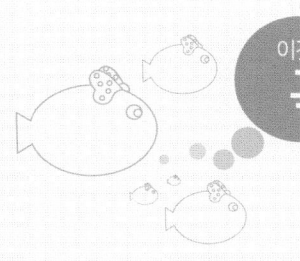

이것만은
꼭!!

■ い형용사의 과거형

오늘은 'い형용사'의 활용 중에서 과거형을 만드는 방법과 과거부정형을 만드는 방법에 대해서 알아보도록 하겠습니다. 그리고 비교의 기준을 나타내는 표현인 '～は～より～です'에 대해서도 공부합시다.

이 과의 주요 내용!

- い형용사의 과거형 만들기
- い형용사의 과거 부정형 만들기
- 양자 비교 – 'より'

이번 과의 핵심 문장을 학습에 앞서 먼저 큰소리로 10번 씩 읽어 보십시오.
핵심 문장만이라도 외워두시면 일본어 정복에 큰 힘이 될 것입니다.

33
CD

1 昨日のカレーは とても おいしかったです。
기노-노 카레와   도떼모   오이시깟-따데스.
어제 카레는 정말 맛있었습니다.

2 去年の冬は とても 寒かったです。
교넨-노 후유와   도떼모   사무깟-따데스.
작년 겨울은 매우 추웠습니다.

3 昨日の映画は 本当に おもしろかったです。
기노-노 에-가와   혼-또-니   오모시로깟-따데스.
어제 영화는 정말 재미있었습니다.

4 テストは 難しくなかったです。
테스또와   무즈까시꾸나깟-따데스.
시험은 어렵지 않았습니다.

5 パーティーは あまり 楽しくなかったです。
빠-띠-와   아마리   다노시꾸나깟-따데스.
파티는 그다지 즐겁지 않았습니다.

6 飛行機は 船より 速いです。
히꼬-끼와   후네요리   하야이데스.
비행기는 배보다 빠릅니다.

7 ソウルは 東京より 物価が 高いです。
소-루와   도-꾜요리   북-까가   다까이데스.
서울은 도쿄보다 물가가 비쌉니다.

일본어 뼈대 잡기 01

~는 ~였습니다   い형용사 정중체 과거형

昨日(きのう)の カレーは とても おいしかったです。
어제 카레는 정말 맛있었습니다.

- 去年(きょねん) 작년
- 冬(ふゆ) 겨울
- 寒(さむ)い 춥다
- 昨日(きのう) 어제
- 面白(おもしろ)い 재미있다

'い형용사'의 과거형은 어미 'い'를 빼고 'かった'를 붙이면 됩니다.
정중체(존대말)는 'かった' 뒤에 'です'를 붙여주면 됩니다.

おいしい → おいしかった → おいしかったです。
맛있다　　　　맛있었다　　　　　맛있었습니다

- 去年(きょねん)の冬(ふゆ)は とても 寒(さむ)かったです。 작년 겨울은 매우 추웠습니다.
  교넨―노 후유와　　도떼모　　사무깟―따데스

- 昨日(きのう)の映画(えいが)は 本当(ほんとう)に 面白(おもしろ)かったです。
  기노―노 에―가와　　혼―또―니　 오모시로깟―따데스
  어제 영화는 정말 재미있었습니다.

 알아두세요!

형용사를 정중하게 말할 때 '高い
です(비쌉니다)'와 같이 쓰기 때
문에 이를 과거형으로 '高いでし
た'라고 하는 경우가 있는데요, 이
는 잘못된 표현입니다. 형용사 과
거형을 정중하게 말할 때는 '高か
ったです(비쌌습니다)'처럼 형용
사 자체를 과거형으로 만들어야
한다는 것 잊지 마세요.

 34 CD

패턴회화

회화문에서 이렇게 쓰여요! 잘 연습해 보세요~!

A 昨日(きのう)は [　　　] かったですか。　어제는 ~했습니까?

B はい、[　　　] かったです。　　네, ~했습니다.

---

1 暑(あつ)い 덥다　　　　　　　2 寒(さむ)い 춥다

3 暖(あたた)かい 따뜻하다　　　　4 涼(すず)しい 시원하다

~는 ~지 않았습니다 い형용사 정중체 과거 부정형

テストは 難(むずか)しくなかったです。 시험은 어렵지 않았습니다.

'い형용사'의 과거 부정형은 어미 'い'를 빼고 'くなかった'를 붙이면 됩니다. 정중체(존대말)는 'くなかった' 뒤에 'です'를 붙여주면 됩니다.

多(おお)い → 多くなかった → 多くなかったです
많다   많지 않았다   많지 않았습니다

- パーティー 파티
- 楽(たの)しい 즐겁다
- 今朝(けさ) 오늘 아침
- それほど 생각했던 것만큼, 그다지

• 昨日(きのう)の パーティーは あまり 楽(たの)しくなかったです。
기노-노 빠-띠-와   아마리   다노시꾸나깟-따데스
어제 파티는 그다지 즐겁지 않았습니다.

• 今朝(けさ)は それほど 寒(さむ)くなかったです。
게사와   소레호도   사무꾸나깟-따데스.
오늘 아침은 생각했던 것만큼 춥지 않았습니다.

회화문에서 이렇게 쓰여요! 잘 연습해 보세요~!

A 旅行(りょこう)は どうでしたか。 여행은 어땠습니까?

B とても、[   ]です。 매우 ~했습니다.

あまり、[   ]です。 별로 ~지 않았습니다.

1 いい 좋다   2 面白(おもしろ)い 재미있다
3 楽(たの)しい 즐겁다

03 ~는 ~보다 ~합니다 　비교 기준

飛行機(ひこうき)は 船(ふね)より 速(はや)いです。 비행기는 배보다 빠릅니다.

'より'는 '보다'란 뜻으로, 비교의 기준을 나타냅니다.

- 自転車(じてんしゃ)は バイクより 遅(おそ)いです。 자전거는 오토바이보다 느립니다.
  지뗀-샤와　바이꾸요리　　　오소이데스

- 妹(いもうと)は 兄(あに)より 背(せ)が 高(たか)いです。 여동생은 오빠보다 키가 큽니다.
  이모-또와 아니요리　세가　다까이데스

- ソウルは 東京(とうきょう)より 物価(ぶっか)が 高(たか)いです。
  소-루와　　　도-꾜-요리　　북-까가　　　다까이데스
  서울은 도쿄보다 물가가 비쌉니다.

단어

- 自転車(じてんしゃ) 자전거
- バイク 오토바이
- 遅(おそ)い 느리다
- 妹(いもうと) 여동생
- 兄(あに) 형, 오빠
- 物価(ぶっか) 물가
- 高(たか)い 비싸다

알아두세요!

10년 전만 해도 한국과 일본의 물가 차이는 2.6배나 되었지만 일본의 꾸준한 물가 하락과 한국의 경제 성장으로 인해 그 격차가 1.35배로 축소되었습니다. 하지만 교통비와 통신비 등을 제외한 생활물가를 비교하면 오히려 한국이 높은 것으로 나타나고 있습니다.

형용사의 색깔

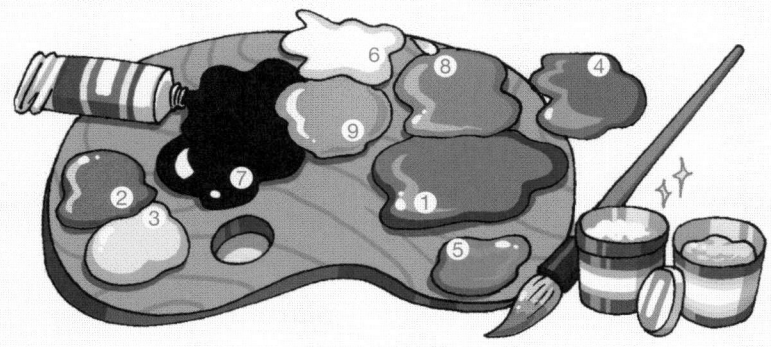

① 青(あお)い 파랗다
② 赤(あか)い 빨갛다
③ 黄色(きいろ)い 노랗다
④ 紫色(むらさきいろ) 보라
⑤ 緑色(みどりいろ) 녹색
⑥ 白(しろ)い 하얗다
⑦ 黒(くろ)い 검다
⑧ 茶色(ちゃいろ)い 갈색이다
⑨ ピンク 분홍, 핑크

A こんにちは。
곤-니찌와.

B こんにちは。昨日 寒かったですね。
곤-니찌와.　　　　기노-　사무깟-따데스네.

A ええ、本当に 寒かったです。
에-.　　혼-또-니　　사무깟-따데스.

今日は 少し 暖かいですね。
교-와　　스꼬시　아따따까이데스네.

B ええ、今日は あまり 寒くないです。
에-.　　교-와　　아마리　　사무꾸나이데스.

でも 東京より ソウルが 寒いです。
데모　　도-꾜-요리　소-루가　　사무이데스.

A そうですか。昨日の映画は どうでしたか。
소-데스까.　　　기노-노에-가와　　　도-데시따까.

B あまり 面白くなかったです。
아마리　　오모시로꾸나깟-따데스.

- 本当ほんとうに 정말로
- 少すこし 조금
- あまり 별로, 그다지 (뒤에 부정이 옴)

A 안녕하세요!
B 안녕하세요! 어제 추웠지요?
A 네. 정말 추웠습니다. 오늘은 조금 따뜻하네요.
B 네, 오늘은 별로 춥지 않습니다. 하지만 도쿄보다 서울이 춥습니다.
A 그렇군요. 어제 영화는 어땠나요?
B 그다지 재미있지 않았습니다.

09

도쿄는 교통이 편리합니다.
東京は 交通が 便利です。

포장마차

포장마차(屋台やたい). 주로 야간에만 영업을 하며, 술과 함께 おでん, 焼鳥やきとり 같은 간단한 안주와 ラーメン 등을 판매합니다. 일본에서는 술을 마신 후 2차로 이곳에서 ラーメン을 먹는 사람도 많습니다.

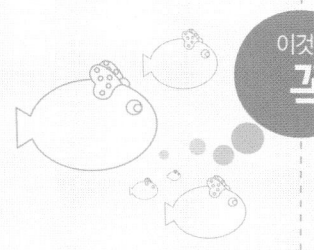

이것만은
꼭!!

■ な형용사의 기본 용법

오늘은 일본어의 두 형용사 중에서 な형용사에 대해 살펴보고 현재형에서의 활용 형태에 대해 공부해 보겠습니다. 그리고 사물의 상태나 성격을 말하는 지시대명사에 대해서도 알아봅시다.

이 과의 주요 내용!

- な형용사 정리
- な형용사 활용하기(부정, 명사수식, て형)
- 지시대명사 – 'こんな·そんな·あんな·どんな'

일본어 な형용사 정리

な형용사는 기본형이 명사와 접속할 때 な의 형태가 되기 때문에 な형용사라고 합니다.

	보통체(반말)	정중체(존대말)
긍정	まじめ+だ (성실하다)	まじめ+です (성실합니다)
부정	まじめ+では(じゃ)ない (성실하지 않다)	まじめ+では(じゃ)ありません =まじめ+では(じゃ)ないです (성실하지 않습니다)
과거	まじめ+だった (성실했다)	まじめ+でした (성실했습니다)
과거 부정	まじめ+では(じゃ)なかった (성실하지 않았다)	まじめ+では(じゃ)ありませんでした =まじめ+では(じゃ)なかったです (성실하지 않았습니다)
의문문	まじめ+か (성실한가?)	まじめ+ですか (성실합니까?)
추측	まじめ+だろう (성실하겠지)	まじめ+でしょう (성실할 것입니다)
연결	まじめ+で、 (성실하고,)	
명사 수식	まじめ+な+人 (성실한 사람)	

	정중체 현재형		정중체 과거형	
	정중체 긍정 (~합니다)	정중체 부정 (~하지 않습니다)	정중체 과거 (~했습니다)	정중체 과거 부정 (~하지 않았습니다)
조용하다	しずかです	しずかではないです	しずかでした	しずかではなかったです
싫어하다	きらいです	きらいではないです	きらいでした	きらいではなかったです
편하다	らくです	らくではないです	らくでした	らくではなかったです
좋아하다	すきです	すきではないです	すきでした	すきではなかったです
건강하다	げんきです	げんきではないです	げんきでした	げんきではなかったです
편리하다	べんりです	べんりではないです	べんりでした	べんりではなかったです

한눈에 익히는 필수 어휘

다음은 초급에서 많이 쓰이는 な형용사입니다. 꼭 익혀둡시다.

^{しず}静かだ 조용하다	にぎやかだ 번화하다
^{しんせつ}親切だ 친절하다	^{ふ しんせつ}不親切だ 불친절하다
^{ま じ め}真面目だ 성실하다	^{ふ ま じ め}不真面目だ 불성실하다
^{じょう ず}上手だ 잘하다	^{へ た}下手だ 잘 못하다, 서툴다
^す好きだ 좋아하다	^{きら}嫌いだ 싫어하다
^{べん り}便利だ 편리하다	^{ふ べん}不便だ 불편하다
^{げん き}元気だ 건강하다	^{じょう ぶ}丈夫だ 튼튼하다
きれいだ 예쁘다, 깨끗하다	^{ひつよう}必要だ 필요하다
^{ひま}暇だ 한가하다	^{らく}楽だ 편하다

이번 과의 핵심 문장을 학습에 앞서 먼저 큰소리로 10번 씩 읽어 보십시오.
핵심 문장만이라도 외워두시면 일본어 정복에 큰 힘이 될 것입니다.

① 中山さんは 元気です。
なかやま　　　　　げんき
나까야마상-와　　　겡-끼데스.
나카야마 씨는 건강합니다.

② 東京は 交通が 便利です。
とうきょう　こうつう　べんり
도-꾜-와　　고-쯔-가　벤-리데스.
도쿄는 교통이 편리합니다.

③ 部屋は きれいではありません。
へや
헤야와　　　기레-데와 아리마센-.
방은 깨끗하지 않습니다.

④ 全州は ビビンバで 有名な ところです。
ジョンジュ　　　　　　　　ゆうめい
죤-쥬와　　비빔-바데　　유-메-나　도꼬로데스.
전주는 비빔밥으로 유명한 곳입니다.

⑤ 新宿は にぎやかな 町です。
しんじゅく　　　　　　まち
신-쥬-꾸와　니기야까나　　마찌데스.
신주쿠는 변화한 도시입니다.

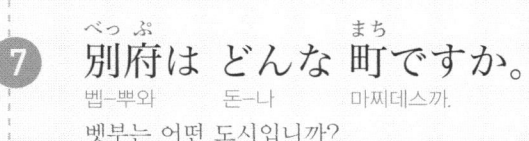

⑥ 彼女は きれいで、親切です。
かのじょ　　　　　　しんせつ
가노죠와　　기레-데　　신-세쯔데스.
그녀는 예쁘고 친절합니다.

⑦ 別府は どんな 町ですか。
べっぷ　　　　　　まち
벱-뿌와　　돈-나　마찌데스까.
벳부는 어떤 도시입니까?

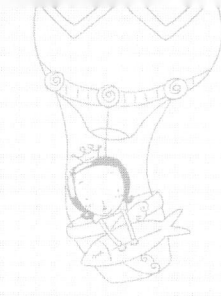

일본어 뼈대 잡기

01 ~은 ~입니다   な형용사 정중체 긍정형

中山さんは 元気です。 나카야마 씨는 건강합니다.
なかやま　　　　げんき

'な형용사'의 정중체 긍정형은 'です'를 연결하면 됩니다. 'な형용사'는 명사 수식형을 제외하고는 명사와 접속형태가 똑같습니다.

> きれいだ　→　きれいです
> 예쁘다, 깨끗하다　　예쁩니다, 깨끗합니다

- 元気げんき 건강하다
- にぎやかだ 번화하다
- 交通こうつう 교통
- 便利べんりだ 편리하다

- 新宿は にぎやかです。 신주쿠는 번화합니다.
  しんじゅく
  신-쥬꾸와　　니기야까데스

- 東京は 交通が 便利です。 도쿄는 교통이 편리합니다.
  とうきょう　　こうつう　　べんり
  도-꾜-와　　고-쯔-가　　벤-리데스

02 ~은 ~지 않습니다   な형용사 정중체 부정형

部屋は きれいではありません。 방은 깨끗하지 않습니다.
へや

'な형용사'의 정중체 부정형도 명사의 경우처럼 'では(じゃ)ありません'을 연결하면 됩니다.

> きれいです　→　きれいでは(じゃ) ありません
> 예쁩니다, 깨끗합니다　　예쁘지 않습니다, 깨끗하지 않습니다

- 駅えき 역
- 部屋へや 방
- 大家おおやさん 집주인
- 親切しんせつだ 친절하다

- ソウル駅は 静かでは(じゃ) ありません。
  えき　　しず
  소-루에끼와　　시즈까데와(쟈) 아리마센-.
  서울역은 조용하지 않습니다.

- 大家さんは あまり 親切では(じゃ) ありません。
  おお や　　　　　　しんせつ
  오-아상-와　　아마리　　신-세쯔데와(쟈) 아리마센-.
  집주인은 그다지 친절하지 않습니다.

~는 ~한 ~입니다   な형용사의 명사 수식

全州は ビビンバで 有名な ところです。
전주는 비빔밥으로 유명한 곳입니다.

'な형용사'가 명사를 수식할 때는 기본형 어미 'だ'를 'な'로 바꾸어
연결하면 됩니다.

有名だ＋ところ → 有名な ところ
유명하다 + 곳, 장소   유명한 곳

- ビビンバ 비빔밥
- 有名ゆうめいだ 유명하다
- 素敵すてきだ 멋지다

• 新宿は にぎやかな 町です。 신주쿠는 번화한 도시입니다.
  신-쥬꾸와   니기야까나   마찌데스

• 林さんは 素敵な 人です。 하야시 씨는 멋진 사람입니다.
  하야시상-와   스떼끼나   히또데스

~하고, ~해서   な형용사의 て형(접속과 나열)

彼女は きれいで、親切です。 그녀는 예쁘고 친절합니다.

'な형용사' 어간에 'で'를 연결하면 '~하고, ~해서'의 뜻이 됩니다.
즉 문장과 문장을 연결하거나 단어를 나열할 때 쓰입니다.

- まじめだ 성실하다
- 明あかるい 밝다, 명랑하다
- 丈夫じょうぶだ 튼튼하다
- 値段ねだん 가격, 값
- 安やすい 싸다

• あの人は まじめで 明るいです。 저 사람은 성실하고 밝습니다.
  아노 히또와   마지메데   아까루이데스

• 韓国のものは 丈夫で 値段も 安いです。
  강-꼬꾸노 모노와   죠-부데 네당-모   야스이데스
  한국 물건은 튼튼하고 가격도 쌉니다.

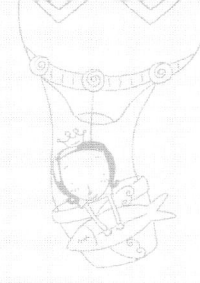

05 어떤 ~입니까?

- 別府べっぷ 벳부(일본의 지명)
- 温泉おんせん 온천
- 優やさしい 상냥하다

알아두세요!

벳부(別府)는 일본 열도의 남단인 규슈(九州)의 오이타현(大分県おおいたけん)에 있는 온천 도시입니다. 이곳에는 지옥온천(地獄温泉じごくおんせん)이라는 것이 있는데요, 온천이지만 너무 뜨거워서 사람은 들어갈 수 없습니다.

A 別府べっぷは どんな 町まちですか。 벳부는 어떤 도시입니까?
B 温泉おんせんで 有名ゆうめいな 町まちです。 온천으로 유명한 도시입니다.

こんな	そんな	あんな	どんな
이런	그런	저런	어떤

• あなたの 先生せんせいは どんな 先生せんせいですか。
아나따노 센-세-와   돈-나   센-세-데스까
당신 선생님은 어떤 선생님입니까?

きれいで 優やさしい 先生せんせいです。 예쁘고 상냥한 선생님입니다.
기레-데   야사시-   센-세-데스

38 CD

패턴회화

회화문에서 이렇게 쓰여요! 잘 연습해 보세요~!

A どんな 　　　 ですか。   어떤 ~입니까?

B 　　　 くて、 　　　 です。   ~하고 ~합니다.

1 人ひと・頭あたまが いい・親切しんせつだ   사람 / 머리가 좋다 / 친절하다
2 人ひと・背せが 高たかい・ハンサムだ   사람 / 키가 크다 / 미남이다
3 店みせ・おいしい・きれいだ   가게 / 맛있다 / 깨끗하다
4 コップ・小ちいさい・丈夫じょうぶだ   컵 / 작다 / 튼튼하다

A 山田さんの 故郷は どんな ところですか。
야마다산-노　　　고꾜-와　　　돈-나　　　도꼬로데스까.

B 緑が 多くて、空気が きれいな ところです。
미도리가 오-꾸떼　　　구-끼가　　　기레-나　　　도꼬로데스.

人も 親切ですよ。
히또모　　　신-세쯔데스요.

A 私の 故郷は、海が 近くて 魚が 新鮮です。
와따시노 고꾜-와　　　우미가　지까꾸떼　　　사까나가　신-센-데스.

B そうですか。交通は どうですか。
소-데스까.　　　고-쯔-와　　　도-데스까.

不便では ありませんか。
후벤-데와 아리마셍-까.

A 不便では ありません。便利です。
후벤-데와 아리마센-.　　　벤-리데스.

- 故郷こきょう 고향
- 緑みどり 숲, 자연
- 空気くうき 공기
- 海うみ 바다
- 魚さかな 생선
- 新鮮しんせんだ 신선하다
- 不便ふべんだ 불편하다

해석

A 야마다 씨 고향은 어떤 곳입니까?

B 숲이 많고 공기가 맑은 곳입니다. 사람들도 친절하고요.

A 제 고향은 바다가 가까워서 생선이 신선합니다.

B 그래요? 교통은 어때요?
불편하지 않나요?

A 불편하지 않습니다. 편리합니다.

10

축구를 좋아합니다.
サッカーが 好きです。

오사카성

임진왜란을 일으킨 도요토미 히데요시(豊臣秀吉とよ
とみ ひでよし)가 세운 오사카성(大阪城おおさかじょう).
성 내부의 시립 박물관에서는 오사카의 역사와 문화를
소개하고 있습니다.

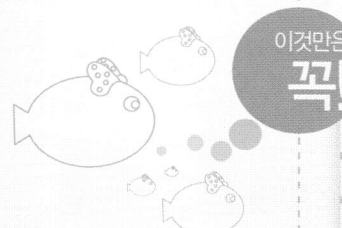

이것만은
꼭!!

■ な형용사의 활용

오늘은 먼저 な 형용사의 정중한 과거형과 과거 부정형에 대해 배워
봅시다. 그리고 좋고 싫음과 능력을 말하는 표현과 두 가지를 비교하
는 표현, 그리고 최상급 표현에 대해서도 알아봅시다.

이 과의 주요 내용!

- な 형용사 활용하기(과거형, 과거 부정형)
- 좋고 싫음의 표현 – '好きだ · 嫌いだ'
- 능력의 표현 – '上手だ · 下手だ'
- 양자 비교 – '～と～とどちら(のほう)が～'
- 최상급 표현 – '一番'

이번 과의 핵심 문장을 학습에 앞서 먼저 큰소리로 10번 씩 읽어 보십시오.

핵심 문장만이라도 외워두시면 일본어 정복에 큰 힘이 될 것입니다.

40 CD

1 昨日の 仕事は 大変でした。

기노-노　시고또와　다이헨-데시따.

어제 업무는 힘들었습니다.

2 テストは 簡単ではありませんでした。

테스또와　간-딴-데와 아리마센-데시따.

시험은 간단하지 않았습니다.

3 私は サッカーが 好きです。

와따시와　삭-까-가　스끼데스.

나는 축구를 좋아합니다.

4 山田さんは 猫が きらいです。

야마다상-와　네꼬가　기라이데스.

야마다 씨는 고양이를 싫어합니다.

5 先生は 歌が 上手です。

센-세-와　우따가　죠-즈데스.

선생님은 노래를 잘합니다.

6 りんごと みかんと どちら(の ほう)が 好きですか。

링-고또　미깐-또　도찌라(노 호-)가　스끼데스까.

사과와 밀감 중 어느 쪽을 좋아합니까?

7 果物の中で 何が 一番 好きですか。

구다모노노 나까데　나니가　이찌방-　스끼데스까.

과일 중에서 무엇을 제일 좋아합니까?

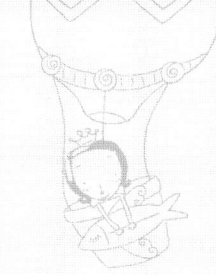

일본어 뼈대 잡기

01 핵심 포인트

~는 ~였습니다 `な형용사 정중체 과거형`

昨日の 仕事は 大変でした。 어제 업무는 힘들었습니다.
きのう　しごと　　たいへん

'な형용사'의 과거형도 명사와 똑같습니다. 보통체(반말) 과거형은
'だった'이고, 정중체(존대말) 과거형은 'でした'입니다.

> 大変だ ‡ 大変だった ‡ 大変です ‡ 大変でした
> たいへん
> 힘들다　　　힘들었다　　　　힘듭니다　　　힘들었습니다

- 仕事しごと 업무, 일
- 大変たいへんだ 힘들다
- 店みせ 가게
- 店員てんいん 점원
- 教室きょうしつ 교실

- 店の店員は 親切でした。 가게 점원은 친절했습니다.
  みせ　てんいん　　しんせつ
  미세노 뎅-잉-와　신-세쯔데시따

- 3年生の教室は 静かでした。 3학년 교실은 조용했습니다.
  　　ねんせい　きょうしつ　しず
  산-넨-세-노 교-시쯔와　시즈까데시따

02 핵심 포인트

~는 ~지 않았습니다 `な형용사 정중체 과거 부정형`

テストは 簡単ではありませんでした。
　　　　かんたん
시험은 간단하지 않았습니다.

알아두세요!

우리나라에서 흔히 운전기사분들
을 낮잡아 부를 때 '운짱'이라고
합니다. 이는 일본어 '運うんちゃ
ん'을 그대로 쓴 말인데요, 우리나
라와 달리 일본에서는 친근하게
이르는 말입니다.

'な형용사'의 보통체(반말) 과거 부정형은 'ではなかった'이고, 정
중체(존대말) 과거 부정형은 'ではありませんでした(=ではなか
ったです)'입니다.

> 簡単です ‡ 簡単ではありません ‡ 簡単ではありませんでした
> かんたん
> 간단합니다　간단하지 않습니다　　　　간단하지 않았습니다

- 新鮮しんせんだ 신선하다
- タクシー 택시
- 運転手うんてんしゅ 운전
  수, 기사

- 魚が 新鮮ではありませんでした。 생선이 신선하지 않았습니다.
  さかな　しんせん
  사까나가 신-센-데와 아리마센-데시따

- タクシーの運転手は あまり 親切ではなかったです。
  　　　　　うんてんしゅ　　　　　　しんせつ
  타꾸시-노 운-뗀-슈와　　　아마리　신-세쯔데와나깟-따데스
  택시 기사는 그다지 친절하지 않았습니다.

10 축구를 좋아합니다. **101**

~을(를) 좋아합니다 好きです

私は サッカーが 好きです。 저는 축구를 좋아합니다.

'好きです'는 '好きだ'의 정중체(존대말)로 '좋아하다'란 뜻입니다. 사람이나 사물 모두에 쓸 수 있고 반대말은 'きらいだ(싫어하다)'입니다. 목적격 조사는 'を'가 아닌 'が'를 쓰는 것에 주의하세요.

好きだ ‡ 好きです ‡ 好きではありません
좋아하다   좋아합니다   좋아하지 않습니다

• 登山とざん 등산
• 猫ねこ 고양이

• 父は 登山が 好きです。 아버지는 등산을 좋아합니다.
  찌찌와   도장-가   스끼데스

• 弟は 日本語が きらいではありません。
  오또-또와 니홍-고가   기라이데와 아리마센-
  남동생은 일본어를 싫어하지 않습니다.

• 山田さんは 猫が きらいです。 야마다 씨는 고양이를 싫어합니다.
  야마다상-와   네꼬가 기라이데스

패턴회화

회화문에서 이렇게 쓰여요! 잘 연습해 보세요~!

A あなたは ＿＿＿＿が 好きですか。   당신은 ~를 좋아합니까?

B はい、とても 好きです。   네, 매우 좋아합니다.

いいえ、あまり 好きではありません。
                  아니요, 별로 좋아하지 않아요.

1 牛肉 쇠고기   2 お酒 술

3 日本料理 일본요리   4 野菜 야채

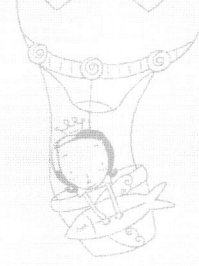

04 ~을(를) 잘합니다 上手です

田中さんは 料理が 上手です。 다나카 씨는 요리를 잘합니다.

'上手です'는 '上手だ'의 정중체(존대말)로 '(일에 관한 능력이) 뛰어나다, 잘하다'란 뜻이고, 반대말은 '下手だ(잘하지 못하다, 서툴다)'입니다. '好きだ'처럼 목적격 조사는 'が'를 써야 합니다.

> ## 알아두세요!
> 야구는 일본에서 가장 인기 있는 스포츠입니다. 특히 4000개 이상의 팀이 있다는 고교야구의 인기는 타의 추종을 불허하는데요, 매년 두 차례 고교야구의 메카인 고시엔(甲子園こうしえん)에서 열리는 대회에 출장하는 것은 야구를 하는 모든 학생들의 꿈이라고 합니다.

• 歌うた 노래
• 野球やきゅう 야구
• 英語えいご 영어

上手だ ‡ 上手です ‡ 上手ではありません
좋아하다　　좋아합니다　　좋아하지 않습니다

• 先生は 歌が 上手です。 선생님은 노래를 잘합니다.
  센-세-와 　 우따가 　 죠-즈데스

• 彼は 野球が 上手ではありません。 그는 야구를 잘하지 못합니다.
  가레와 　 야뀨-가 　 죠-즈데와 아리마셴-

• 私は 英語が 下手です。 나는 영어가 서툽니다.
  와따시와 에-고가 　 헤따데스

회화문에서 이렇게 쓰여요! 잘 연습해 보세요~!

A あなたは 　　　　 が 上手ですか。　　 당신은 ~를 잘합니까?
B はい、とても 上手です。　　　　　　 네, 매우 잘합니다.
　 いいえ、あまり 上手ではありません。
　　　　　　　　　　　　　　　　　　 아니요, 별로 잘하지 못합니다.

1 ピアノ 피아노　　　　　　　　2 絵え 그림
3 中国語ちゅうごくご 중국어　　　　4 卓球たっきゅう 탁구

일본어 뼈대 잡기 핵심 포인트 **05**

~과 ~과 어느 쪽이 〔양자 비교〕

> すしと たこ焼きと どちら(の ほう)が 好きですか。
> 초밥과 다코야끼 중 어느 쪽을 좋아합니까?
>
> すしの ほうが 好きです。 초밥 (쪽을)를 좋아합니다.

두 가지 중에서 하나를 골라야 할 때 쓰는 표현으로, 물을 때는 'の ほう'를 생략해도 되지만 응답을 할 때는 'の ほう'를 생략하면 안 됩니다.

- サッカーと 野球と どちら(の ほう)が 面白いですか。
  삭-까-또　　야뀨-또　　도찌라(노 호-)가　　　　　오모시로이데스까
  축구와 야구 중 어느 쪽이 재미있습니까?

  サッカーの ほうが 面白いです。 축구가 (쪽이) 재미있습니다.
  삭-까-노 호-가　　　　오모시로이데스

- りんごと みかんと どちら(の ほう)が 好きですか。
  링-고또　　미깐-또　　도찌라(노 호-)가　　　스끼데스까
  사과와 밀감 중 어느 쪽을 좋아합니까?

  りんごの ほうが 好きです。 사과 (쪽을)를 좋아합니다.
  링-고노 호-가　　　　스끼데스

- KTXと 新幹線と どちら(の ほう)が 速いですか。
  케-티-엑-꾸스또 싱-깐-센-또 도찌라(노 호-)가　　　　하야이데스까
  KTX와 신칸센 중 어느 쪽이 빠릅니까?

  KTXの ほうが 速いです。 KTX가 (쪽이) 빠릅니다.
  케-티-엑-꾸스노 호-가　　하야이데스

- ラーメンと 刺身と どちらが おいしいですか。
  라-멘-또　　사시미또　도찌라가　오이시-데스까
  라면과 생선회 중 어느 쪽이 맛있습니까?

  どちらも おいしいです。 모두 맛있습니다.
  도찌라모　　오이시-데스

- すし 초밥
- たこ焼やき 다코야끼, 밀가루 반죽에 잘게 썬 문어를 넣고 구운 과자
- サッカー 축구
- 新幹線しんかんせん 신칸센
- 速はやい 빠르다
- ラーメン 라면
- 刺身さしみ 생선회

104

제일 　一番 (최상급)

果物の中で 何が 一番 好きですか。
과일 중에서 무엇을 제일 좋아합니까?

りんごが 一番 好きです。 사과를 제일 좋아합니다.

세 가지 이상을 비교하여 하나를 고를 때는 '一番(제일, 가장)'을 씁니다.

• スポーツの中で 何が 一番 好きですか。
스뽀-쯔노 나까데　　　나니가　이찌방- 스끼데스까
스포츠 중에서 무엇을 제일 좋아합니까?

野球が 一番 好きです。야구를 제일 좋아합니다.
야뀨-가　　이찌방- 스끼데스

• クラスの中で 誰が 一番 背が 高いですか。
쿠라스노 나까데　다레가 이찌방- 세가　 다까이데스까
반에서 누가 제일 키가 큽니까?

• 果物くだもの 과일
• スポーツ 스포츠
• クラス 반, 클래스
• 誰だれ 누구

패턴회화

회화문에서 이렇게 쓰여요! 잘 연습해 보세요~!

A ☐ の中で 何が 一番 ☐ ですか。
　　　　　　　　　　　　　　　　　~ 중에서 무엇을 제일 ~합니까?

B ☐ が 一番 ☐ です。 ~을 제일 ~합니다.

1 季節・好きだ・秋 계절 / 좋아하다 / 가을
2 科目・難しい・数学 과목 / 어렵다 / 수학
3 日本料理・おいしい・ラーメン 일본요리 / 맛있다 / 라면

회화문
말해보기

A 金さんは テニスが 好きですか。
기무상–와　테니스가　스끼데스까.

B ええ、好きです。でも、上手ではありません。
에–.　스끼데스.　데모　죠–즈데와 아리마센–.

A そうですか。私は スポーツが 嫌いです。
소–데스까.　와따시와　스뽀–쯔가　기라이데스.

B じゃ、何が 好きですか。
쟈.　나니가　스끼데스까.

A 私は 音楽が 好きです。
와따시와　옹–가꾸가　스끼데스.

B そうですか。
소–데스까.

　クラシックと ジャズと どちらが 好きですか。
　쿠라식–꾸또　쟈즈또　도찌라가　스끼데스까.

A 私は クラシックの ほうが 好きです。
와따시와　쿠라식–꾸노 호–가　스끼데스.

- 音楽おんがく 음악
- クラシック 클래식
- ジャズ 재즈

해석

A 김(연아) 씨는 테니스를 좋아합니까?

B 네, 좋아합니다. 하지만 잘하지는 못합니다.

A 그렇습니까? 저는 스포츠를 싫어합니다.

B 그러면 무엇을 좋아합니까?

A 저는 음악을 좋아합니다.

B 그래요? 클래식과 재즈 중 어느 쪽을 좋아합니까?

A 저는 클래식 쪽을 좋아합니다.

11

책이 있습니다.
本が あります。

기요스크

우리나라의 철도 홍익회와 같은 일본의 기요스크(キ 오스크), 역 구내에서 식품과 신문, 잡지 등을 판매하 며, 철도 사고 등으로 가족을 잃은 사람들에게 일자리 를 주기 위해 시작했다고 합니다.

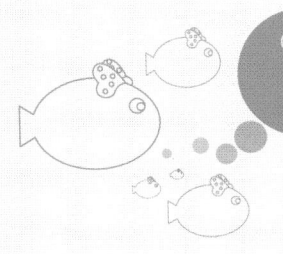

이것만은
꼭!!

■ 일본어 존재 표현

오늘은 일본어의 존재 표현을 배워 보도록 하겠습니다. 일본 어에서는 우리말과 달리 사물과 생물의 존재 구분을 달리 합니 다. 여기에 주의하면서 공부해 봅시다.

이 과의 주요 내용!

- 존재 표현 'ある'와 'いる'
- 사물, 식물의 존재 표현 – 'ある'
- 사람, 동물의 존재 표현 – 'いる'
- 'ある'와 'いる'의 부정형
- 장소·방향을 나타내는 지시어 및 위치 표현

존재 표현
위치 표현

일본어의 존재 표현과 위치 표현을 정리해 봅시다.

▶ 존재 표현

'ある'와 'いる'는 존재를 나타내는 동사입니다. 두 동사가 쓰이는 차이를 이해하고 활용되는 모양을 잘 기억해 둡시다.

	(사물 · 식물)	(사람 · 동물)
있다	ある	いる
없다	ない	いない
있습니다	あります	います
있습니까?	ありますか	いますか
없습니다	ありません	いません
없습니까?	ありませんか	いませんか

▶ 위치 표현

上うえ	위	中なか	속, 안	下した	밑, 아래
前まえ	앞	後うしろ	뒤	左ひだり	왼쪽	右みぎ	오른쪽

横よこ	옆	そば	곁, 옆	隣となり	이웃, 옆

핵심 문장 먼저 익히기

이번 과의 핵심 문장을 학습에 앞서 먼저 큰소리로 10번 씩 읽어 보십시오.

핵심 문장만이라도 외워두시면 일본어 정복에 큰 힘이 될 것입니다.

1 本が あります。
홍-가　　아리마스.
책이 있습니다.

2 本が ありません。
홍-가　　아리마센-.
책이 없습니다.

3 本は どこに ありますか。
홍-와　　도꼬니　　　아리마스까.
책은 어디에 있습니까?

4 本は 机の 上に あります。
홍-와　　쯔꾸에노우에니　　아리마스.
책은 책상 위에 있습니다.

5 子供が います。
고도모가　　　이마스.
아이가 있습니다.

6 子供は いません。
고도모와　　　이마센-.
아이는 없습니다.

7 子供は 車の 中に います。
고도모와　　구루마노 나까니　　이마스.
아이는 차 안에 있습니다.

11 책이 있습니다. **109**

일본어
뼈대 잡기 핵심 포인트

01 있습니다 【사물과 식물의 존재 긍정】

本^{ほん}が あります。 책이 있습니다.

'あります(있습니다)'는 'ある(있다)'의 정중형입니다. 일본어에는 존재를 나타내는 표현이 두 가지입니다. 우리말에서는 구분하지 않고 똑같이 '있다'를 사용하는 데 반해, 일본어는 사물과 식물에는 'ある(있다)'를 사람과 동물에는 'いる(있다)'를 씁니다.

- 花はな 꽃
- 車くるま 차(탈것)
- 果物くだもの 과일

- 花^{はな}が あります。 꽃이 있습니다.
  하나가   아리마스

- 車^{くるま}が あります。 차가 있습니다.
  구루마가 아리마스

- 果物^{くだもの}が あります。 과일이 있습니다.
  구다모노가   아리마스

02 없습니다 【사물과 식물의 존재 부정】

本^{ほん}が ありません。 책이 없습니다.

'ありません(없습니다)'은 'あります(있습니다)'의 부정형입니다. 기본형 'ある(있다)'의 부정형은 'ない(없다)'입니다.

- ノート 노트
- 辞書じしょ 사전
- かばん 가방

- ノートが ありません(＝ないです)。 노트가 없습니다.
  노-또가   아리마센-

- 辞書^{じしょ}が ありません(＝ないです)。 사전이 없습니다.
  지쇼가   아리마센-

- かばんが ありません(＝ないです)。 가방이 없습니다.
  가방-가   아리마센-

03 있습니다 〔사람과 동물의 존재 긍정〕

> こども
> 子供が います。 아이가 있습니다.

- 警察官けいさつかん
  경찰관
- 犬いぬ 개
- 魚さかな 물고기, 생선

'います(있습니다)'는 'いる(있다)'의 정중형으로 사람과 동물이 존재함을 나타내는 표현입니다. 즉 스스로 움직일 수 있는 생물의 존재에 쓰입니다. 그래서 죽은 사람에게는 'いる'를 쓰지 않고 'ある'를 쓰기도 합니다.

- けいさつかん
  警察官が います。 경찰관이 있습니다.
  게-사쯔깡-가   이마스

- いぬ
  犬が います。 개가 있습니다.
  이누가   이마스

- さかな
  魚が います。 물고기가 있습니다.
  사카나가 이마스

<blockquote>

알아두세요!

'ある'와 'いる'는 서로 반대로 쓸 때가 있습니다. 예를 들어 로봇은 사물이지만 건전지로 움직이는 로봇에는 'いる'를 쓰기도 합니다. 반대로 '彼かれには猫ねこが3匹びきある(그에게는 고양이가 세 마리 있다)'와 같이 동물을 소유의 개념으로 볼 때는 'ある'를 쓰기도 합니다.

</blockquote>

04 없습니다 〔사람과 동물의 존재 부정〕

> こども
> 子供が いません。 아이가 없습니다.

'いません(없습니다)'은 'います(있습니다)'의 부정형으로 사람이나 동물이 존재하지 않음을 나타냅니다. 기본형 'いる(있다)'의 부정형은 'いない(없다)'임에 주의하십시오.

- 先生せんせい 선생님
- 猫ねこ 고양이
- 友達ともだち 친구

- せんせい
  先生が いません(=いないです)。선생님이 없습니다.
  센-세-가   이마셍-

- ねこ
  猫も いません(=いないです)。고양이도 없습니다.
  네꼬모   이마셍-

- ともだち
  友達は いません(=いないです)。친구는 없습니다.
  도모다찌와   이마셍-

장소·방향을 나타내는 지시어

자기와 가까운 장소는 'ここ', 상대방과 가까우면 'そこ', 양쪽 모두
멀리 떨어진 곳에 있으면 'あそこ'를 쓰면 됩니다. 방향을 나타낼
때도 마찬가지입니다.

장소	ここ(여기)	そこ(거기)	あそこ(저기)	どこ(어디)
방향	こちら(이쪽) =(こっち)	そちら(그쪽) =(そっち)	あちら(저쪽) =(あっち)	どちら(어느 쪽) =(どっち)

- 携帯けいたい 휴대전화.
携帯電話의 줄임말이며,
ケータイ라고도 씀

- 消けしゴム 지우개

- ここに 携帯けいたい が あります。 여기에 휴대전화가 있습니다.
  고꼬니　　　게─따이가　　아리마스

- あちらに 金キムさんが います。 저쪽에 김(영민) 씨가 있습니다.
  아찌라니　　　기무상─가　　이마스

- 消けしゴムは どこに ありますか。 지우개는 어디에 있습니까?
  게시고무와　　　도꼬니　　아리마스까

46
CD

패턴회화

회화문에서 이렇게 쓰여요! 잘 연습해 보세요~!

A ＿＿＿ は どこに ＿＿＿ ますか。 ~은(는) 어디에 있습니까?
B ＿＿＿ は ＿＿＿ に ＿＿＿ ます。 ~은(는) ~에 있습니다.

1 スーパー・あちら・ある 슈퍼 / 저쪽 / 있다
2 山田やまださん・事務室じむしつ・いる 야마다 씨 / 사무실 / 있다
3 携帯電話けいたいでんわ・テーブルの上うえ・ある 휴대전화 / 테이블 위 / 있다
4 猫ねこ・ベランダ・いる 고양이 / 베란다 / 있다

06 어디에 있습니까?

財布は どこに ありますか。 지갑은 어디에 있습니까?
さいふ
テーブルの 上に あります。 테이블 위에 있습니다.
うえ

'どこ(어디)'는 장소를 물어볼 때 쓰는 의문사이고, 위치를 나타낼 때는 주로 존재 장소를 나타내는 조사 'に(에)'와 함께 쓰입니다.

- 財布さいふ 지갑
- テーブル 테이블
- 郵便局ゆうびんきょく
  우체국
- 銀行ぎんこう 은행
- 隣となり 옆
- 机つくえ 책상
- 椅子いす 의자
- 教室きょうしつ 교실

• 郵便局は どこに ありますか。 우체국은 어디에 있습니까?
　ゆうびんきょく
　유-빙-꾜꾸와　도꼬니　아리마스까

　銀行の隣に あります。 은행 옆에 있습니다.
　ぎんこう　となり
　깅-꼬-노 도나리니　아리마스

• 本は どこに ありますか。 책은 어디에 있습니까?
　ほん
　홍-와　도꼬니　　아리마스까

　机の上に あります。 책상 위에 있습니다.
　つくえ うえ
　쯔꾸에노 우에니 아리마스

• 猫は どこに いますか。 고양이는 어디에 있습니까?
　ねこ
　네꼬와　도꼬니　　이마스까

　椅子の下に います。 의자 밑에 있습니다.
　い す した
　이스노 시따니　　이마스

• 山田さんは どこに いますか。 야마다 씨는 어디에 있습니까?
　やまだ
　야마다상-와　　도꼬니　　이마스까

　教室の中に います。 교실 안에 있습니다.
　きょうしつ なか
　교-시쯔노 나까니　이마스

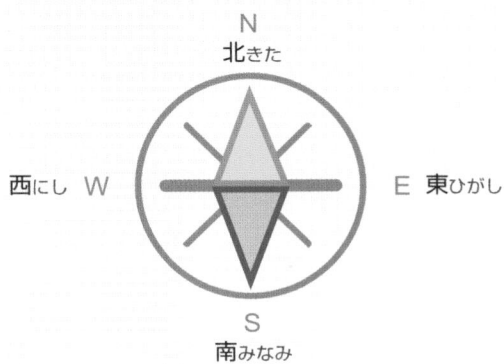

N
北きた
西にし W　　　E 東ひがし
S
南みなみ

11 책이 있습니다. **113**

회화문 말해보기

47 CD

A すみません。ここに 電話が ありますか。
　스미마센-. 　　　고꼬니 　뎅-와가 　아리마스까.

B いいえ、ありません。あそこの 廊下の 横に あります。
　이-에. 　아리마센-. 　아소꼬노 로-까노 요꼬니 　아리마스.

A 教室に 山田さんは いますか。
　교-시쯔니 　야마다상-와 　이마스까.

B いいえ、いませんよ。
　이-에. 　이마셍-요.

A じゃ、どこに いますか。
　쟈. 　도꼬니 　이마스까.

B 山田さんなら、図書館に いますよ。
　야마다상-나라 　도쇼깐-니 　이마스요.

A そうですか。ありがとうございます。
　소-데스까. 　아리가또-고자이마스.

- 電話でんわ 전화
- 廊下ろうか 복도
- 横よこ 옆, 곁
- 図書館としょかん 도서관

해석

A 실례합니다. 여기에 전화가 있습니까?
B 아니요, 없습니다. 저기 복도 옆에 있습니다.
A 교실에 야마다 씨는 있습니까?
B 아니요, 없습니다.
A 그러면, 어디 있습니까?
B 야마다 씨라면 도서관에 있습니다.
A 그렇습니까? 고맙습니다.

12

공부를 합니다.
勉強を します。

택시

기본요금이 도쿄를 기준으로 710엔인 일본의 택시(タ
クシー). 손님이 타고 내릴 때 문을 자동으로 열고 닫
아주는 것이 우리나라와는 다르며, 손님이 앞좌석에
타는 경우는 드뭅니다.

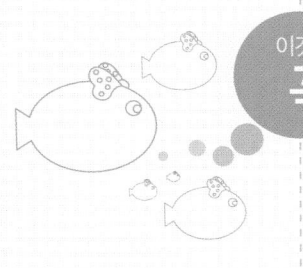

이것만은
꼭!!

■ **일본어 동사와 ます형**

오늘은 먼저 일본어 동사의 세 가지 형태와 구별 방법을 배웁니
다. 그 후 동사의 정중형인 ます형과 ます형의 부정, 과거, 과거
부정을 만드는 방법을 알아 봅시다.

이 과의 주요 내용!

- 일본어 동사의 구별 방법
- 동사의 ます형 만들기
- 동사의 ます형 활용하기(부정, 과거, 과거 부정)

동사의 구별법 정리

일본어 동사의 구별 방법과 동사의 정중형인 **ます**형을 만드는 방법을 알아봅시다.

동사 구별법

동사는 사물의 동작, 움직임을 나타내며, 모두 「う단」으로 끝납니다. 일본어 동사는 모두 세 종류로, 그 종류에 따라 활용하는 방법이 달라지므로 구별법을 확실히 알아 두어야 합니다.

1그룹 동사(5단동사)

(1) 기본형의 어미가 「う단」 중에서 「る」가 아닌 것.
예 行く 가다   読む 읽다   笑う 웃다   飛ぶ 날다
(2) 기본형의 어미 「る」 바로 앞에 「い/え단」이 아닌 것.
예 分かる 이해하다   始まる 시작되다   売る 팔다

※ 예외 1그룹 동사 (2그룹 형태를 지닌 1그룹 동사)

入はいる 들어가다	帰かえる 돌아가다	走はしる 달리다	切きる 자르다

2그룹 동사(1단동사)

기본형의 어미가 「る」로 끝나고, 「る」 바로 앞이 「い/え단」인 것.
예 起きる 일어나다   食べる 먹다

3그룹 동사(변격동사)

활용법칙에 적용을 하지 못하는 동사.
예 する 하다   来る 오다   두 개뿐이므로 무조건 암기합니다.

동사 ます형 만들기

동사의 정중형인 ます형의 접속 방법에 대해 알아봅시다.
활용하려는 동사가 몇 그룹 동사인지를 정확히 알아야 쉽게 접속할 수
있으므로 먼저 동사 구별법을 확실히 이해하시기 바랍니다.

1그룹 동사(5단동사)

기본형		ます형
行く 가다		行き ＋ます ＝ 行きます 갑니다
飲む 마시다		飲み ＋ます ＝ 飲みます 마십니다
会う 만나다		会い ＋ます ＝ 会います 만납니다
分かる 이해하다		分かり ＋ます ＝ 分かります 이해합니다

> う단을 　　　い단으로 바꾸어 　　ます를 붙임

2그룹 동사(1단동사)

기본형		ます형
食べる 먹다		食べる ＋ます ＝ 食べます 먹습니다
起きる 일어나다		起きる ＋ます ＝ 起きます 일어납니다
見る 보다		見る ＋ます ＝ 見ます 봅니다
開ける 열다		開ける ＋ます ＝ 開けます 엽니다

> 　　　る를 빼고 　　　ます를 붙임

3그룹 동사(변격동사)

する 하다	→	します 합니다
来る 오다	→	来ます 옵니다

> 무조건 암기

이번 과의 핵심 문장을 학습에 앞서 먼저 큰소리로 10번 씩 읽어 보십시오.
핵심 문장만이라도 외워두시면 일본어 정복에 큰 힘이 될 것입니다.

1 面白い 本を 読みます。
오모시로이　홍-오　요미마스.
재미있는 책을 읽습니다.

2 勉強を しません。
벵-꾜-오　시마셍-.
공부를 하지 않습니다.

3 テレビのニュースを 見ました。
테레비노 뉴-스오　　　　　　　미마시따.
텔레비전 뉴스를 보았습니다.

4 寒くて 遊びませんでした。
사무꾸떼　아소비마셍-데시따.
추워서 놀지 않았습니다.

5 日本語で 話します。
니홍-고데　　　하나시마스.
일본어로 이야기합니다.

6 誰も 来ません。
다레모　기마셍-.
아무도 오지 않습니다.

7 友達と 一緒に コーヒーを 飲みました。
도모다찌또　잇-쇼니.　고-히-오　　　노미마시따.
친구와 함께 커피를 마셨습니다.

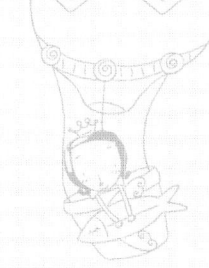

일본어 뼈대 잡기

핵심 포인트 **01**

~합니다 [동사의 정중형]

> 学校^{がっこう}に 行^いきます。 학교에 갑니다.

명사와 형용사의 정중형은 'です(입니다)'이고, 동사의 정중형은 'ます(합니다)'입니다. 동사를 먼저 ます형으로 변환한 후 ます를 붙이면 됩니다. 현재뿐 아니라 미래의 뜻도 포함합니다. ます 뒤에 か를 붙이면 의문문이 됩니다.

> 行^いく ⅼ 行^いきます ⅼ 行^いきますか
> 가다　　　갑니다　　　갑니까?

- 服^{ふく}ふく 옷
- 着^きる 입다
- 宿題^{しゅくだい}しゅくだい 숙제
- 手紙^{てがみ}てがみ 편지
- 書^かく 쓰다

알아두세요!

「学校^{がっこう}に 行^いきます」는 '학교에 갑니다'도 되고 '학교에 갈 것입니다'도 될 수 있습니다. 일본어에는 미래형이 따로 없기 때문에 상황에 따라 판단해야 합니다.

- 服^{ふく}を 着^きます。 옷을 입습니다.
  후꾸오　기마스

- 宿題^{しゅくだい}を します。 숙제를 합니다.
  슈꾸다이오　시마스

- 手紙^{てがみ}を 書^かきますか。 편지를 씁니까?
  데가미오　가끼마스까

CD 49

패턴회화

회화문에서 이렇게 써요! 잘 연습해 보세요~!

A ⬚⬚⬚を ⬚⬚⬚ますか。　～을(를) ～합니까?

B はい、⬚⬚⬚ます。　　네, ～합니다.

　 いいえ、⬚⬚⬚ません。　아니요, ～하지 않습니다.

1 音楽^{おんがく}・聞^きく 음악 / 듣다
2 カメラ・買^かう 카메라 / 사다
3 髪^{かみ}・切^きる 머리카락 / 자르다
4 掃除^{そうじ}・する 청소 / 하다

12 공부를 합니다. **119**

일본어
뼈대 잡기 핵심 포인트 **02**

～하지 않습니다 [동사의 정중 부정형]

> コーヒーを 飲みません。 커피를 마시지 않습니다.

'ません(하지 않습니다)'은 'ます(합니다)'의 부정형입니다. ます를 ません으로 바꿔주기만 하면 되고, 이 표현 역시 ません 뒤에 か를 붙이면 의문문이 됩니다.

- 飲のむ 마시다
- テレビ 텔레비전, TV
- 見みる 보다
- サッカー 축구
- 会社かいしゃ 회사

- テレビを 見ません。 TV를 보지 않습니다.
  테레비오　　　미마센-

- サッカーを しません。 축구를 하지 않습니다.
  삭-까-오　　　시마센

- 会社へ 行きませんか。 회사에 가지 않습니까?
  가이샤에　이끼마셍-까

핵심 포인트 **03**

～했습니다 [동사의 과거 정중형]

> 荷物を 運びました。 짐을 옮겼습니다.

'ました(했습니다)'는 'ます(합니다)'의 과거형으로, ます를 ました로 바꿔주기만 하면 됩니다. 마찬가지로 ました 뒤에 か를 붙여주면 의문문이 됩니다.

- 荷物にもつ 짐
- 運はこぶ 옮기다
- 家いえ 집
- 建たてる 짓다, 세우다
- 買かい物もの 쇼핑
- 昼ひるご飯はん 점심 (식사)

- 家を 建てました。 집을 지었습니다.
  이에오　다떼마시따

- 買い物を しました。 쇼핑을 했습니다.
  가이모노오　시마시따

- 昼ご飯を 食べましたか。 점심을 먹었습니까?
  히루고항-오　다베마시따까

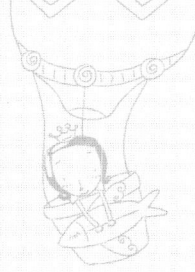

~하지 않았습니다 　동사의 과거 정중 부정형

ペンを 使（つか）いませんでした。 펜을 쓰지 않았습니다.

'ませんでした(~하지 않았습니다)'는 'ました(~했습니다)'의 부정형입니다. 마찬가지로 ませんでした 뒤에 か를 붙여주면 의문문이 됩니다.

します ↕ しません ↕ しませんでした
합니다　　　　하지 않습니다　　하지 않았습니다

- 使（つか）う 쓰다, 사용하다
- お金（かね） 돈
- あまり 그다지, 별로
- たくさん 많음

- お金（かね）が ありませんでした。 돈이 없었습니다.
  오까네가　　아리마셍-데시따

- あまり 飲（の）みませんでした。 그다지 마시지 않았습니다.
  아마리　　　노미마셍-데시따

- たくさん 勉強（べんきょう）しませんでしたか。 많이 공부하지 않았습니까?
  다꾸상-　　　벵-꾜-시마셍-데시따까

회화문에서 이렇게 쓰여요! 잘 연습해 보세요~!

A 昨日（きのう）、　　　　を　　　　ましたか。 어제, ~을(를) ~했습니까?

B はい、　　　　ました。 네, ~했습니다.

　いいえ、　　　　ませんでした。 아니요, ~하지 않았습니다.

1 お酒（さけ）・飲（の）む 술 / 마시다
2 カレー・作（つく）る 카레 / 만들다
3 映画（えいが）・見（み）る 영화 / 보다
4 買（か）い物（もの）・する 쇼핑 / 하다

회화문 말해보기

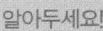 **51**
CD

A 山田さん、旅行は どうでしたか。
　　야마다상-.　　　료꼬-와　　도-데시따까.

B とても 楽しかったですが、疲れました。
　　도떼모　　다노시깟-따데스가　　　　쯔까레마시따.

　魚釣りも しましたよ。
　　사까나쯔리모　　시마시따요.

A そうですか。私は どこにも 行きませんでした。
　　소-데스까.　　와따시와　도꼬니모　　이끼마센-데시따.

B じゃあ、何を しましたか。
　　쟈-.　　　나니오　　시마시따까.

A うちで、一日中 ビデオを 見ました。
　　우찌데　　이찌니찌쥬-　비데오오　　미마시따.

　でも、来週 日本に 行きますよ。
　　데모　　라이슈-　니혼-니　이끼마스요.

- 旅行りょこう 여행
- 楽たのしい 즐겁다
- 疲つかれる 피곤하다
- 魚釣さかなつり 낚시
- 一日中いちにちじゅう
  하루 종일
- ビデオ 비디오
- 来週らいしゅう 다음 주

알아두세요!

「じゃ(あ)」는 「では」가 변한 말입니다. '그렇다면, 그럼'의 뜻으로 쓰이며, 주로 회화에서 이야기를 일단락 짓고 화제를 돌리거나 인사말을 꺼낼 때 등에 사용합니다.

해석

A 야마다 씨, 여행은 어땠습니까?
B 매우 즐거웠습니다만, 피곤했습니다. 낚시도 했어요.
A 그렇습니까? 저는 아무 곳에도 가지 않았습니다.
B 그러면, 무엇을 했습니까?
A 집에서 하루 종일 비디오를 봤습니다. 그래도 다음 주 일본에 갑니다.

13

영화를 보고 싶습니다.
映画を 見たいです。

가부키자

화려한 의상과 무대 장치로 많은 볼거리를 제공하는 일본의 전통예능 가부키(歌舞伎かぶき)를 공연하는 가부키자(歌舞伎座かぶきざ). 가부키는 모든 배우들이 남자인 것이 특징입니다.

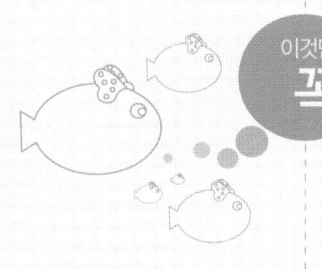

이것만은
꼭!!

■ 동사 ます형 활용하기

오늘은 동사 ます형에 연결되는 희망의 조동사 たい와 두 가지 동작이 동시에 이루어짐을 나타내는 ながら의 용법, 그리고 상대방에게 권유하는 표현인 ましょう의 용법에 대해 공부합니다.

이 과의 주요 내용!

- 희망의 조동사 – 'たい'
- 동시 동작 표현 – 'ながら'
- 'ます'의 권유형 – 'ましょう'

이번 과의 핵심 문장을 학습에 앞서 먼저 큰소리로 10번 씩 읽어 보십시오.

핵심 문장만이라도 외워두시면 일본어 정복에 큰 힘이 될 것입니다.

1 映画を 見たいです。
에-가오   미따이데스.
영화를 보고 싶습니다.

2 映画を 見たくありません。
에-가오   미따꾸아리마센-.
영화를 보고 싶지 않습니다.

3 映画を 見たくないです。
에-가오   미따꾸나이데스.
영화를 보고 싶지 않습니다.

4 映画を 見に 行きます。
에-가오   미니   이끼마스.
영화를 보러 갑니다.

5 映画を 見ながら ジュースを 飲みます。
에-가오   미나가라   쥬-스오   노미마스.
영화를 보면서 주스를 마십니다.

6 映画を 見に 行きましょう。
에-가오   미니   이끼마쇼-.
영화를 보러 갑시다.

일본어 뼈대 잡기

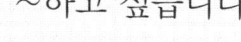

핵심 포인트 01

~하고 싶습니다　　희망 조동사 たい의 긍정과 부정

> ジュースを 飲みたいです。 주스를 마시고 싶습니다.

'たい(하고 싶다)'는 말하는 사람의 희망을 나타내는 조동사입니다. 접속은 동사를 먼저 ます형으로 변환한 후 ます대신 たい를 붙이면 됩니다. たい는 형용사형 활용을 하므로 부정형은 たくありません(=たくないです)이 됩니다.

- ジュース 주스
- 買かい物もの 쇼핑
- 作文さくぶん 작문
- 書かく 쓰다

- 日本に 行きたいです。 일본에 가고 싶습니다.
  니혼-니　이끼따이데스
- 買い物を したいです。 쇼핑하고 싶습니다.
  가이모노오　시따이데스
- 作文は 書きたくありません。 작문은 쓰고 싶지 않습니다.
  사꾸붕-와　가끼따꾸아리마센-

알아두세요!

제삼자의 희망을 말할 때는 'たい' 대신 'たがる'를 씁니다. 뜻은 '~하고 싶어하다'이며, 동사처럼 활용됩니다.
예 彼は日本に行きたがっています。 그는 일본에 가고 싶어 합니다.

53 CD

패턴회화

회화문에서 이렇게 쓰여요! 잘 연습해 보세요~!

A 　　　　を 　　　　たいですか。　　~을 ~하고 싶습니까?

B はい、 　　　　たいです。　　네, ~하고 싶습니다.

　いいえ、 　　　たくありません。　아니요, ~하고 싶지 않습니다.

1 写真しゃしん・とる 사진 / 찍다　　2 料理りょうり・する 요리 / 하다
3 飛行機ひこうき(に)・乗のる 비행기 / 타다　　4 トイレ(に)・行いく 화장실(에) / 가다

일본어
뼈대 잡기 02

~하러 가다 · ~하러 오다　목적을 나타내는 조사 に

> 本を 借りに 行きます。 책을 빌리러 갑니다.

'~に 行く(~하러 가다)'와 '~に 来る(~하러 오다)'는 '어떤 목적을 위해 가다 · 오다'란 뜻을 나타냅니다. に 앞에는 동작성 명사나 동사 ます형이 옵니다.

- 借かりる 빌리다
- お酒さけ 술
- 食事しょくじ 식사
- 遊あそぶ 놀다

- お酒を 飲みに 行きます。 술을 마시러 갑니다.
  오사께오　노미니　이끼마스
- 食事に 行きます。 식사하러 갑니다.
  쇼꾸지니　이끼마스
- 韓国へ 遊びに 来ます。 한국에 놀러 옵니다.
  캉-꼬꾸에　아소비니　기마스

03

~하면서　동시 동작

> 音楽を 聞きながら 勉強します。 음악을 들으면서 공부합니다.

'ながら(하면서)'는 '동사 ます형+ながら'의 형태로 두 가지 동작이 동시에 이루어질 때 쓰는 표현입니다.

- 音楽おんがく 음악
- 歌うた 노래
- 歌うたう (노래를) 부르다
- 掃除そうじ 청소
- 運転うんてん 운전

- 歌を 歌いながら 掃除します。 노래를 부르면서 청소를 합니다.
  우따오　우따이나가라　소-지시마스
- テレビを 見ながら 食事します。 텔레비전을 보면서 식사를 합니다.
  테레비오　미나가라　쇼꾸지시마스
- ラジオを 聞きながら 運転します。 라디오를 들으면서 운전을 합니다.
  라지오오　기끼나가라　운-뗀-시마스

04 ~합시다　　ます의 권유형

> 会議[かいぎ]を 始[はじ]めましょう。 회의를 시작합시다.

'ましょう(합시다)'는 상대방에게 가볍게 재촉할 때나 권유할 때 쓰는 표현입니다. ましょう 뒤에 か를 붙이면 의문문이 됩니다.

- 朝早[あさはや]く 起[お]きましょう。 아침 일찍 일어납시다.
  아사하야꾸　오끼마쇼ー

- 一緒[いっしょ]に 運動[うんどう]しましょう。 함께 운동합시다.
  잇ー쇼니　운ー도ー시마쇼

- 明日[あした] 何時[なんじ]に 会[あ]いましょうか。 내일 몇 시에 만날까요?
  아시따　난ー지니　아이마쇼ー까

• 会議[かいぎ] 회의
• 始[はじ]める 시작하다
• 朝早[あさはや]く 아침 일찍
• 一緒[いっしょ] 함께, 같이
• 会[あ]う 만나다

패턴회화

회화문에서 이렇게 쓰여요! 잘 연습해 보세요~!

A 一緒[いっしょ]に 　　　　ませんか。　　함께 ~하지 않겠습니까?

B いいですね、　　　　ましょう。　　좋지요. ~합시다.

1 ゴルフを する 골프를 하다
2 日本料理[にほんりょうり]を 食[た]べる 일본요리를 먹다
3 映画[えいが]を 見[み]る 영화를 보다
4 ケーキを 作[つく]る 케이크를 만들다

13 영화를 보고 싶습니다. **127**

55
CD

A もう 韓国料理を 食べましたか。
かんこくりょうり　　た
모- 　장-꼬꾸료-리오　다베마시따까.

B いいえ、まだです。
이-에.　　　마다데스.

A 日曜日、一緒に 食べに 行きませんか。
にちようび　いっしょ　た　　い
니찌요-비　잇-쇼니　다베니　이끼마셍-까.

B いいですね、行きましょう。
い
이-데스네.　　　이끼마쇼-.

A はい。では、何時に 会いましょうか。
なんじ　あ
하이.　데와　난-지니　아이마쇼-까.

B 12時は どうですか。
じ
쥬-니지와　도-데스까.

A いいですよ。じゃ、日曜日12時に 会いましょう。
にちようび　じ　あ
이-데스요.　쟈.　　니찌요-비 쥬-니지니　아이마쇼-.

• もう 이제, 이미, 벌써
• まだ 아직
• 会ぁう 만나다

한국음식 이름
한국음식의 일본 이름
비빔밥-ビビンバ
찌개-チゲ
불고기-プルゴギ, 焼ゃき肉にく
갈비-カルビ
삼계탕-サムゲタン
떡볶이-トッポキ
순대-スンデ

A 이제 한국요리를 먹었습니까?
B 아니요. 아직입니다.
A 일요일에 함께 먹으러 가지 않을래요?
B 좋아요. 갑시다.
A 네. 그럼, 몇 시에 만날까요?
B 12시는 어떻습니까?
A 좋습니다. 그럼 일요일 12시에 만나요.

14

5시에 일어나 주세요.
5時に 起きてください。

회전초밥

회전초밥(回転寿司かいてんずし)은 초밥이 비싼 일본에서 비교적 싼 값에 즐길 수 있어 샐러리맨 등에 인기 만점입니다. 자리 앞의 회전하는 컨베이어에서 좋아하는 초밥을 들고 와 먹으면 됩니다.

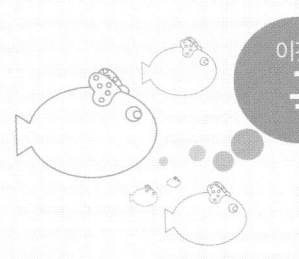

이것만은
꼭!!

■ 일본어 동사의 て형

오늘은 일본어에서 활용 빈도가 높고 다양한 용법을 가지고 있는 동사의 て형을 만드는 방법과 이를 이용하여 상대방에게 정중히 의뢰하는 표현인 てください, 동작의 순서를 나타내는 てから에 대해서 공부합니다.

이 과의 주요 내용!

- 동사의 て형 만들기
- 의뢰 표현 – '〜てください'
- 동작의 순서를 나타내는 – '〜てから'

동사의 て형 정리

앞뒤의 문장을 동사로 연결할 때 쓰이는 형태를 「て형」이라고 합니다.

1그룹 동사(5단동사)

어미						
う·つ·る	→ って	사다	買か~~う~~	+ って	= 買って	사고
む·ぬ·ぶ	→ んで	읽다	読よ~~む~~	+ んで	= 読んで	읽고
く	→ いて	쓰다	書か~~く~~	+ いて	= 書いて	쓰고
ぐ	→ いで	수영하다	泳およ~~ぐ~~	+ いで	= 泳いで	수영하고
す	→ して	내다	出だ~~す~~	+ して	= 出して	내고

※ 예외동사 行いく 가다 → 行って 가고

2그룹 동사(1단동사)

어미						
る	→ て	일어나다	起おき~~る~~	+ て	= 起きて	일어나고
		먹다	食たべ~~る~~	+ て	= 食べて	먹고
		보다	見み~~る~~	+ て	= 見て	보고
		자다	寝ね~~る~~	+ て	= 寝て	자고

る를 빼고　　　　て를 붙임

3그룹 동사(변격동사)

하다	する	→	して	하고
오다	来くる	→	来きて	오고

무조건 암기

가장 많이 쓰이는 일본어 기본 동사입니다. 꼭 익혀둡시다.

会社へ行く 회사에 가다		家に帰る 집에 돌아오다	
ご飯を食べる 밥을 먹다		水を飲む 물을 마시다	
新聞を読む 신문을 읽다		友達に会う 친구를 만나다	
友達と遊ぶ 친구와 놀다		電車に乗る 전철을 타다	
バスを降りる 버스를 내리다		風邪を引く 감기에 걸리다	
朝、起きる 아침에 일어나다		夜、寝る 밤에 자다	

이번 과의 핵심 문장을 학습에 앞서 먼저 큰소리로 10번 씩 읽어 보십시오.

핵심 문장만이라도 외워두시면 일본어 정복에 큰 힘이 될 것입니다.

1 薬を 飲んで 寝ます。

구스리오 논-데 네마스.

약을 먹고 잡니다.

2 勉強を してから テレビを 見ます。

벵-꾜-오 시떼까라 테레비오 미마스

공부를 하고 나서 텔레비전을 봅니다.

3 薬を 飲んでから 寝ます。

구스리오 논-데까라 네마스.

약을 먹고 나서 잡니다.

4 ご飯を 食べて 薬を 飲んで 寝ます。

고항-오 다베떼 구스리오 논-데 네마스.

밥을 먹고 약을 먹고 잡니다.

5 薬を 飲んでください。

구스리오 논-데 구다사이.

약을 먹어 주세요.

6 5時に 起きてください。

고지니 오끼떼 구다사이.

5시에 일어나 주세요.

7 掃除してください。

소-지시떼 구다사이.

청소해 주세요.

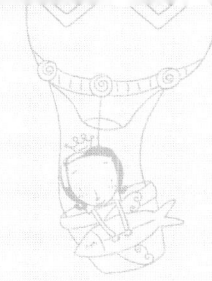

일본어 뼈대 잡기

핵심 포인트 01

~하고, ~해서 동사 て형

> 薬を 飲んで 寝ます。 약을 먹고 잡니다.
> くすり の ね

동사의 'て형(~하고, ~해서)'은 여러 가지 용법이 있는데, 계속된 동작을 나타내거나, 원인, 이유, 설명 그리고 동작의 나열 등을 나타냅니다.

- ご飯を 食べて 学校に 行きます。 밥을 먹고 학교에 갑니다.
  はん た がっこう い
  고항–오 다베떼 각–꼬–니 이끼마스

- 感動して 涙が 出ます。 감동해서 눈물이 납니다.
  かんどう なみだ で
  간–도–시떼 나미다가 데마스

- 風邪を 引いて 欠席しました。 감기에 걸려서 결석했습니다.
  か ぜ ひ けっせき
  가제오 히–떼 켓–세끼시마시따

- 感動かんどうする 감동하다
- 涙なみだ 눈물
- 風邪かぜを 引ひく
  감기에 걸리다
- 欠席けっせきする 결석하다

핵심 포인트 02

~하고 나서

> 日記を 書いてから 寝ます。 일기를 쓰고 나서 잡니다.
> にっき か ね

'~てから(~하고 나서)'는 하나의 동작이 끝난 후 다른 동작을 할 때 쓰는 표현입니다.

- もう 少し 考えてから、決めます。 조금 더 생각하고 결정하겠습니다.
  すこ かんが き
  모– 스꼬시 강–가에떼까라 기메마스

- 勉強を してから テレビを 見ます。 공부를 하고 나서 TV를 봅니다.
  べんきょう み
  벵–꾜–오 시떼까라 테레비오 미마스

- 日記にっき 일기
- もう 少すこし 조금 더
- 考かんがえる 생각하다
- 決きめる 결정하다

14 5시에 일어나 주세요. 133

일본어 뼈대 잡기 핵심 묘음법 **03**

~하고 ~하고 ~합니다 　동작의 연속

5時(じ)に 起(お)きて 新聞(しんぶん)を 読(よ)んで 会社(かいしゃ)に 行(い)きます。
5시에 일어나 신문을 읽고 회사에 갑니다.

'~て、~て(~하고, ~하고)'는 연속해서 잇달아 일어나는 행위를
시간의 경과에 따라 나타냅니다.

- 遊園地(ゆうえんち)で 遊(あそ)んで 食事(しょくじ)を して 家(いえ)に 帰(かえ)りました。
  유-엔-찌데　아손-데　쇼꾸지오　시떼　이에니　가에리마시따
  유원지에서 놀고 식사를 하고 집으로 돌아왔습니다

- 友達(ともだち)に 会(あ)って、バスに 乗(の)って、音楽会(おんがくかい)に 行(い)きました。
  도모다찌니　앗-떼　바스니　놋-떼　옹-가꾸까이니　이끼마시따
  친구를 만나 버스를 타고 음악회에 갔습니다.

• 遊園地(ゆうえんち) 유원지
• 帰(かえ)る 돌아오다
• 友達(ともだち) 친구
• 音楽会(おんがくかい) 음악회

57 CD

패턴회화

회화문에서 이렇게 쓰여요! 잘 연습해 보세요~!

A 日曜日(にちようび)に 何(なに)を しましたか。　　일요일에 무엇을 했습니까?

B ⬚⬚⬚て、⬚⬚⬚て、⬚⬚⬚ました。

~을 하고, ~을 하고, ~했습니다.

1 友達(ともだち)に 会(あ)う・映画(えいが)を 見(み)る・食事(しょくじ)を する 친구를 만나다 / 영화를 보다 / 식사를 하다

2 洗濯(せんたく)する ・ 散歩(さんぽ)する ・ テレビを 見(み)る 빨래하다 / 산책하다 / TV를 보다

3 掃除(そうじ)する ・ 本(ほん)を 読(よ)む ・ お風呂(ふろ)に 入(はい)る 청소하다 / 책을 읽다 / 목욕을 하다

04 ~해 주세요 　동사 의뢰 표현

> ここに 名前を 書いてください。 여기에 이름을 써 주세요.

- 名前なまえ 이름
- ボールペン 볼펜
- 使つかう 사용하다
- 荷物にもつ 짐
- 運はこぶ 옮기다
- 漢字かんじ 한자
- 教おしえる 가르치다
- 運転うんてん 운전

'~てください(~해 주세요)'는 남에게 무언가를 정중히 요구할 때 쓰는 표현입니다.

- ボールペンを 使ってください。 볼펜을 사용해 주세요.
  보-루빵-오　　　　쯔깟-떼 구다사이

- 荷物を 運んでください。 짐을 옮겨 주세요.
  니모쯔오　　하꼰-데 구다사이

- 漢字を 教えてください。 한자를 가르쳐 주세요.
  간-지오　　오시에떼 구다사이

- 車を 運転してください。 자동차를 운전해 주세요.
  구루마오 운-뗀-시떼 구다사이

알아두세요!

현재 일본의 상용한자는 1981년에 공표된 1945자입니다. 보통 초등학교에서 6년간 교육용 한자 1006자를 공부하고 그 이외의 상용한자 939자는 중학교에서 배웁니다.

58
CD

패턴회화

회화문에서 이렇게 쓰여요! 잘 연습해 보세요~!

A どうぞ、　　　　てください。　　아무쪼록 ~해 주세요.

B どうも ありがとうございます。　　감사합니다.

1 パーティーに 来る 파티에 오다
2 お酒を 飲む 술을 마시다
3 ケーキを 食べる 케이크를 먹다
4 こちらに 座る 이쪽에 앉다

A 山田さんは 毎朝、何時に 起きますか。
야마다상-와   마이아사   난-지니   오끼마스까.

B 6時です。
로꾸지데스.

A 早いですね。それから、何を しますか。
하야이데스네.   소레까라   나니오   시마스까.

B 顔を 洗って、朝ご飯を 食べて、会社へ 行きます。
가오오 아랏-떼   아사고항-오   다베떼   가이샤에   이끼마스.

A 夜は たいてい 何をしますか。
요루와 다이떼-   나니오 시마스까.

B シャワーを 浴びて、少し ビールを 飲んで、
샤와-오   아비떼   스꼬시 비-루오   논-데

テレビを 見てから、寝ます。
테레비오   미떼까라   네마스.

- 毎朝まいあさ 매일 아침
- 早はやい 빠르다, 이르다
- 顔かおを 洗あらう 세수하다
- 夜よる 밤
- たいてい 대개, 대체로
- シャワーを 浴あびる 샤워를 하다
- ビール 맥주

 해석

A 야마다 씨는 매일 아침 몇 시에 일어납니까?
B 6시입니다.
A 빠르군요. 그리고 무엇을 합니까?
B 세수를 하고, 아침밥을 먹고, 회사에 갑니다.
A 밤에는 대개 무엇을 합니까?
B 샤워를 하고 맥주를 조금 마시고, 텔레비전을 보고 나서 잡니다.

15

무엇을 하고 있습니까?
何を しています か。

와가시

형형색색의 아기자기한 모양이 먹기 아까울 정도
로 예뻐서 눈으로 먹는다는 일본의 과자 와가시(和
菓子わがし). 주로 차에 곁들여 먹기 때문에 달콤한
맛이 강합니다.

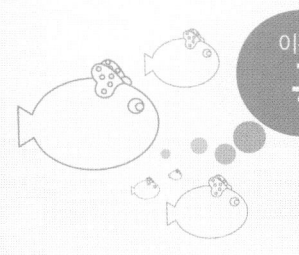

이것만은
꼭!!

■ **동사의 て형 활용하기**

오늘은 동작의 진행을 나타내는 ている 표현과 더불어 동사 て
형을 이용해 허가와 양해를 구하고 행동에 대해 금지하는 표현을
배워보고, 경험하지 못한 사항을 시도할 때 쓰는 てみます, 그리
고 행위의 실행 여부를 나타내는 もう와 まだ에 대해서도 알아
봅시다.

이 과의 주요 내용!

* 동작의 진행 – 'ている'
* 허가와 양해 구하는 표현
  – 'てもいいですか', 'てみてもいいですか'
* 금지 표현 – 'てはいけません'
* 시도 표현 – 'てみる'
* 행위에 대한 시간 표현 'もう'와 'まだ'

이번 과의 핵심 문장을 학습에 앞서 먼저 큰소리로 10번 씩 읽어 보십시오.
핵심 문장만이라도 외워두시면 일본어 정복에 큰 힘이 될 것입니다.

1 何を して いますか。
나니오　시떼　이마스까.
무엇을 하고 있습니까?

2 窓を 開けても いいですか。
마도오　아께떼모　이-데스까.
창문을 열어도 됩니까?

3 たばこを 吸っては いけません。
다바꼬오　숫-떼와　이께마센-.
담배를 피우면 안 됩니다.

4 一度 読んで みます。
이찌도　욘-데　미마스.
한번 읽어 보겠습니다.

5 着て みても いいですか。
기떼　미떼모　이-데스까.
입어 봐도 됩니까?

6 もう 食べました。
모-　다베마시따.
벌써(이미) 먹었습니다.

7 まだ 食べて いません。
마다　다베떼　이마센-.
아직 먹지 않았습니다.

일본어 뼈대 잡기 핵심 포인트 **01**

~하고 있습니다 동작의 진행

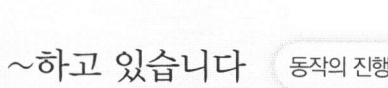
何を して いますか。 무엇을 하고 있습니까?

'~て います(~하고 있습니다)'는 '~て いる(~하고 있다)'의 정중 형으로 동작이 현재 진행 중임을 나타냅니다. 이밖에도 현재의 상 태, 그리고 습관적인 반복에도 쓸 수 있습니다.

- 話はなす 이야기하다
- 会社かいしゃ 회사
- 勤つとめる 근무하다
- 毎日まいにち 매일
- ジョギング 조깅

- 先生と 話して います。 선생님과 이야기하고 있습니다.〈현재 진행〉
  센-세-또　하나시떼　이마스

- 会社に 勤めて います。 회사에 근무하고 있습니다.〈현재의 상태〉
  카이샤니　쯔또메떼　이마스

- 毎日 ジョギングを して います。 매일 조깅를 하고 있습니다.〈반복〉
  마이니찌 죠깅-구오　　시떼　이마스

알아두세요!

'결혼했습니다'는 일본어로 뭐라 고 할까요? 정답은 「結婚けっこん して います。」입니다. 자칫 「結 婚しました」라고 할 수도 있는데 요, 현재의 상태를 말하기 때문에 「ている」표현을 써야 합니다.

61 CD

패턴회화

회화문에서 이렇게 쓰여요! 잘 연습해 보세요~!

A 今 何を して いますか。　　지금 무엇을 하고 있습니까?

B ☐☐☐て います。　　　~하고 있습니다.

1 音楽を 聞く 음악을 듣다
2 本を 読む 책을 읽다
3 テレビを 見る TV를 보다
4 日本語の 勉強を する 일본어 공부를 하다

일본어 뼈대 잡기

핵심 포인트 **02**

~해도 됩니까? 허가를 구하는 표현

窓(まど)を 開(あ)けても いいですか。 창문을 열어도 됩니까?

'~ても いいですか(~해도 됩니까?)'는 하려는 동작의 허가를 구할 때 쓰는 표현입니다. 허가를 하는 경우에는 'ええ、いいです(네, 괜찮습니다), はい、どうぞ(네, 그러세요)'라고 하면 됩니다.

- 開(あ)ける 열다
- たばこ 담배
- 吸(す)う 피우다
- ドア 문
- 閉(し)める 닫다
- 座(すわ)る 앉다

알아두세요!

우리말의 '앉다'는 일본어로 '座(すわ)る'입니다만, 새가 나뭇가지나 전선 등에 앉아 있을 때는 'とまる'를 쓴다는 것 주의하세요.

- たばこを 吸(す)っても いいですか。 담배를 피워도 됩니까?
  다바꼬오 슷-떼모 이-데스까

- ドアを 閉(し)めても いいですか。 문을 닫아도 됩니까?
  도아오 시메떼모 이-데스까

- ここに 座(すわ)っても いいですか。 여기 앉아도 됩니까?
  고꼬니 스왓-떼모 이-데스까

패턴회화

회화문에서 이렇게 쓰여요! 잘 연습해 보세요~!

A _____ても いいですか。 ~해도 됩니까?

B はい、_____ても いいですよ。 네, ~해도 됩니다.

ええ、いいです。 네, 괜찮습니다.

はい、どうぞ。 네, 그러세요.

---

1 トイレに 行(い)く 화장실에 가다
2 コンピューターを 使(つか)う 컴퓨터를 사용하다
3 テレビを 見(み)る TV를 보다
4 ケーキを 食(た)べる 케이크를 먹다

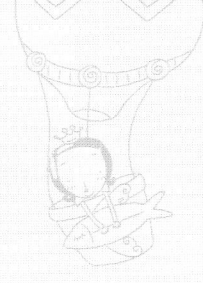

03 ~해서는 안 됩니다 행위 금지

> たばこを 吸っては いけません。담배를 피우면 안 됩니다.

'~ては いけません(~해서는 안 됩니다)'는 상대방의 행위를 금지하거나 허가하지 않을 때 쓰는 표현입니다. 비슷한 표현으로는 'いいえ、だめです(아니요, 안 됩니다)가 있습니다.

- お酒を 飲んでは いけません。술을 마셔서는 안 됩니다.
  오사께오   논-데와   이께마센-

- ここに 車を 止めては いけません。여기에 차를 세우면 안 됩니다.
  고꼬니   구루마오 도메떼와   이께마센-

- ゴミを 捨てては いけません。쓰레기를 버리면 안 됩니다.
  고미오   스떼떼와   이께마센-

- お酒さけ 술
- 飲のむ 마시다
- 車くるま 차
- 止とめる 세우다. 멈추다
- ゴミ 쓰레기
- 捨すてる 버리다

회화문에서 이렇게 쓰여요! 잘 연습해 보세요~!

A [   ]ても いいですか。　　　~해도 됩니까?

B いいえ、[   ]ては いけません。아니요, ~해서는 안 됩니다.

いいえ、だめです。　　　아니요, 안 됩니다.

1 テストの時、辞書を 見る 시험 때 사전을 보다
2 韓国語で 話す 한국어로 이야기하다
3 今日 早く 帰る 오늘 일찍 돌아가다
4 電話を する 전화를 하다

04 ~해 보겠습니다 `시도 표현`

> <ruby>一度<rt>いちど</rt></ruby> <ruby>読<rt>よ</rt></ruby>んで みます。 한번 읽어 보겠습니다.

'~て みます(~해 보겠습니다)'는 아직 경험하지 못한 동작이나 행동을 시도해 볼 때 쓰는 표현입니다.

- <ruby>北海道<rt>ほっかいどう</rt></ruby>を <ruby>旅行<rt>りょこう</rt></ruby>して みます。 홋카이도를 여행해 보겠습니다.
  홋-까이도-오   료꼬-시떼   미마스

- <ruby>剣道<rt>けんどう</rt></ruby>を <ruby>習<rt>なら</rt></ruby>って みます。 검도를 배워 보겠습니다.
  껜-도-오   나랃-떼   미마스

• 北海道ほっかいどう 홋카이도
• 旅行りょこう 여행
• 剣道けんどう 검도
• 習ならう 배우다. 익히다

알아두세요!

검도는 일본의 고유 무예인데요, 연습용으로 쓰는 죽도는 한자로 '竹刀'라고 쓰지만 특이하게 'しない'라고 읽습니다.

05 ~해 봐도 됩니까? `양해를 구하는 표현`

> <ruby>着<rt>き</rt></ruby>て みても いいですか。 입어 봐도 됩니까?

'~て みても いいですか(~해 봐도 됩니까?)'는 자신이 해 보려는 행동에 대해 사전에 양해를 구하는 표현입니다. 긍정의 대답으로는 'ええ、いいです(네, 괜찮습니다), はい、どうぞ(네. 그러세요)'라고 하면 되고, 부정의 대답은 '~ては いけません(~해서는 안 됩니다), いいえ、だめです(아니요, 안 됩니다)'라고 하면 됩니다.

• 聞きく 듣다

- <ruby>聞<rt>き</rt></ruby>いて みても いいですか。 들어 봐도 됩니까?
  기-떼   미떼모   이-데스까

- <ruby>食<rt>た</rt></ruby>べて みても いいですか。 먹어 봐도 됩니까?
  다베떼   미떼모   이-데스까

06 벌써 · 아직

> もう 食べました。 벌써(이미) 먹었습니다.
>
> まだ 食べて いません。 아직 먹지 않았습니다.

'もう(벌써, 이미)'는 동작이나 행위가 이미 끝났음을 나타내고, 'まだ(아직)'는 아직 시작되지 않았음을 나타냅니다. 그러므로 동작이나 행위가 끝났을 때는 'もう ～ました(이미 ～했습니다)'를 쓰면 되고, 아직 시작되지 않았을 때는 'まだ ～て いません(아직 ～하지 않았습니다)'라고 하면 됩니다.

- 作文さくぶん 작문
- 映画えいが 영화

- もう 作文を 書きました。 이미 작문을 썼습니다.
  모― 사꾸붕―오 가끼마시따

- まだ 作文を 書いて いません。 아직 작문을 쓰지 않았습니다.
  마다 사꾸붕―오 가이떼 이마센―

- もう 映画を 見ましたか。 벌써 영화를 봤습니까?
  모― 에―가오 미마시따까

- まだ 映画を 見て いません。 아직 영화를 보지 않았습니다.
  마다 에―가오 미떼 이마센―

회화문에서 이렇게 쓰여요! 잘 연습해 보세요~!

A もう ☐☐☐ ましたか。　벌써(이미) ～했습니까?

B はい、もう ☐☐☐ ました。　네, 이미 ～했습니다.

　いいえ、まだ ☐☐☐ て いません。　아니요, 아직 ～하지 않았습니다.

1 写真を とる 사진을 찍다 　　2 宿題を する 숙제를 하다
3 本を 読む 책을 읽다 　　4 ご飯を 作る 밥을 짓다

A 田中さん、本を たくさん 持って いますね。
다나까상-. 홍-오 다꾸상- 못-떼 이마스네.

　この小説 もう 読みましたか。
고노 쇼-세쯔 모- 요미마시따까.

B ええ、とても おもしろくて すぐ 読んでしまいましたよ。
에-. 도떼모 오모시로꾸떼 스구 욘-데 시마이마시따요.

A じゃ、1週間 借りても いいですか。
쟈-. 잇-슈-깐 가리떼모 이-데스까.

B どうぞ。どうぞ。
도-조. 도-조.

A 最近は、どんな 本を 読んで いますか。
사이낑-와 돈-나 홍-오 욘-데 이마스까.

B そうですね。最近は、推理小説を よく 読んで います。
소-데스네. 사이낑-와 스이리쇼-세쯔오 요꾸 욘-데 이마스.

- たくさん 많음
- 持もつ 가지다
- とても 너무, 매우
- 借かりる 빌리다
- 最近さいきん 최근
- 推理小説すいりしょう せつ 추리소설
- よく 주로, 자주

해석

A 다나카 씨. 책을 많이 갖고 있네요. 이 소설 벌써 읽었습니까?
B 네. 너무 재미있어서 금방 읽어 버렸어요.
A 그러면, 한 주 동안 빌려도 되겠습니까?
B 네. 그렇게 하세요.
A 최근에는 어떤 책을 읽고 있습니까?
B 글쎄요. 최근에는 추리소설을 주로 보고 있습니다.

16

걱정하지 마세요.
心配しないでください。

후지산

후지산(富士山ふじさん)은 일본에서 가장 높은(해발 3,776미터) 산입니다. 많은 일본인들이 영산(靈山)으로 섬기고 있으며, 새해 첫 꿈에 후지산이 나오면 한해 운수가 좋다고 믿고 있습니다.

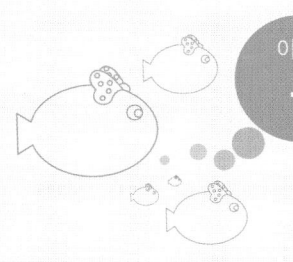

이것만은
꼭!!

■ 동사 ない형(부정형)

오늘은 일본어 동사의 부정형인 ない형을 만드는 방법에 대해 알아봅시다. 이후 ない형을 이용한 정중한 금지 표현과 이중부정 표현, 불필요한 행동에 대한 충고와 기간을 제한하는 표현도 함께 공부합시다.

이 과의 주요 내용!

- 동사의 ない형(부정형)
- 정중한 금지 표현 – 'ないでください'
- 이중 부정 표현 – 'なければなりません'
- 불필요한 행동에 대한 정중한 충고 표현
  – 'なくてもいいです'
- 기간의 제한 – 'までに'

동사의 ない형 정리

동사의 부정형을 ない형이라고 합니다.
ない형의 접속 방법에 대해 알아봅시다.

1그룹 동사(5단동사)

기본형	ない형
行く(い) 가다	行か ＋ ない ＝ 行かない 가지 않다
飲む(の) 마시다	飲ま ＋ ない ＝ 飲まない 마시지 않다
会う(あ) 만나다	会わ ＋ ない ＝ 会わない 만나지 않다
分かる(わ) 이해하다	分から ＋ ない ＝ 分からない 모르다

う단을 あ단으로 바꾸어 ない를 붙임

2그룹 동사(1단동사)

기본형	ない형
食べる(た) 먹다	食べ~~る~~ ＋ ない ＝ 食べない 먹지 않다
起きる(お) 일어나다	起き~~る~~ ＋ ない ＝ 起きない 일어나지 않다
見る(み) 보다	見~~る~~ ＋ ない ＝ 見ない 보지 않다
開ける(あ) 열다	開け~~る~~ ＋ ない ＝ 開けない 열지 않다

る를 빼고 ない를 붙임

3그룹 동사(변격동사)

する 하다 → しない 하지 않다
来る(く) 오다 → 来(こ)ない 오지 않다

무조건 암기

한눈에 익히는 필수 어휘

가장 많이 쓰이는 일본어 기본 동사입니다. 꼭 익혀 둡시다.

シャワーをあびる 샤워를 하다		お風呂に入る 목욕을 하다	
勉強をする 공부를 하다		テレビを見る 텔레비전을 보다	
歌を歌う 노래를 부르다		手紙を書く 편지를 쓰다	
音楽を聞く 음악을 듣다		早く走る 빨리 달리다	
ビデオを借りる 비디오를 빌리다		友達と話す 친구와 이야기하다	
道を歩く 길을 걷다		車を買う 차를 사다	

이번 과의 핵심 문장을 학습에 앞서 먼저 큰소리로 10번 씩 읽어 보십시오.

핵심 문장만이라도 외워두시면 일본어 정복에 큰 힘이 될 것입니다.

1 芝生に 入らないでください。

시바후니　　　하이라나이데 구다사이.

잔디에 들어가지 마세요.

2 心配しないでください。

심-빠이시나이데구다사이.

걱정하지 마세요.

3 料理を 作らなければなりません。

료-리오　　　쯔꾸라나께레바나리마센-.

요리를 해야 합니다.

4 日本語で 話さなければなりません。

니홍-고데　　　하나사나께레바나리마센-.

일본어로 말해야 합니다.

5 何時までに 会社に 行かなければなりませんか。

난-지마데니　　　가이샤니　　　이까나께레바나리마셍-까.

몇 시까지 회사에 가야합니까?

6 今日は 会社に 行かなくても いいです。

교-와　　　가이샤니　　　이까나꾸떼모　　　이-데스.

오늘은 회사에 가지 않아도 됩니다.

7 早く 起きなくても いいです。

하야꾸　　오끼나꾸떼모　　　이-데스.

빨리 일어나지 않아도 됩니다.

~하지 말아 주세요 정중한 금지 표현

芝生（しばふ）に 入（はい）らないでください。 잔디에 들어가지 마세요.

'~ないでください(~하지 마세요)'는 '~てください(~해 주세
요)'의 부정 표현으로 그 동작을 하지 말아달라고 상대에게 정중하
게 부탁할 때 쓰는 표현입니다.

- ゴミを 捨（す）てないでください。 쓰레기를 버리지 마세요.
  고미오   스떼나이데 구다사이

- 心配（しんぱい）しないでください。 걱정하지 마세요.
  심-빠이시나이데 구다사이

- 携帯電話（けいたいでんわ）を 使（つか）わないでください。 휴대전화를 쓰지 마세요.
  게-따이뎅-와오   쯔까와나이데 구다사이

- 芝生（しばふ） 잔디
- ゴミ 쓰레기
- 捨（す）てる 버리다
- 心配（しんぱい）する 걱
  정하다
- 携帯電話（けいたいでんわ） 휴대전화

알아두세요!

일본도 우리나라와 마찬가지로
쓰레기를 분리수거합니다. 하지
만 타는 쓰레기와 타지 않는 쓰레
기, 그리고 자원(재활용품)으로
분류하며, 버리는 요일이 지역별
로 정해져 있습니다.

67 CD

패턴회화

회화문에서 이렇게 쓰여요! 잘 연습해 보세요~!

A ここで 　　　 ても いいですか。 여기서 ~해도 됩니까?

B いいえ、 　　　 ては いけません。 아니요. ~해서는 안 됩니다.

　　　 ないで ください。 　　　 ~하지 말아 주세요.

1 遊（あそ）ぶ 놀다

2 たばこを 吸（す）う 담배를 피우다

3 歌（うた）を 歌（うた）う 노래를 부르다

4 料理（りょうり）を する 요리를 하다

일본어
뼈대 잡기 **02**

~해야 합니다 당연·의무

> 料理を 作らなければなりません。 요리를 해야 합니다.
> りょうり　つく

'~なければなりません(~하지 않으면 안 됩니다, ~해야 합니다)'
은 동작이나 행위를 꼭 해야 할 때 쓰는 표현입니다. '~해야 한다'
는 표현을 일본어에서는 우리말과 달리 이중 부정의 형태로 말해야
합니다.

- 料理りょうり 요리
- ニュース 뉴스
- 発音はつおん 발음
- 練習れんしゅう 연습

- ニュースを 見なければなりません。 뉴스를 봐야 합니다.
  　뉴-스오　　　　미나께레바나리마센-
- 日本語で 話さなければなりません。 일본어로 말해야 합니다.
  にほんご　はな
  니홍-고데　하나사나께레바나리마센-
- 発音の練習を しなければなりません。 발음 연습을 해야 합니다.
  はつおん　れんしゅう
  하쯔온-노 렌-슈-오　　시나께레바나리마센-

03

~까지 기간의 마감

> 何時までに 会社に 行かなければなりませんか。
> なんじ　　　かいしゃ　い
> 몇 시까지 회사에 가야합니까?

'~までに(~까지)'는 기간의 마감을 나타냅니다.

- 家いえ 집
- 帰かえる 돌아가다
- 夕方ゆうがた 저녁
- 提出ていしゅつ 제출

- 10時までに 家に 帰らなければなりません。
  じ　　　　いえ　かえ
  쥬-지마데니　　　　이에니　가에라나께레바나리마센-
  10시까지 집에 돌아가야 합니다.
- 夕方 6時までに 提出しなければなりません。
  ゆうがた　じ　　　ていしゅつ
  유-가따　로꾸지마데니　　　데-슈쯔시나께레바나리마센-
  저녁 6시까지 제출해야 합니다.

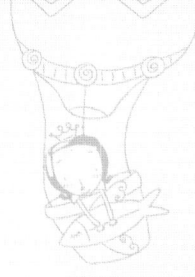

きょう　かいしゃ　い
今日は 会社に 行かなくても いいです。

오늘은 회사에 가지 않아도 됩니다.

'~なくても いいです(~하지 않아도 됩니다)'는 하지 않아도 될 불필요한 행동에 대해 충고나 권유를 할 때 사용합니다.

* 掃除そうじ 청소
* 早はやく 일찍, 빨리
* 起おきる 일어나다
* レポート 리포트

* そうじ
掃除は しなくても いいです。　청소는 하지 않아도 됩니다.
소-지와　시나꾸떼모　　　　이-데스

* はや　お
早く 起きなくても いいです。　일찍 일어나지 않아도 됩니다.
하야꾸 오끼나꾸떼모　　　이-데스

* か
レポートは 書かなくても いいです。　리포트는 쓰지 않아도 됩니다.
레뽀-또와　　　가까나꾸떼모 이-데스

패턴회화

회화문에서 이렇게 쓰여요! 잘 연습해 보세요~!

A 　　　なければなりませんか。　~해야 합니까?

B いいえ、　　　なくても いいです。　아니요, ~하지 않아도 됩니다.

かね　はら
1 お金を 払う　돈을 지불하다
たん ご　おぼ
2 単語を 覚える　단어를 외우다
な まえ　か
3 名前を 書く　이름을 쓰다
かえ
4 すぐ 返す　바로 돌려주다(반납하다)

회화문 말해보기

- 薬くすり 약
- 飲のみ方かた (약) 먹는 법
- 食後しょくご 식후
- シロップ 시럽
- 咳せき 기침
- 出でる 나오다
- お大事だいじに 몸 조심
  하세요

알아두세요!

약이름을 일본어로 어떻게 말하
는지 알아둡시다.
飲のみ薬くすり - 물약
錠剤じょうざい - 알약
粉薬こなぐすり - 가루약
塗ぬり薬ぐすり - (연고 등의) 바르
는 약
貼はり薬ぐすり - (파스 등의) 붙이
는 약

---

69 CD

A 田中(たなか)さん、お薬(くすり)です。
다나까상-. 오구스리데스.

B あの、薬(くすり)の飲(の)み方(かた)を 教(おし)えてください。
아노. 구스리노 노미까따오 오시에떼 구다사이.

A はい、この薬(くすり)は 食後(しょくご)に 飲(の)まなければなりません。
하이. 고노 구스리와 쇼꾸고니 노마나께레바나리마센-.

シロップは 咳(せき)が 出(で)なければ 飲(の)まなくても いいです。
시롭-뿌와 세끼가 데나께레바 노마나꾸떼모 이-데스.

B お風呂(ふろ)に 入(はい)っても いいですか。
오후로니 하잇-떼모 이-데스까.

A 今晩(こんばん)は 入(はい)らないでください。
곰-방-와 하이라나이데 구다사이.

B はい、わかりました。ありがとうございました。
하이. 와까리마시따. 아리가또-고자이마시따.

A お大事(だいじ)に。
오다이지니.

해석

A 다나카 씨, 약입니다.

B 저, 약 먹는 법을 가르쳐 주세요

A 네, 이 약은 식후에 먹어야 합니다.
시럽은 기침이 나오지 않으면 먹지 않아도 됩니다.

B 목욕은 해도 되나요?

A 오늘밤은 하지 마세요.

B 네, 알겠습니다. 고맙습니다.

A 몸 조심하세요.

17

피아노를 칠 수 있습니다.
ピアノを 弾くことが できます。

도쿄타워

도쿄의 대표적인 랜드마크 도쿄타워(東京とうきょうタワー). 그동안 많은 영화와 드라마, 소설 등의 소재가 되었습니다. 높이는 333미터이며, 맑은 날에는 후지산(富士山ふじさん)도 볼 수 있습니다.

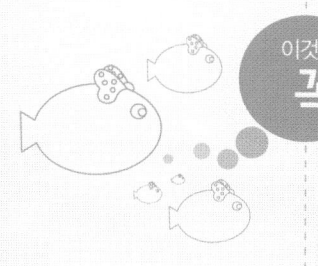

이것만은
꼭!!

■ **동사 사전형**

오늘은 일본어 동사의 가장 기본적인 형태인 사전형과 이를 이용한 여러 표현, 그리고 할 수 있다는 뜻의 가능동사 できる와 こ とです를 이용한 동사의 명사화에 대해서도 배워봅시다.

이 과의 주요 내용!

- 동사의 사전형
- 가능동사 – 'できる'
- ~하기 전에 '~前(まえ)に'
- 동사의 명사화 '~ことです'

핵심 문장 먼저 익히기

이번 과의 핵심 문장을 학습에 앞서 먼저 큰소리로 10번 씩 읽어 보십시오.
핵심 문장만이라도 외워두시면 일본어 정복에 큰 힘이 될 것입니다.

1 私は 日本語が できます。
와따시와 니홍-고가 데끼마스.
저는 일본어를 말할 수 있습니다.

2 車の 運転が できます。
구루마노 운-뗑-가 데끼마스.
자동차 운전을 할 수 있습니다.

3 タイ料理を 作ることが できます。
타이료-리오 쯔꾸루 고또가 데끼마스.
태국 요리를 만들 수가 있습니다.

4 ピアノを 弾くことが できます。
삐아노오 히꾸 고또가 데끼마스.
피아노를 칠 수 있습니다.

5 寝る 前に 歯を 磨きます。
네루 마에니 하오 미가끼마스.
자기 전에 이를 닦습니다.

6 水泳を する 前に 準備運動を します。
스이에-오 스루 마에니 쥼-비운-도-오 시마스.
수영을 하기 전에 준비운동을 합니다.

7 田中さんの趣味は 山に 登ることです。
다나까산-노슈미와 야마니 노보루 고또데스.
다나카 씨의 취미는 산에 오르는 것입니다.

일본어
뼈대 잡기 핵심 포인트

01

~를 할 수 있습니다 　명사+できます

私は 日本語が できます。 저는 일본어를 말할 수 있습니다.

'~が できます'는 '~를 할 수 있습니다'란 뜻으로, 'が できます' 앞에 명사가 와서 그 동작이 가능함을 나타냅니다. 'できます' 앞에 오는 조사는 'を'가 아니라 'が'를 쓰는 점에 주의합시다. 부정형은 'できません'입니다.

- ゴルフ 골프
- 運転うんてん 운전

알아두세요!

できる는 '~할 수 있다'는 뜻 외에도 '생기다, 완성되다, 잘하다' 등 다양한 뜻이 있습니다. 많이 쓰이고 중요한 말이니만큼 사전을 찾아 확실히 익히도록 합시다.

- ゴルフが できます。 골프를 칠 수 있습니다.
  고루후가　　　데끼마스
- 車の 運転が できます。 자동차 운전을 할 수 있습니다.
  구루마노 운-뗑-가　　데끼마스
- 英語が できません。 영어를 할 수 없습니다.
  에-고가　　데끼마센-

02

~(하)기 전에 　동사 사전형+前に

寝る 前に 歯を 磨きます。 자기 전에 이를 닦습니다.
＝ 歯を 磨いてから 寝ます。 이를 닦고 나서 잡니다.

'~前まえに(~전에)'는 뒤에 나오는 동작을 먼저 끝내고, 그 다음에 앞의 동작이 이루어짐을 나타냅니다.

- 歯は 이, 치아
- 磨みがく 닦다, 갈다
- 水泳すいえい 수영
- 準備運動じゅんびうんどう 준비운동
- 旅行りょこう 여행
- ホテル 호텔
- 予約よやく 예약

- 水泳を する 前に 準備運動を します。
  스이에-오 스루　　마에니　　쥼-비운도-오　　시마스
  수영을 하기 전에 준비운동을 합니다.
- 旅行を する 前に ホテルの予約を します。
  료꼬-오 스루　　마에니　호떼루노 요야꾸오　　시마스
  여행을 하기 전에 호텔 예약을 합니다.

~를 할 수가 있습니다   동사 사전형 +ことができます

タイ料理を 作ることが できます。
태국 요리를 만들 수가 있습니다.

'동사 사전형+ことが できます'는 그 동사의 동작이 가능함을 나타내는 표현입니다. 부정형은 '~ことが できません(~할 수 없습니다)'입니다.

- タイ 태국
- 弾ひく (악기를) 치다. 연주하다
- カタカナ 가타카나

- ピアノを 弾くことが できます。 피아노를 칠 수 있습니다.
  삐아노오   히꾸 고또가   데끼마스

- 英語の 新聞を 読むことが できます。 영어신문을 읽을 수 있습니다.
  에-고노   심-붕오   요무 고또가   데끼마스

- カタカナを 書くことが できません。 가타카나를 쓸 수가 없습니다.
  가따까나오   가꾸 고또가   데끼마센-

패턴회화

회화문에서 이렇게 쓰여요! 잘 연습해 보세요~!

A _____ ことが できますか。   ~할 수 있습니까?

B はい、できます。   네, 할 수 있습니다.

1 全部 食べる 전부 먹다
2 たばこを やめる 담배를 끊다
3 カタカナを 覚える 가타카나를 외우다
4 5時に 起きる 5시에 일어나다

~하는 것입니다   동사 사전형+ことです

> 私の趣味は バドミントンを することです。
> わたし   しゅみ
>
> 제 취미는 배드민턴을 치는 것입니다.

보통은 명사+です의 문형이지만, 동사가 올 경우에는 '동사 사전형+ことです'를 붙여 명사화 합니다.

- 趣味 しゅみ 취미
- バドミントン 배드민턴
- 姉 あね 언니, 누나
- プール 풀장, 수영장
- 泳 およぐ 수영하다
- 登 のぼる 오르다

- 姉の趣味は プールで 泳ぐことです。
  あね しゅみ   およ
  아네노 슈미와 뿌ー루데   오요구 고또데스
  언니의 취미는 풀장에서 수영하는 것입니다.

- 田中さんの趣味は 山に 登ることです。
  た なか   しゅみ やま のぼ
  다나까산ー노슈미와   야마니 노보루 고또데스
  다나카 씨의 취미는 산에 오르는 것입니다.

패턴회화

회화문에서 이렇게 쓰여요! 잘 연습해 보세요~!

A 山田さんの趣味は 何ですか。   야마다 씨 취미는 무엇입니까?
  やま だ   しゅ み   なん

B 私の趣味は ⬜⬜⬜⬜ ことです。   제 취미는 ~하는 것입니다.
  わたし

1 写真を とる 사진을 찍다
  しゃしん
2 旅行を する 여행을 하다
  りょこう
3 カラオケで 歌う 노래방에서 노래하다
         うた
4 釣りに 行く 낚시를 가다
  つ   い

회화문
말해보기

A 田中さんは 週末 何を しますか。
다나까상-와　슈-마쯔 나니오 시마스까.

B 山へ 行きます。
야마에 이끼마스.

A へえ、山に 登りますか。
헤-. 야마니 노보리마스까.

B いいえ、絵を かきに 行きます。
이-에. 에오 가끼니 이끼마스.

私の 趣味が 絵を かくことですから。
와따시노 슈미가 에오 가꾸 고또데스까라.

ところで、金さんの 趣味は 何ですか。
도꼬로데. 기무상-노 슈미와 난-데스까.

A 私の 趣味は 寝ることと 食べることです。
와따시노 슈미와 네루 고또또 다베루 고또데스.

B ハハハ……。
하하하

- 週末しゅうまつ 주말
- 登のぼる 오르다
- 絵え 그림
- かく 그리다
- ところで 그런데

해석

A 다나카 씨는 주말에 무엇을 합니까?
B 산에 갑니다.
A 와, 산에 오르시나요?
B 아니요, 그림을 그리러 갑니다.
제 취미가 그림을 그리는 것이니까요.
그런데 김(연아) 씨의 취미는 무엇입니까?
A 제 취미는 자는 것과 먹는 것입니다.
B 하하하…….

18

꽃을 주었습니다.
花を あげました。

스모

일본의 국기(國伎) 스모(相撲すもう). 일본스모연맹
이 주최하는 오즈모(大相撲おおずもう)는 1년에 여
섯 차례 매 홀수 달에 열립니다. 예전만큼은 아니
지만 여전히 많은 사람들에게 사랑받고 있습니다.

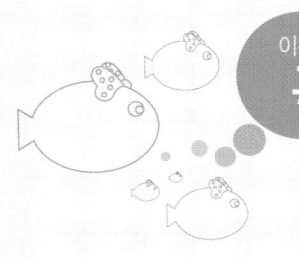

이것만은 꼭!!

■ 수수동사(授受動詞)

오늘은 일본어에서 어려운 부분 중 하나인 수수동사에 대해 알아봅
시다. 수수동사란 말 그대로 주고 받는 데 쓰이는 동사입니다. 우리
말에 비해 복잡하고 없는 표현도 있으니 집중해서 공부하세요.

이 과의 주요 내용!

- 수수동사
- 내가 줄 때 – 'やる・あげる・さしあげる'
- 남이 줄 때 – 'くれる・くださる'
- 받을 때 – 'もらう・いただく'

수수동사란 한자어로는 授受動詞입니다. 즉 무언가를 주고 받는 표현에 쓰이는 동사를 말합니다. 우리말에 없는 표현이 있어 어려울 수 있으니 잘 정리해 두세요.

主語 나

나	웃어른	드리다	さしあげる
	대등 관계	주다	あげる
	손아랫사람, 동물, 식물	주다	やる

▸ 내가 ＿＿＿＿＿에게 ＿＿＿＿＿를 주다.

私(わたし)が ⬚⬚⬚⬚⬚ に ⬚⬚⬚⬚⬚ を (～)

主語 상대방

나	웃어른	주시다	くださる
	대등 관계	주다	くれる
	손아랫사람	주다	くれる

▸ ＿＿＿＿＿가 나에게 ＿＿＿＿＿를 주다.

⬚⬚⬚⬚⬚ が 私に ⬚⬚⬚⬚⬚ を (～)

主語 나

나	웃어른	받다	いただく
	대등관계	받다	もらう
	손아랫사람	받다	もらう

▸ 내가 ＿＿＿＿＿에게 ＿＿＿＿＿를 받다.

私が ⬚⬚⬚⬚⬚ に ⬚⬚⬚⬚⬚ を (～)

이번 과의 핵심 문장을 학습에 앞서 먼저 큰소리로 10번 씩 읽어 보십시오.
핵심 문장만이라도 외워두시면 일본어 정복에 큰 힘이 될 것입니다.

1
友達に 花を あげました。
도모다찌니　하나오　아게마시따.
친구에게 꽃을 주었습니다.

2
父が 私に ペンを くれました。
찌찌가　와따시니 뻰-오　구레마시따.
아버지가 저에게 펜을 주었습니다.

3
手紙を もらいました。
데가미오　모라이마시따.
편지를 받았습니다.

4
姉は 弟に カレーを 作ってあげました。
아네와　오또-또니 카레오　쯔꿋-떼 아게마시따.
누나(언니)는 남동생에게 카레를 만들어 주었습니다.

5
山田さんが 私に 日本語を 教えてくれました。
야마다상-가　와따시니 니홍-고오　오시에떼 구레마시따.
야마다 씨가 나에게 일본어를 가르쳐 주었습니다.

6
林さんは 田中さんに 日本語を 教えてもらいました。
하야시상-와　다나까산-니　니홍-고오　오시에떼 모라이마시따.
다나카 씨는 하야시 씨에게(하야시 씨가 원해서) 일본어를 가르쳐 주었습니다.

7
私は 友達に 辞書を 貸してもらいました。
와따시와 도모다찌니　지쇼오　가시떼 모라이마시따.
친구는 나에게(내가 원해서) 사전을 빌려주었습니다.

일본어
뼈대 잡기

01 (남에게) 주다 「やる・あげる・さしあげる」

> <ruby>友達<rt>ともだち</rt></ruby>に <ruby>花<rt>はな</rt></ruby>を あげました。 친구에게 꽃을 주었습니다.

일본어의 '주다'는 남에게 줄 때와 남이 나에게 줄 때를 구분해서 씁니다. 남에게 무언가를 줄 때는 'やる・あげる・さしあげる'를 사용합니다. 'やる(주다)'는 손아랫사람이나 식물·동물에게 사용하고, 'あげる(주다)'는 대등한 관계나 가족에, 'さしあげる(드리다)'는 나보다 윗사람에게 사용합니다.

* <ruby>犬<rt>いぬ</rt></ruby>に えさを やります。 개에게 먹이를 줍니다.
  이누니　에사오　　야리마스

* <ruby>彼女<rt>かのじょ</rt></ruby>に プレゼントを あげます。 그녀에게 선물을 줍니다.
  가노죠니　쁘레젠-또오　　아게마스

* <ruby>部長<rt>ぶちょう</rt></ruby>に お<ruby>土産<rt>みやげ</rt></ruby>を さしあげました。 부장님에게 선물을 드렸습니다.
  부쵸-니　오미야게오　　사시아게마시따

단어
* 犬 いぬ 개
* えさ 먹이, 사료
* プレゼント 선물
* 部長 ぶちょう 부장님
* お土産 みやげ 선물, 지역 특산물

알아두세요!

일본어에는 선물이라는 표현이 여러 가지가 있는데, 우리가 흔히 말하는 선물은 'プレゼント'라고 합니다. 이와 비슷한 표현으로 '贈おくり物もの'가 있으며, 여행지 등에서 사오는 지역 특산물 등은 'お土産みやげ'라고 합니다.

02 (남이 나에게) 주다 「くれる・くださる」

> <ruby>父<rt>ちち</rt></ruby>が <ruby>私<rt>わたし</rt></ruby>に ペンを くれました。 아버지가 저에게 펜을 주었습니다.

남이 나에게 뭔가를 줄 때는 'くれる・くださる'를 씁니다. 'くれる(주다)'는 손아랫사람이나 가족, 그리고 대등한 관계에 있는 사람이 나에게 뭔가를 줄 때 사용하고, 'くださる(주시다)'는 윗사람이 나에게 뭔가를 줄 때 사용합니다.

단어
* 時計 とけい 시계

* <ruby>彼<rt>かれ</rt></ruby>が (<ruby>私<rt>わたし</rt></ruby>に) <ruby>時計<rt>とけい</rt></ruby>を くれました。 그가 (나에게) 시계를 주었습니다.
  가레가　(와따시니)　도께-오　　구레마시따

* <ruby>先生<rt>せんせい</rt></ruby>が (<ruby>私<rt>わたし</rt></ruby>に) ペンを くださいました。
  센-세-가　(와따시니)　뻰-오　　구다사이마시따
  선생님이 (저에게) 펜을 주셨습니다.

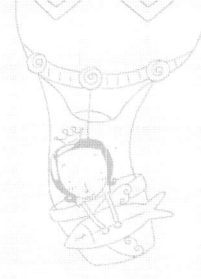

03 받다 　もらう・いただく

てがみ
手紙を もらいました。 편지를 받았습니다.

'받다'란 표현은 우리말처럼 한 가지밖에 없습니다. 'もらう(받다)'는 손아랫사람이나 가족, 그리고 대등한 관계에 있는 사람에게 뭔가를 받을 때 사용하고, 'いただく(삼가 받다)'는 윗사람에게 뭔가를 받을 때 사용합니다.

- 手紙てがみ 편지
- 社長しゃちょう 사장님

- **私は 田中さんに CDを もらいました。**
  와따시와 다나까산-니　　씨-디-오　모라이마시따
  나는 다나카 씨에게 CD를 받았습니다.

- **私は 社長に プレゼントを いただきました。**
  와따시와 샤쵸-니　　쁘레젠-또오　　　이따다끼마시따
  나는 사장님에게 선물을 받았습니다.

회화문에서 이렇게 쓰여요! 잘 연습해 보세요~!

A いい ⬜️⬜️ ですね。どこで 買いましたか。
　　　　　　　　　　좋은 ~이군요. 어디서 샀습니까?

か

B ⬜️⬜️ に もらいました。 ~에게 받았습니다.

---

1 かばん・父 가방 / 아버지
　　　　ちち
2 時計・祖母 시계 / 할머니
　とけい　そぼ
3 万年筆・母 만년필 / 어머니
　まんねんひつ　はは
4 ネクタイ・彼女 넥타이 / 여자친구
　　　　　かのじょ

18 꽃을 주었습니다.

일본어
뼈대 잡기 핵심 포인트 **04**

~에게 ~을(를) ~해 주다 ~てあげる

私は 金さんに 日本語を 教えてあげました。
나는 김(영민) 씨에게 일본어를 가르쳐 주었습니다.

남에게 동작으로 뭔가를 해 줄 때는 '~てあげる(~해 주다)'를 사용합니다. 앞에서 배운 'やる·あげる·さしあげる'처럼 상대를 구분해서 사용하면 됩니다. '~てさしあげる'는 '~てあげる'보다 겸손한 표현이긴 하지만, 은혜를 베푼다는 뉘앙스가 있으니 윗사람에게는 주의가 필요합니다.

- 教おしえる 가르치다
- カレー 카레
- 仕事しごと 일, 업무
- 手伝てつだう 돕다

- 姉は 弟に カレーを 作ってあげました。
  아네와 오또-또니 카레오   쯔꿋-떼 아게마시따
  누나는 남동생에게 카레를 만들어 주었습니다.

- 私は 彼の 仕事を 手伝ってあげました。
  와따시와 가레노 시고또오   데쯔닫-떼 아게마시따
  나는 그의 일을 도와주었습니다.

핵심 포인트 **05**

~가 (내게) ~을(를) ~해 주다 ~てくれる

金さんが 私に 日本語を 教えてくれました。
김(영민) 씨가 나에게 일본어를 가르쳐 주었습니다.

남이 나에게 뭔가를 해 줄 때는 '~てくれる(~해 주다)'를 씁니다. '~てくれる'는 상대방이 자발적으로 한 행동을 나타냅니다.

- 絵え 그림
- かく 그리다
- 写真しゃしん 사진
- 見みせる 보여 주다

- 田中さんが (私に) 絵を かいてくれました。
  다나까상-가   (와따시니) 에오 가이떼 구레마시따
  다나카 씨가 (나에게) 그림을 그려 주었습니다.

- 王さんが (私に) 中国の 写真を 見せてくれました。
  오-상-가   (와따시니) 쮸-고꾸노 샤싱-오   미세떼 구레마시따
  왕 씨가 (나에게) 중국 사진을 보여 주었습니다.

164

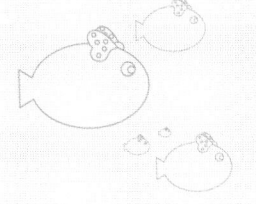

06 ~는 ~에게 ~을(를) ~해 받다 　~てもらう

金さんは 田中さんに 日本語を 教えてもらいました。
キム　　　　　　た なか　　　　　　に ほん ご　　　　おし
김(영민) 씨는 다나카 씨에게 일본어를 가르쳐 받았습니다.

'~てもらう(~해 받다)'는 우리말로 의역하면 의미상으로는 '~て
くれる'와 비슷하지만 '~てもらう'는 상대에게 도움을 요청해서
그 동작이 이루어진 것이고, '~てくれる'는 상대방의 행위가 자발
적이란 점에 차이가 있습니다. 우리말에 없는 표현이라 의역을 해
야 쉽게 이해가 됩니다.

• 自転車じてんしゃ 자전거
• 買かう 사다
• 辞書じしょ 사전
• 貸かす 빌려주다

• 田中さんは 父に 自転車を 買ってもらいました。
　た なか　　　　ちち　　じ てんしゃ　　　か
　다나까상-와　　찌찌니　지뗀-샤오　　간-떼 모라이마시따

직역 : 다나카 씨는 아버지에게 자전거를 사 받았습니다.
의역 : (다나카 씨) 아버지는 다나카 씨에게(다나카 씨가 원해서) 자전거를 사 주었
　　　 습니다.

• 私は 友達に 辞書を 貸してもらいました。
　わたし　ともだち　じしょ　　か
　와따시와 도모다찌니　지쇼오　가시떼 모라이마시따

직역 : 나는 친구에게 사전을 빌려 받았습니다.
의역 : 친구는 나에게(내가 원해서) 사전을 빌려주었습니다.

⟨76 CD⟩

패턴회화

회화문에서 이렇게 쓰여요! 잘 연습해 보세요~!

A 誰に □□□□ を □□□□ てもらいましたか。
　だれ

B □□□□ に □□□□ を □□□□ てもらいました。

누구에게 ~을 ~해 받았습니까?(누가 ~을 해 주었습니까?)
~에게 ~을 ~해 받았습니다.(~가 ~을 ~해 주었습니다.)

1 剣道・教える・父　검도 / 가르치다 / 아버지
　けんどう　おし　　ちち

2 服・買う・母　옷 / 사다 / 어머니
　ふく　か　　はは

3 掃除・する・妹　청소 / 하다 / 여동생
　そうじ　　　いもうと

4 料理・作る・彼　요리 / 만들다 / 그
　りょうり　つく　かれ

18 꽃을 주었습니다. 165

A わあ、CDが たくさん ありますね。
와-.　씨-디-가　다꾸상-　아리마스네.

これ、全部 田中さんのですか。
고레　젬-부　다나까산-노데스까.

B いいえ、これは 金さんが 貸してくれました。
이-에.　고레와　기무상-가　가시떼 구레마시따.

A そうですか。私も クラシックが 好きですよ。
소-데스까.　와따시모　쿠라식-구가　스끼데스요.

B そうですか。じゃあ、このCDは 2枚ありますから
소-데스까.　쟈-.　고노 씨-디-와　니마이 아리마스까라

山田さんに あげますよ。
야마다산-니　아게마스요.

A ありがとうございます。これ、珍しい人形ですね。
아리가또-고자이마스.　고레　메즈라시- 닝-교데스네.

B ああ、それは 友達が 買ってくれた お土産ですよ。
아-.　소레와　도모다찌가　갇-떼 구레따　오미야게데스요.

- 全部ぜんぶ 전부, 모두
- 貸かす 빌려주다
- クラシック 클래식
- 珍めずらしい 희귀하다
- 人形にんぎょう 인형

해석

A　왜 CD가 많이 있네요. 이거, 전부 다나카 씨 것입니까?
B　아니요, 이것은 김(영민) 씨가 빌려주었습니다.
A　그렇습니까? 저도 클래식을 좋아해요.
B　그래요? 그러면 이 CD는 2장 있으니까 야마다 씨에게 드릴게요.
A　고맙습니다. 이거, 희귀한 인형이네요.
B　아, 그것은 친구가 사 준 선물(지역특산물)이에요.

19

일본에 간 적이 있습니까?
日本に 行ったことが ありますか。

다다미

일본 주택의 바닥에 까는 다다미(畳たたみ)는 적당한 탄력성과 높은 보온성, 실내 습도 조절 및 공기 정화 작용 등 기능성이 높습니다. 1畳じょう는 일반적으로 180×90cm입니다.

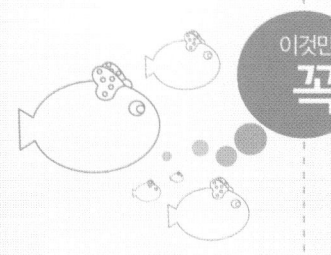

이것만은
꼭!!

■ 동사의 た형(과거형)

오늘은 동사의 과거형인 た형을 만드는 방법을 알아봅시다. 동사의 た형은 과거의 경험을 말하거나 계속된 상태, 제안하거나 조언하는 표현을 만들 때 등 쓰임이 다양하니 잘 알아둡시다.

이 과의 주요 내용!

- 동사의 た형(과거형)
- 과거의 경험 – '〜たことがあります'
- 행위의 선택적 나열 표현 – '〜たり〜たり'
- 상태의 지속 표현 – '〜たまま'
- 행위의 연결 표현 – '〜たあとで'
- 제안 · 조언 표현 – '〜たほうがいいです'
- 동작 완료의 시점 표현 – '〜たばかりです'

동사의 た형(과거형)은 그 활용 방법이 て형과 똑같습니다.
다시 한 번 て형을 복습하면서 정리해 봅시다.

1그룹 동사(5단동사)

어미		た형				
う・つ・る	→ った	사다	買か~~う~~	+ った	= 買った	샀다
む・ぬ・ぶ	→ んだ	읽다	読よ~~む~~	+ んだ	= 読んだ	읽었다
く	→ いた	쓰다	書か~~く~~	+ いた	= 書いた	썼다
ぐ	→ いだ	수영하다	泳およ~~ぐ~~	+ いだ	= 泳いだ	수영했다
す	→ した	내다	出だ~~す~~	+ した	= 出した	냈다

> ※ 예외동사 行いく 가다 → 行った 갔다

2그룹 동사(1단동사)

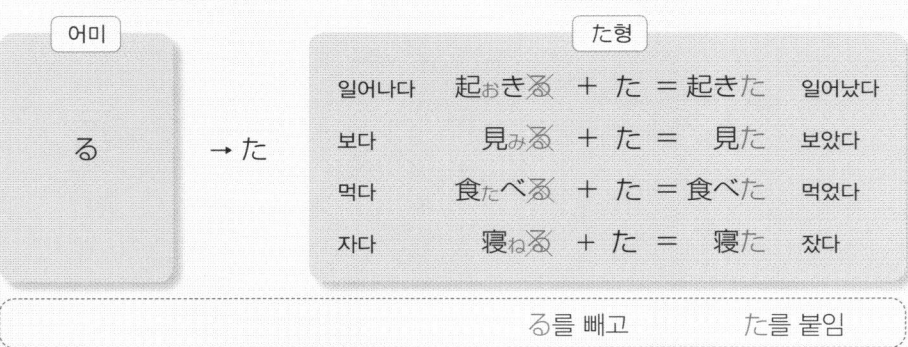

어미		た형				
		일어나다	起おき~~る~~	+ た	= 起きた	일어났다
る	→ た	보다	見み~~る~~	+ た	= 見た	보았다
		먹다	食たべ~~る~~	+ た	= 食べた	먹었다
		자다	寝ね~~る~~	+ た	= 寝た	잤다

> る를 빼고　　　　た를 붙임

3그룹 동사(변격동사)

> 하다 する → した 했다
> 오다 来くる → 来きた 왔다

> 무조건 암기

핵심 문장 먼저 익히기

이번 과의 핵심 문장을 학습에 앞서 먼저 큰소리로 10번 씩 읽어 보십시오.
핵심 문장만이라도 외워두시면 일본어 정복에 큰 힘이 될 것입니다.

① 日本に 行ったことが ありますか。
니혼–니　　잇–따 고또가　　　　아리마스까.
일본에 간 적이 있습니까?

② 飛行機に 乗ったことが あります。
히꼬–끼니　　놋–따 고또가　　　　아리마스.
비행기를 탄 적이 있습니다.

③ 旅行に 行ったり、登山を したりします。
료꼬–니　　잇–따리　　　　도장–오　　시따리시마스.
여행하거나 등산을 하거나 합니다.

④ めがねを かけたまま、寝ています。
메가네오　　가께따마마　　　　네떼이마스.
안경을 쓴 채 자고 있습니다.

⑤ 勉強した 後で、テレビを 見ます。
벵–꾜–시따　　아또데　　테레비오　　미마스.
공부한 후에 TV를 봅니다.

⑥ すぐに 病院に 行った ほうが いいです。
스구니　　뵤–인–니　　잇–따 호–가　　　　이–데스.
빨리 병원에 가는 편이 좋습니다.

⑦ 食事が 終わったばかりです。
쇼꾸지가　　오왓–따 바까리데스.
식사가 끝난 지 얼마 안 됐습니다.

~한 적이 있습니다 ~たことが あります

飛行機に 乗ったことが あります。 비행기를 탄 적이 있습니다.
ひこうき の

'~たことが あります(~한 적이 있습니다)'는 과거에 한 번 이상 경험한 사실을 얘기할 때 쓰는 표현으로, 행위의 횟수나 시기는 그다지 문제 삼지 않습니다. 과거에 경험한 사실이 없을 때는 '~たことが ありません(~한 적이 없습니다)'이라고 하면 됩니다.

• キムチを 食べたことが あります。 김치를 먹은 적이 있습니다.
  기무찌오 다베따 고또가 아리마스

• テニスを したことが あります。 테니스를 친 적이 있습니다.
  테니스오 시따 고또가 아리마스

• 歌舞伎を 見たことが あります。 가부키를 본 적이 있습니다.
  かぶき み
  가부끼오 미따 고또가 아리마스

• 乗のる 타다
• キムチ 김치
• テニス 테니스
• 歌舞伎かぶき 가부키

알아두세요!

일본의 전통무대극에는 가부키(歌舞伎かぶき) 이외에도 가면악극인 노(能のう)와 노의 공연 중간에 나와 해학적인 내용으로 연기를 펼치는 교겐(狂言きょうげん), 그리고 인형극인 닝교조루리(人形浄瑠璃にんぎょうじょうるり) 등이 있습니다.

79
CD

패턴회화

회화문에서 이렇게 쓰여요! 잘 연습해 보세요~!

A ____たことが ありますか。 ~한 적이 있습니까?

B はい、あります。 네, 있습니다.

  いいえ、ありません。 아니요, 없습니다.

1 日本に 行く 일본에 가다
  にほん い
2 新幹線に 乗る 신칸센을 타다
  しんかんせん の
3 アルバイトを する 아르바이트를 하다
4 海で 泳ぐ 바다에서 수영하다
  うみ およ

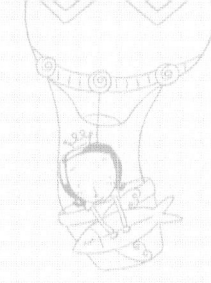

~하거나 ~하거나   〔~たり ~たり〕

> しゅうまつ　りょこう　い　　　　とざん
> **週末は 旅行に 行ったり、登山を したりします。**
> 주말은 여행하거나 등산을 하거나 합니다.

'~たり ～たり(~하거나 ~하거나, ~하기도 하고 ~하기도 하고)'
는 몇 가지 행위 중에서 한두 가지를 예로 들어 말할 때 쓰는 표현
입니다.

- 週末しゅうまつ 주말
- 登山とざん 등산
- 読よむ 읽다
- コーヒー 커피
- デザート 디저트
- 掃除そうじ 청소
- 買かい物もの 쇼핑

- いえ　　ほん　　よ　　　　　　　　　　　み
  家で 本を 読んだり、テレビを 見たりします。
  이에데　홍-오　욘-다리　　　테레비오　　미따리시마스
  집에서 책을 읽거나 TV를 보거나 합니다.

- の　　　　　　　　　　　　た
  コーヒーを 飲んだり、デザートを 食べたりします。
  코-히-오　　논-다리　　　데자-또오　　다베따리시마스
  커피를 마시거나 디저트를 먹거나 합니다.

- そうじ　　　　　　　　　か　もの　い
  掃除を したり、買い物に 行ったりします。
  소-지오　　시따리　　　가이모노니　잇-따리시마스
  청소를 하거나 쇼핑하러 가거나 합니다.

회화문에서 이렇게 쓰여요! 잘 연습해 보세요~!

> にちようび　　なに
> A **日曜日は 何を しますか。**　　　　일요일에는 무엇을 합니까?
>
> B ＿＿＿**たり、**＿＿＿**たりします。** ~하거나 ~하거나 합니다.

ともだち　あ　　えいが　み
1 **友達に 会う・映画を 見る** 친구를 만나다 / 영화를 보다
ほん　よ　　せんたく
2 **本を 読む・洗濯を する** 책을 읽다 / 빨래를 하다
おんがく　き　　え
3 **音楽を 聞く・絵を かく** 음악을 듣다 / 그림을 그리다
さんぽ　　　　　　　　　か
4 **散歩する・レポートを 書く** 산책하다 / 리포트를 쓰다

19 일본에 간 적이 있습니까? **171**

일본어
뼈대 잡기 핵심 포인트
03

~한 채 　~たまま

めがねを かけたまま、寝ています。
안경을 쓴 채 자고 있습니다.

'~たまま(~한 채)'는 현재의 상태를 바꾸지 않고 그대로란 뜻을
나타냅니다.

- めがねを かける
  안경을 쓰다
- 靴くつ 신발, 구두
- はく (신발을)신다. (바지·치
  마를) 입다
- 借かりる 빌리다
- 返かえす 반납하다, 돌려주다
- 窓まど 창문
- 出でかける 외출하다

- 靴を はいたまま 入らないでください。
  구쯔오　하이따마마　　　　　하이라나이데 구다사이
  신발을 신은 채 들어오지 마세요.

- 本を 借りたまま 返しません。
  홍－오　가리따마마　　　　가에시마센－
  책을 빌려간 채 아직 반납하지 않습니다.

- 窓を 開けたまま、出かけました。
  마도오　아께따마마　　　　데까께마시다
  창문을 열어놓은 채 외출해 버렸습니다.

핵심 포인트
04

~한 후에 　~た後で

勉強した 後で、テレビを 見ます。 공부한 후에 TV를 봅니다.

'~た後あとで(~한 후에)'는 앞의 동작을 하고 나서 뒤에 오는 동작
을 할 때 쓰는 표현으로 '~てから(~하고 나서)'와 비슷한 의미입
니다.

- お風呂ふろに入はい
  る 목욕하다
- 散歩さんぽ 산책
- ご飯はん 밥

- お風呂に 入った 後で、本を 読みます。
  오후로니　　하잇－따　아또데　홍－오　요미마스
  목욕한 후에 책을 읽습니다.

- 散歩を した 後で、ご飯を 食べます。
  삼－뽀오　시따　아또데　고항－오　다베마스
  산책을 한 후에 밥을 먹습니다.

172

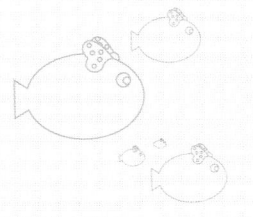

~하는 편이 좋습니다   ~たほうがいいです

> すぐに 病院に 行った ほうが いいです。
> びょういん   い
> 빨리 병원에 가는 편이 좋습니다.

'~たほうが いいです(~하는 편이 좋습니다)'는 제반 상황을 보며 뭔가를 제안하거나 조언하면서 자신의 의견을 말할 때 씁니다.

• すぐに 빨리, 곧장
• 休やすむ 쉬다
• 早はやく 빨리
• 帰かえる 돌아가다
• 運動うんどう 운동

• ゆっくり 休んだ ほうが いいです。 푹 쉬는 편이 좋습니다.
    やす
  육―꾸리   야슨―다 호―가   이―데스

• 早く 帰った ほうが いいです。 빨리 돌아가는 편이 좋습니다.
  はや かえ
  하야꾸 가엣―따 호―가   이―데스

• 運動を した ほうが いいです。 운동을 하는 편이 좋습니다.
  うんどう
  운―도―오   시따 호―가   이―데스

막 ~하다   ~たばかり

> 食事が 終わったばかりです。 식사가 끝난 지 얼마 안 됐습니다.
> しょく じ   お

'~たばかり(막 ~하다, ~한 지 얼마 안 되다)'는 동작이 완료되고 나서 얼마 지나지 않은 상태를 나타냅니다.

• 買かう 사다
• 結婚けっこんする 결혼하다
• ペンキ 페인트
• 塗ぬる 칠하다

• 一週間 前に 買ったばかりです。 일주일 전에 막 샀습니다.
  いっしゅうかん まえ か
  잇―슈―깡― 마에니 갇―따   바까리데스

• まだ 結婚したばかりです。 결혼한 지 얼마 안 됐습니다.
      けっこん
  마다   겟―꼰―시따 바까리데스

• ペンキを 塗ったばかりです。 페인트를 칠한 지 얼마 안 됐습니다.
         ぬ
  뻥―끼오   눋―따 바까리데스

81
CD

A 金さんは 日本に 行ったことが ありますか。
　キ　ム
기무상-와　니혼-니　　잇-따 고또가　　아리마스까.

B ええ、ありますよ。
에-.　　아리마스요.

　温泉に 入ったり、相撲を 見たり とても 楽しかったです。
온-센-니　하잇-따리　　스모-오　미따리　도떼모　　다노시깟-따데스.

　新幹線も きれいで 速かったです。
싱-깐-셈-모　기레-데　　하야깟-따데스.

A 日本の 朝の 通勤ラッシュは どうでしたか。
니혼-노 아사노 쯔-낑-랏-슈와　　　도-데시따까.

B すごかったです。
스고깟-따데스.

　電車でも 立ったまま 会社に 行く 人が 多かったです。
덴-샤데모　닫-따마마　　가이샤니　이꾸히또가　오-깟-따데스.

　それから、日本人は 本当に お茶を たくさん 飲みますね。
소레까라　　니혼-징-와　혼-또-니　오짜오　다구상-　노미마스네.

A ええ、食事の 後に よく 飲みますよ。
에-.　　쇼꾸지노 아또니　요꾸　노미마스요.

* 温泉おんせん 온천
* 相撲すもう 스모(일본 씨름)
* 楽たのしい 즐겁다
* 新幹線しんかんせん 신칸센
* きれいだ 깨끗하다
* 速はやい 빠르다
* 通勤つうきん 통근
* ラッシュ 러시
* すごい 광장하다, 대단하다
* お茶ちゃ 차(음료)

해석

A 김(영민) 씨는 일본에 간 적이 있습니까?
B 네, 있어요.
　온천도 하고 스모를 보기도 하고 아주 즐거웠습니다.
　신칸센도 깨끗하고 빨랐습니다.
A 일본의 아침 출근 시간은 어땠습니까?
B 광장했어요. 전철에서도 선 채로 회사에 가는 사람이 많았습니다.
　그리고 일본인은 정말 차를 많이 마시더군요.
A 네, 식사 후에 자주 마셔요.

20

연습하면 능숙해집니다.
練習すれば 上手になります。

도톰보리

너무 많이 먹다가 망한다는 '구이다오레(食くい倒だ
おれ)'의 본고장 오사카의 먹자골목 도톰보리(道頓
堀どうとんぼり). 먹을거리가 많은 오사카는 천하의
부엌(天下てんかの台所だいどころ)이라고도 합니다.

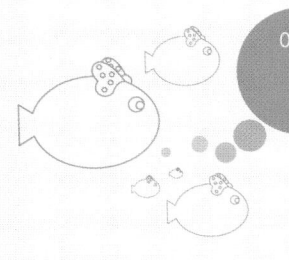

이것만은
꼭!!

■ **동사의 가정형**

오늘은 동사의 가정형을 배워봅시다. 가정형은 크게 '〜ば'〜た
ら'〜と'의 세 가지로 나눌 수 있습니다. 〜たら와 〜と는 각
각 〜た형과 사전형에 접속합니다만, 〜ば는 접속 방법이 다르
므로 잘 정리해 둡시다. 이밖에 〜ば형을 이용한 다양한 표현도
함께 익혀봅시다.

이 과의 주요 내용!

- 동사의 가정형 – '〜ば, 〜たら, 〜と'
- 정도의 심화 표현 – '〜ば〜ほど'
- 충족 조건 표현 – '〜さえ〜ば'

동사의 ば형 (가정형) 정리

어떤 조건에 따라 성립되는 것을 가정형이라고 합니다.
가정형 중에서 ~ば형을 만드는 방법을 알아봅시다.

1그룹 동사(5단동사)

기본형	ば형
行く 가다	行け + ば = 行けば 가면
飲む 마시다	飲め + ば = 飲めば 마시면
会う 만나다	会え + ば = 会えば 만나면
分かる 이해하다	分かれ + ば = 分かれば 알면

う단을   え단으로 바꾸어   ば를 붙임

2그룹 동사(1단동사)

기본형	ば형
食べる 먹다	食べる + れば = 食べれば 먹으면
起きる 일어나다	起きる + れば = 起きれば 일어나면
見る 보다	見る + れば = 見れば 보면
開ける 열다	開ける + れば = 開ければ 열면

る를 빼고   れば를 붙임

3그룹 동사(변격동사)

する 하다 → すれば 하면
来る 오다 → 来れば 오면

무조건 암기

이번 과의 핵심 문장을 학습에 앞서 먼저 큰소리로 10번 씩 읽어 보십시오.

핵심 문장만이라도 외워두시면 일본어 정복에 큰 힘이 될 것입니다.

① 一生懸命 勉強すれば、きっと 合格します。
잇–쇼–껨–메– 벵–꾜–스레바 긷–또 고–까꾸시마스.

열심히 공부하면 꼭 합격합니다.

② 毎日 練習すれば 上手に なります。
마이니찌 렌–슈–스레바 죠–즈니 나리마스.

매일 연습하면 능숙해집니다.

③ この本は 読めば 読むほど 面白くなります。
고노 홍–와 요메바 요무호도 오모시로꾸 나리마스.

이 책은 읽으면 읽을수록 재미있어집니다.

④ 給料は 高ければ 高いほど いいです。
규–로–와 다까께레바 다까이호도 이–데스.

급료는 많으면 많을수록 좋습니다.

⑤ これさえ 覚えれば 合格します。
고레사에 오보에레바 고–까꾸시마스.

이것만 외우면 합격합니다.

⑥ 雨が 降ったら 行きません。
아메가 훗–따라 이끼마센–.

비가 오면 가지 않겠습니다.

⑦ 夏に なると 暑くなります。
나쯔니 나루또 아쯔꾸나리마스.

여름이 되면 더워집니다.

일본어
뼈대 잡기 **01**

~하면, ~이면   ~ば

一生懸命 勉強すれば、きっと 合格します。

열심히 공부하면 꼭 합격합니다.

가정 표현 '~ば(~하면, ~이면)'는 앞에서 가정한 사항이 충족되면 뒤에 오는 내용이 이루어질 때 쓰입니다.

- 一生懸命いっしょうけんめい 열심히
- きっと 꼭, 반드시
- 練習れんしゅう 연습
- 間まに合あう 시간에 맞추다.
- 信号しんごう 신호
- 守まもる 지키다
- 事故じこ 사고

- 毎日 練習すれば 上手に なります。
  마이니찌 렌-슈-스레바　　　죠-즈니　　나리마스
  매일 연습하면 능숙해집니다.

- 明日 6時に 起きれば 間に 合います。
  아시따 로꾸지니 오끼레바　　　마니　　아이마스
  내일 6시에 일어나면 시간에 맞출 수 있습니다.

- 信号を 守らなければ 事故が 起きます。
  싱-고-오　마모라나께레바　　　지꼬가　　오끼마스
  신호를 지키지 않으면 사고가 납니다.

패턴회화

회화문에서 이렇게 쓰여요! 잘 연습해 보세요~!

A [　　　] ば [　　　] ますか。　　　~면 ~합니까?

B もちろんです。　　　물론입니다.

1 休む・治る　쉬다 / 낫다
2 徹夜する・完成する　철야하다 / 완성하다
3 先生に 聞く・分かる　선생님에게 묻다 / 알 수 있다
4 まっすぐ 行く・見える　곧장 가다 / 보이다

178

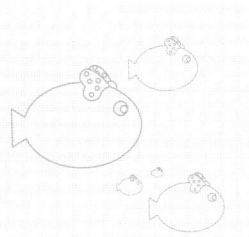

02 ~하면 ~할수록   ~ば ~ほど

この本は 読めば 読むほど 面白くなります。
이 책은 읽으면 읽을수록 재미있어집니다.

'~ば ~ほど'는 '~하면 ~할수록'이란 뜻으로 쓰입니다.

- 考かんがえる 생각하다
- 心配しんぱい 걱정, 근심
- 不安ふあん 불안
- 給料きゅうりょう 급료

- この問題は 考えれば 考えるほど 難しい 問題です。
  고노 몬-다이와   강-가에레바   강-가에루호도   무즈까시- 몬-다이데스
  이 문제는 생각하면 생각할수록 어려운 문제입니다.

- 心配は すれば するほど 不安に なります。
  심-빠이와   스레바   스루호도   후안-니   나리마스
  걱정은 하면 할수록 불안해집니다.

- 給料は 高ければ 高いほど いいです。
  규-료-와   다까께레바   다까이호도   이-데스
  급료는 많으면 많을수록 좋습니다.

03 ~만 ~한다면   ~さえ ~ば

薬を 飲みさえ すれば この病気は 治ります。
약을 먹기만 하면 이 병은 낫습니다.

'~さえ ~ば'는 '~만 ~한다면'이란 뜻으로, 일정한 조건만 충족되면 이후에 말하는 사항이 이루어진다는 것을 나타냅니다.

- 病気びょうき 병
- 治なおる 낫다
- 覚おぼえる 외우다
- 合格ごうかくする 합격하다
- 絶対ぜったい 반드시, 절대
- 勝かつ 이기다

- これさえ 覚えれば 合格します。 이것만 외우면 합격합니다.
  고레사에   오보에레바   고-까꾸시마스

- 練習さえ すれば 絶対 勝ちます。 연습만 한다면 반드시 이깁니다.
  렌-슈-사에   스레바   젯-따이 가찌마스

~하면, ~하거든   ~たら

_{あめ} _ふ _い
雨が 降ったら 行きません。 비가 오면 가지 않겠습니다.

가정 표현 '~たら(~하면, ~하거든)'는 어떤 사실이 성립된 시점을 기준으로 그 사실을 조건으로 제시합니다. 뒤에는 주로 명령이나 의지 그리고 추측 등의 문장이 옵니다.

- お金が あったら 車を 買いたいです。
  오까네가   앗-따라   구루마오 가이따이데스
  돈이 있다면 차를 사고 싶습니다.

- 9時に なったら 授業が 始まります。
  구지니   낫-따라   쥬교-가   하지마리마스
  9시가 되면 수업이 시작됩니다.

- 日本に 行ったら カメラを 買って来てください。
  니혼-니   잇-따라   카메라오   갓-떼 긷-떼 구다사이
  일본에 가거든 카메라를 사와 주세요.

- 国へ 帰ったら メールを ください。
  구니에   가엣-따라   메-루오   구다사이
  귀국하거든 메일 주세요.

84
CD

- 降ふる (비·눈 등이) 오다, 내리다
- 買かう 사다
- 授業じゅぎょう 수업
- 始はじまる 시작되다
- 国くにへ 帰かえる 귀국하다
- メール 메일

패턴회화

회화문에서 이렇게 쓰여요! 잘 연습해 보세요~!

A [   ]たら どうですか。   ~면 어떻습니까?

B それ、いいですね。   그거 좋은데요.

1 プレゼントをあげる 선물을 주다
2 メールを 送おくる 메일을 보내다
3 ドライブに 行いく 드라이브를 가다
4 先生せんせいに 聞きく 선생님에게 묻다

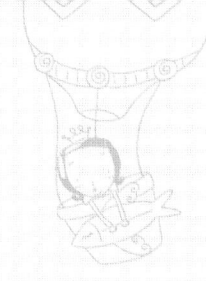

~라면, ~하자 가정 표현 ~と

> 春に なると いろんな 花が 咲きます。
> 봄이 되면 다양한 꽃이 핍니다.

- 咲さく (꽃이) 피다
- 夏なつ 여름
- 暑あつい 덥다
- 冬ふゆ 겨울
- たす 더하다
- スイッチ 스위치
- 押おす 누르다
- 電源でんげん 전원
- 郵便局ゆうびんきょく 우체국
- 角かど 모퉁이
- 曲まがる (모퉁이 등을) 돌다
- すぐ 바로, 곧
- 大雨おおあめ 큰 비
- あふれる 넘치다

가정 표현 '~と(~라면, ~하자)'는 주로 자연 현상, 변하지 않는 진리, 필연적인 결과, 동작이 순차적으로 일어나는 경우에 쓰입니다. '~と' 앞에는 과거형이 올 수 없고, 문장 끝에는 명령이나 의지 표현은 쓸 수 없습니다.

- 夏に なると 暑くなります。 여름이 되면 더워집니다.
  나쯔니 나루또 아쯔꾸나리마스

- 冬に なると 雪が 降ります。 겨울이 되면 눈이 옵니다.
  후유니 나루또 유끼가 후리마스

- 私は お酒を 飲むと 顔が 赤くなります。
  와따시와 오사께오 노무또 가오가 아까꾸 나리마스
  나는 술을 마시면 얼굴이 빨개집니다.

- 二に 五を たすと 七に なります。
  니니 고오 다스또 시찌니 나리마스
  2에 5을 더하면 7이 됩니다.

- この スイッチを 押すと 電源が 入ります。
  고노 스잇-찌오 오스또 뎅-겡-가 하이리마스
  이 스위치를 누르면 전원이 들어옵니다.

- 郵便局は あの 角を 右に 曲がると すぐです。
  유-빙-꾜꾸와 아노 가도오 미기니 마가루또 스구데스
  우체국은 저 모퉁이를 오른쪽으로 돌면 바로입니다.

- この 川は 大雨が 降ると 水が あふれます。
  고노 가와와 오-아메가 후루또 미즈가 아후레마스
  이 강은 큰 비가 오면 물이 넘칩니다.

우리말의 덧셈, 뺄셈, 곱셈, 나눗셈은 일본어로 'たし算ざん, 引ひき算ざん, かけ算ざん, 割わり算ざん'입니다.

회화문 말해보기

A 夏休みに 中国へ 行くつもりです。
나쯔야스미니 쮸-고꾸에 이꾸쯔모리데스.

B 中国に 行くなら 仁川から 船で 行ったら どうですか。
쮸-고꾸니 이꾸나라 인-존-까라 후네데 잇-따라 도-데스까.

時間が あれば 船旅も 楽しいですよ。
지깡-가 아레바 후나따비모 다노시-데스요.

A そうですか。それも いいですね。
소-데스까. 소레모 이-데스네.

田中さんは 夏休みに どこか 行きますか。
다나까상-와 나쯔야스미니 도꼬까 이끼마스까.

B 私は 日本へ 行くつもりですが。
와따시와 니홍-에 이꾸쯔모리데스가.

A そうですか。じゃあ、一つ お願いしても いいですか。
소-데스까. 쟈-. 히또쯔 오네가이 시떼모 이-데스까.

B はい、いいですよ。何ですか。
하이. 이-데스요. 난-데스까.

A 日本に 行ったら カメラを 買って 来てもらえませんか。
니혼-니 잇-따라 카메라오 갇-떼 긴-떼 모라에마셍-까.

- 夏休なつやすみ 여름방학 (휴가)
- つもり 생각, 작정
- 仁川インチョン 인천
- 船ふね 배
- 船旅ふなたび 배 여행
- お願ねがいする 부탁하다
- カメラ 카메라
- 買かって 来くる 사 오다

해석

A 여름방학에 중국에 갈 생각입니다.
B 중국에 가는 거면 인천에서 배로 가는 건 어떻습니까?
   시간이 있으면 배 여행도 즐겁습니다.
A 그래요? 그것도 좋겠군요.
   다나카 씨는 여름방학에 어디 가세요?
B 저는 일본에 갈 생각입니다만.
A 그래요? 그럼 한 가지 부탁해도 될까요?
B 네. 좋아요. 무엇입니까?
B 일본에 가면 카메라를 사다 주시면 안 될까요?

부록

오래오래 기억되는 그림 단어

날 씨

패스트푸드점

トースト
토스트

ホットドッグ
핫도그

ハンバーガー
햄버거

ドーナツ
도넛

サンドイッチ
샌드위치

フライドポテト
프렌치프라이

スパゲッティ
스파게티

ピザ
피자

屋根
지붕

ドア
문

ベランダ
베란다

窓
창문

寝室
침실

お風呂
욕실

壁
벽

部屋
방

階段
계단

流し台
싱크대

ソファー
소파

玄関
현관

庭
뜰

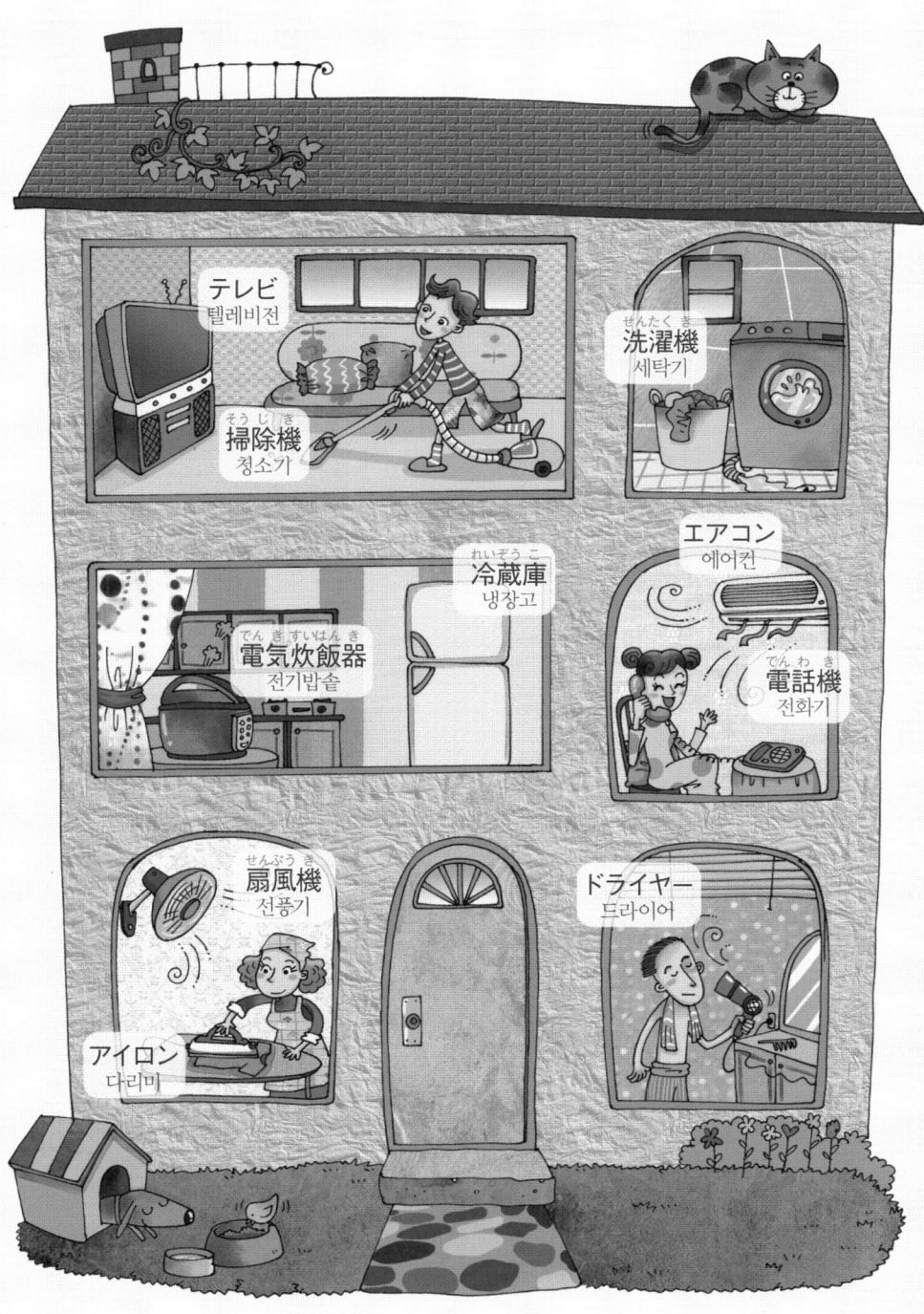

テレビ
텔레비전

洗濯機
세탁기

掃除機
청소가

冷蔵庫
냉장고

エアコン
에어컨

電気炊飯器
전기밥솥

電話機
전화기

扇風機
선풍기

ドライヤー
드라이어

アイロン
다리미

욕실

シャワーを浴びる
샤워하다

歯を磨く
이 닦다

歯磨き
치약

タオル
수건

石鹸
세숫비누

SHAMPOO

RINSE

シャンプー
샴푸

リンス
린스

문구용품

黒板 (こくばん)
칠판

黒板消し (こくばん け)
칠판지우개

カッター
커터

シャープペンシル
샤프펜

はさみ
가위

消しゴム (け)
지우개

定規 (じょうぎ)
자

ノート
노트

色鉛筆 (いろえんぴつ)
색연필

직업

警察官
けいさつかん
경찰

会社員
かいしゃいん
회사원

画家
が か
화가

看護士
かんごし
간호사

医者
いしゃ
의사

調理師
ちょうりし
요리사

歌手
かしゅ
가수

先生
せんせい
선생님

運転手
うんてんしゅ
운전기사

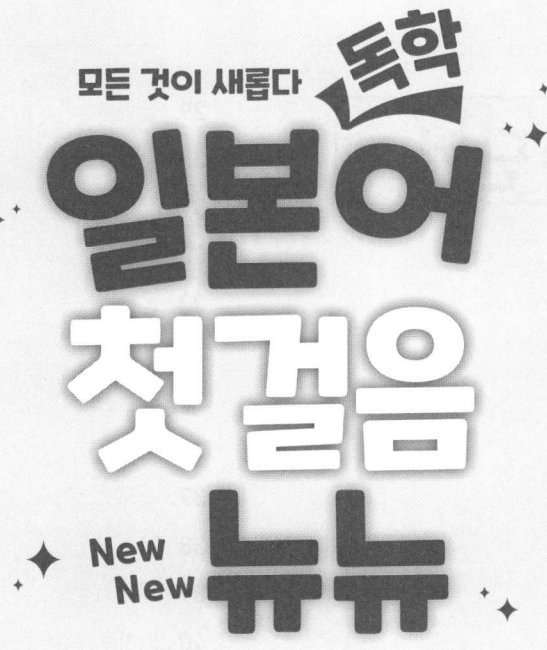

모든 것이 새롭다 독학

일본어 첫걸음

New New 뉴뉴

한 걸음 더 upgrade

왕초보를 위한
일본어 기본 단어 | **일본어** 기본 문법
상황별 패턴 회화 | **일본어** 여행 회화

가나 쓰기가 쉬워지는
일본어 펜맨십

왕초보를 위한
상황별 패턴 회화

왕초보를 위한
일본어 여행 회화

가나 쓰기가 쉬워지는
일본어 펜맨십

왕초보를 위한

일 본 어 기 본 단 어

01

1 수

0	零、ゼロ	레-, 제로
1	一	이찌
2	二	니
3	三	산-
4	四(し、よん)	시, 용-
5	五	고
6	六	로꾸
7	七(しち、なな)	시찌, 나나
8	八	하찌
9	九(く、きゅう)	구, 규-
10	十	쥬-
백	百	햐꾸
천	千	센-
만	一万	이찌만-
억	一億	이찌오꾸

2 고유수사

하나	一つ	히도쯔
둘	二つ	후다쯔
셋	三つ	밋-쯔
넷	四つ	욧-쯔
다섯	五つ	이쯔쯔
여섯	六つ	뭇-쯔
일곱	七つ	나나쯔
여덟	八つ	얏-쯔
아홉	九つ	고코노쯔
열	十	도-
년, 해	年	도시

3 년

재작년	一昨年	오또또시
작년	昨年	사꾸넨-
올해	今年	고또시
내년	来年	라이넨-
내후년	再来年	사라이넨-
일년	一年	이찌넨-
매년	毎年	마이또시

4 월

월, 달	月	쯔끼
지지난 달	先々月	센-센-게쯔
지난 달	先月	센-게쯔
이번 달	今月	곤-게쯔
다음 달	来月	라이게쯔
다다음 달	再来月	사라이게쯔
한달	一月	히또쯔끼

일개월	一ヶ月 <small>いっ か げつ</small>	잇―까게쯔

5 일

일	日(ひ、にち)	히, 니찌
날, 날짜	日付 <small>ひ づけ</small>	히즈께
그제	一昨日 <small>おととい</small>	오또또이
어제	昨日 <small>きのう</small>	기노―
오늘	今日 <small>きょう</small>	교―
내일	明日 <small>あした</small>	아시따
모레	明後日 <small>あさって</small>	아삿―떼
하루	一日 <small>いちにち</small>	이찌니찌
이틀	二日 <small>ふつ か</small>	후쯔까
사흘	三日 <small>みっ か</small>	밋―까
나흘	四日 <small>よっ か</small>	욧―까
닷새	五日 <small>いつ か</small>	이쯔까
엿새	六日 <small>むい か</small>	무이까
이레	七日 <small>なの か</small>	나노까
여드레	八日 <small>よう か</small>	요―까
아흐레	九日 <small>ここの か</small>	고꼬노까
열흘	十日 <small>とお か</small>	도―까
십사일	十四日 <small>じゅうよっ か</small>	쥬―욧―까
이십일	二十日 <small>はつか</small>	하쯔까
이십사일	二十四日 <small>に じゅうよっ か</small>	니쥬―욧―까
매일	毎日 <small>まいにち</small>	마이니찌

6 주

주	週 <small>しゅう</small>	슈―
지난 주	先週 <small>せんしゅう</small>	센―슈―
이번 주	今週 <small>こんしゅう</small>	곤―슈―
다음 주	来週 <small>らいしゅう</small>	라이슈―
일주일	一週間 <small>いっしゅうかん</small>	잇―슈―깐―
매주	毎週 <small>まいしゅう</small>	마이슈―
주말	週末 <small>しゅうまつ</small>	슈―마쯔

7 요일

월요일	月曜日 <small>げつようび</small>	게쯔요―비
화요일	火曜日 <small>か ようび</small>	가요―비
수요일	水曜日 <small>すいようび</small>	스이요―비
목요일	木曜日 <small>もくようび</small>	모꾸요―비
금요일	金曜日 <small>きんようび</small>	긴―요―비
토요일	土曜日 <small>どようび</small>	도요―비
일요일	日曜日 <small>にちようび</small>	니찌요―비

8 계절

계절	季節 <small>き せつ</small>	기세쯔
봄	春 <small>はる</small>	하루
여름	夏 <small>なつ</small>	나쯔

가을	秋 あき	아끼
겨울	冬 ふゆ	후유

9 시간

~시	~時 じ	지
~분	~分 ふん	훈-
~초	~秒 びょう	뵤-
~분전	~分前 ぶんまえ	뿐-마에
시간	時間 じかん	지깐-
아침	朝 あさ	아사
오전	午前 ごぜん	고젠-
오후	午後 ごご	고고
저녁	夕方 ゆうがた	유-가따
낮	昼 ひる	히루
밤	夜、晩 よる ばん	요루, 반-
과거	過去 かこ	가꼬
현재	現在 げんざい	겐-자이
미래	未来 みらい	미라이
이전	以前 いぜん	이젠-
이후	以後 いご	이고

10 인칭

저	私 わたくし	와따구시

나	僕/わたし ぼく	보꾸/와따시
우리들	私たち わたし	와따시다찌
당신	あなた	아나따
자네, 너	君/お前 きみ まえ	기미/오마에
그	彼 かれ	가레
그녀	彼女 かのじょ	가노죠

11 지시

이	この	고노
그	その	소노
저	あの	아노
어느	どの	도노
이것	これ	고레
그것	それ	소레
저것	あれ	아레
어느것	どれ	도레
여기	ここ	고꼬
거기	そこ	소꼬
저기	あそこ	아소꼬
어디	どこ	도꼬
이쪽	こちら	고찌라
그쪽	そちら	소찌라
저쪽	あちら	아찌라
어느 쪽	どちら	도찌라
무엇	何 なに	나니
누구	誰 だれ	다레

어디	どこ	도꼬
몇	幾つ	이꾸쯔
왜	なぜ	나제
어째서	どうして	도-시떼
언제	いつ	이쯔
어떻게	どう	도-

12 접속사

그래서	それで	소레데
그리고	そして	소시떼
그러니까	だから	다까라
그러면	それでは	소레데와
그렇지만	でも、けれども	데모, 게레도모
그러나	しかし	시까시
또는	または、あるいは	마따와, 아루이와

13 조사

~은/는	~は	와
~가(이)	~が	가
~의	~の	노
~을/를	~を	오
~와/과 〈병렬〉	~と	도
~에 〈방향, 목적지〉		

	~に/~へ	니/에
~에게 〈대상〉	~に	니
~도	~も	모
~이고	~で	데
~인가? 〈의문〉	~か	까
~(이)랑 〈나열〉	~や	야
~등/따위 〈예시〉		
	~など	나도
~에서 〈장소〉	で	데
~(으)로 〈수단〉	で	데

14 부사

아주/매우	とても	도떼모
자주, 잘	よく	요꾸
대단히	非常に	히죠-니
특히	特に	도꾸니
정말로	本当に	혼-또-니
별로	別に	베쯔니
가장	最も	못-또모
꼭/마침	ちょうど	죠-도
그다지	あまり	아마리
물론	もちろん	모찌론-
반드시	必ず	가나라즈
드디어	やっと	얏-또
충분히	十分に	쥬-분-니

더	もう、もっと	모–, 못–또
이제	もう	모–
항상/늘	いつも	이쯔모
아직/여전히	まだ	마다
우선	まず	마즈
역시	やっぱり	얏–빠리

15 조수사

~사람	~人	닌
~명	~名	메–
~개	~個	꼬
~장	~枚	마이
~권	~册	사쯔
~자루, ~병	~本	혼–
~그릇, ~잔	~杯	하이
~대	~台	다이
~채	~軒	겐–
~층	~階	가이
~켤레	~足	소꾸
~벌	~着	챠꾸
~살	~歳	사이
~회/번	~回	가이

16 단위

크기	大きさ	오–끼사
깊이	深さ	후까사
높이	高さ	다까사
폭	幅	하바
길이	長さ	나가사
무게	重さ	오모사
밀리미터	ミリメートル	미리메–또루
센티미터	センチメートル	센–찌메–또루
미터	メートル	메–또루
킬로미터	キロメートル	키로메–또루
인치	インチ	인–찌
밀리그램	ミリグラム	미리그라무
그램	グラム	그라무
킬로그램	キログラム	키로그라무

17 띠

띠	十二支	쥬–니시
쥐띠	子年	네즈미도시
소띠	丑	우시도시
호랑이띠	寅	도라도시
토끼띠	卯	우사기도시
용띠	辰	다쯔도시
뱀띠	巳	헤비도시

말띠	午 (うまどし)	우마도시
양띠	未 (ひつじどし)	히쯔지도시
원숭이띠	申 (さるどし)	사루도시
닭띠	酉 (とりどし)	도리도시
개띠	戌 (いぬどし)	이누도시
돼지띠	亥 (いのししどし)	이노시시도시

18 방향

동	東 (ひがし)	히가시
서	西 (にし)	니시
남	南 (みなみ)	미나미
북	北 (きた)	기따
안	内 (うち)	우찌
바깥	外 (そと)	소또
위	上 (うえ)	우에
아래	下 (した)	시따
앞	前 (まえ)	마에
뒤	後ろ (うし)	우시로
오른쪽	右 (みぎ)	미기
왼쪽	左 (ひだり)	히다리
옆	隣 (となり)	도나리
맞은편	向こう (む)	무꼬-

19 형용사

높다	高い (たか)	다까이
낮다	低い (ひく)	히꾸이
길다	長い (なが)	나가이
짧다	短い (みじか)	미지까이
크다	大きい (おお)	오-까-
작다	小さい (ちい)	지-사이
많다	多い (おお)	오-이
적다	少ない (すく)	스꾸나이
멀다	遠い (とお)	도-이
가깝다	近い (ちか)	지까이
무겁다	重い (おも)	오모이
가볍다	軽い (かる)	가루이
빠르다	速い (はや)	하야이
느리다	鈍い (のろ)	노로이
이르다	早い (はや)	하야이
늦다	遅い (おそ)	오소이
얇다	薄い (うす)	우스이
두껍다	厚い (あつ)	아쯔이
밝다	明るい (あか)	아까루이
어둡다	暗い (くら)	구라이
넓다	広い (ひろ)	히로이
좁다	狭い (せま)	세마이
굵다	太い (ふと)	후또이
가늘다	細い (ほそ)	호소이
좋다	良い (い)	이-

나쁘다	悪い (わる)	와루이
새롭다	新しい (あたら)	아따라시-
오래되다	古い (ふる)	후루이
강하다	強い (つよ)	쯔요이
약하다	弱い (よわ)	요와이
부드럽다	柔らかい (やわ)	야와라까이
딱딱하다	硬い (かた)	가따이
얕다	浅い (あさ)	아사이
깊다	深い (ふか)	후까이
뚱뚱하다	太い (ふと)	후또이
마르다	細い (ほそ)	호소이
비싸다	高い (たか)	다까이
싸다	安い (やす)	야스이
어렵다	難しい (むずか)	무즈까시-
쉽다	易しい (やさ)	야사시-

20 건강

병원	病院 (びょういん)	뵤-잉-
의사	医者 (いしゃ)	이샤
간호사	看護婦 (かんごふ)	간-고후
환자	患者 (かんじゃ)	간-쟈
약사	薬剤師 (やくざいし)	야꾸자이시
감기	風邪 (かぜ)	가제
수술	手術 (しゅじゅつ)	슈쥬쯔
주사	注射 (ちゅうしゃ)	쥬-샤

21 가족·친척

가족	家族 (かぞく)	가조구
할아버지	お祖父さん (じい)	오지-산-
할머니	お祖母さん (ばあ)	오바-산-
부모님	両親 (りょうしん)	료-신-
아버지	お父さん (とう)	오또-산-
어머니	お母さん (かあ)	오까-산-
형/오빠	兄 (あに)	아니
언니/누나	姉 (あね)	아네
남동생	弟 (おとうと)	오또-또
여동생	妹 (いもうと)	이모-또
남편	主人 (しゅじん)	슈진-
부인	妻 (つま)	쯔마
아들	息子 (むすこ)	무스꼬
딸	娘 (むすめ)	무스메

22 호칭·관계

친구	友だち (とも)	도모다찌
선배	先輩 (せんぱい)	셈-빠이
후배	後輩 (こうはい)	고-하이
선생님	先生 (せんせい)	센-세-
급우	クラスメート	크라스메-또
어른	大人 (おとな)	오또나
노인	お年寄り (としよ)	오또시요리

아저씨	おじさん	오지산–
아주머니	おばさん	와바산–
젊은이	若者	와까모노
아가씨	お嬢さん	오조–산–
남성	男性	단–세–
여성	女性	죠세–
어린아이	子供	고도모

23 신체

몸, 신체	体	가라다
머리	髪	가미
이마	額	히따이
얼굴	顔	가오
볼, 뺨	頬	호–
눈	目	메
코	鼻	하나
귀	耳	미미
입	口	구찌
이	歯	하
혀	舌	시따
턱	顎	아고
목	首	구비
목구멍	喉	노도
어깨	肩	가따
가슴	胸	무네
등	背中	세나까

배	お腹	오나까

24 동작

서다	立つ	다쯔
일어나다	起きる	오끼루
앉다	座る	스와루
달리다	走る	하시루
발로 차다	蹴る	게루
악수하다	握手をする	아꾸슈오 스루
가리키다	指す	사스
버리다	捨てる	스떼루
던지다	投げる	나게루
걸다	掛ける	가께루
때리다	殴る/叩く	나구루/다따꾸
만지다	触る	사와루
줍다	拾う	히로–
집다	取る	도루
누르다	押す	오스
찢다	裂く/破る	사꾸/야부루
찌르다	刺す	사스
쪼개다	割る	와루
보다	見る	미루
웃다	笑う	와라우
미소짓다	微笑	호–에무
울다	泣く〈사람〉	나꾸

	鳴く〈동물〉	나꾸
듣다	聞く	기꾸
먹다	食べる	다베루
마시다	飲む	노무
씹다	噛む	가무
불다	吹く	후꾸

25 성격 · 태도

성격	性格	세ー까꾸
친절하다	親切だ	신ー세쯔다
불친절하다	不親切だ	후신ー세쯔다
재미있다	面白い	오모시로이
이상하다	変だ	헨ー다
엄격하다	厳しい	기비시ー
냉정하다	冷たい	쯔메따이
상냥하다	優しい	야사시ー
정직하다	正直だ	쇼ー지끼다
성실하다	真面目だ	마지메다
예의 바르다	礼儀正しい	레ー기따다시ー
똑똑하다	利口だ	리꼬ー다
유머가 있다	ユーモアがある	유ー모아가 아루
인기가 있다	人気がある	닌ー끼가 아루

26 감정

사랑하다	愛する	아이스루
좋아하다	好きだ	스끼다
행복하다	幸せだ	시아와세다
즐겁다	楽しい	다노시ー
편안하다	楽だ	라꾸다
외롭다	寂しい	사비시ー
슬프다	悲しい	가나시ー
괴롭다	苦しい	구루시ー
싫다	嫌いだ	기라이다
밉다	憎い	니꾸이
부러워하다	羨ましい	우라야마시ー
걱정하다	心配する	심ー빠이스루
고민하다	悩む	나야무
무섭다	怖い	고와이

27 의복

유니폼	ユニホーム	유니호ー무
수영복	水着	미즈기
바지(남)	ズボン/スラックス	즈본ー/스락ー꾸스
바지(여)	パンツ	판ー쯔
청바지	ジーンズ	진ー즈
치마	スカート	스까ー또
양말	靴下	구쯔시따

단추	ボタン	보딴―

28 색

색	色 (いろ)	이로
흰색	白い色 (しろ いろ)	시로이 이로
검정색	黒い色 (くろ いろ)	구로이 이로
빨간색	赤い色 (あか いろ)	아까이 이로
오렌지색	オレンジ色 (いろ)	오렌―지 이로
분홍색	ピンク色 (いろ)	핑―꾸 이로
노란색	黄色い色 (き いろ いろ)	기―로이 이로
파란색	青い色 (あお いろ)	아오이 이로
하늘색	空色 (そらいろ)	소라 이로
녹색	緑色 (みどりいろ)	미도리 이로
자주색	紫色 (むらさきいろ)	무라사끼 이로
갈색	茶色 (ちゃいろ)	쨔 이로
회색	灰色 (はいいろ)	하이 이로
살색	肌色 (はだいろ)	하다 이로

29 잡화

신발	靴 (くつ)	구쯔
운동화	運動靴 (うんどうぐつ)	운―도―구쯔
샌들	サンダル	산―다루
모자	帽子 (ぼうし)	보―시

장갑	手袋 (て ぶくろ)	데부꾸로
넥타이	ネクタイ	네꾸따이
우산	傘 (かさ)	가사
가방	かばん	가방―
핸드백	ハンドバッグ	한―도박―구
지갑	財布 (さい ふ)	사이후
트렁크	トランク	토랑―꾸
손수건	ハンカチ	항―까찌
스카프	スカーフ	스까―후
머플러	マフラー	마후라―

30 과일

과일	果物 (くだもの)	구다모노
사과	林檎 (りん ご)	링―고
배	梨 (なし)	나시
바나나	バナナ	바나나
딸기	イチゴ	이찌고
복숭아	桃 (もも)	모모
포도	葡萄 (ぶ どう)	부도―
감	柿 (かき)	가끼
밤	栗 (くり)	구리
파인애플	パイナップル	파이납―뿌루
귤	蜜柑 (み かん)	미깡―
오렌지	オレンジ	오렌―지
레몬	レモン	레몬―

키위	キウイ	키우이
망고	マンゴー	망-고-
수박	西瓜 (すいか)	스이까
메론	メロン	메론-
유자	柚子 (ゆず)	유즈

31 해산물

오징어	イカ	이까
문어	タコ	다꼬
고등어	サバ	사바
참치	マグロ	마구로
대구	タラ	다라
꽁치	サンマ	삼-마
도미	タイ	다이
뱀장어	ウナギ	우나기
잉어	コイ	고이
게	カニ	가니
새우	エビ	에비
전복	アワビ	아와비
굴	カキ	가끼
바지락	アサリ	아사리
김	海苔 (のり)	노리
다시마	昆布 (こんぶ)	곰-부
미역	わかめ	와까메

32 육류

돼지고기	豚肉 (ぶたにく)	부따니꾸
갈비	カルビ	가루비
쇠고기	牛肉 (ぎゅうにく)	규-니꾸
등심	ヒレ・サーロイン	히레/사-로인-
안심	ロース	로-스
안창살	ハラミ	하라미
간	レバー	레바-
닭고기	鶏肉 (とりにく)	도리니꾸

33 곡류

쌀	米 (こめ)	고메
보리쌀	麦 (むぎ)	무기
현미	玄米 (げんまい)	겜-마이
좁쌀	粟 (あわ)	아와
찹쌀	餅米 (もちごめ)	모찌고메
밀	小麦 (こむぎ)	고무기
콩	豆 (まめ)	마메
강낭콩	インゲンマメ	잉-겜-마메
팥	小豆 (あずき)	아즈끼

34 채소류

한국어	일본어	발음
채소	野菜	야사이
옥수수	とうもろこし	도-모로꼬시
토마토	トマト	도마또
고구마	さつまいも	사쯔마이모
감자	ジャガイモ	쟈가이모
호박	かぼちゃ	가보쨔
콩나물	大豆もやし	다이즈모야시
배추	白菜	하꾸사이
양배추	キャベツ	갸베쯔
무	大根	다이꽁-
당근	人参	닌-징-
오이	きゅうり	규-리
고추	唐辛子	도-가라시
피망	ピーマン	피-망-
시금치	ほうれん草	호-렌-소-
파	ねぎ	네기
대파	長ねぎ	나가네기
양파	玉ねぎ	다마네기
고사리	ワラビ	와라비
부추	ニラ	니라
가지	茄子	나스
마늘	にんにく	닌-니꾸
생강	しょうが	쇼-가
브로컬리	ブロッコリ	브롯-꼬리

35 유제품

한국어	일본어	발음
우유	牛乳	규-뉴-
요구르트	ヨーグルト	요-구르또
치즈	チーズ	치-즈
버터	バター	바따-
땅콩 버터	ピーナッツバター	피-낫-쯔바따-
마가린	マーガリン	마-가린-
마요네즈	マヨネーズ	마요네-즈
분유	粉ミルク	고나미루꾸

36 일본음식

한국어	일본어	발음
일본요리	日本料理	니혼-료-리
초밥	寿司	스시
회	刺身	사시미
샤부샤부	しゃぶしゃぶ	샤부샤부
스키야키	すき焼き	스끼야끼
생선구이	焼き魚	야끼자까나
우동	うどん	우동-
소바	そば	소바
야키소바	焼きそば	야끼소바
라면	ラーメン	라-멘-
튀김덮밥	天丼	덴-동-
쇠고기덮밥	牛丼	규-동-
주먹밥	おにぎり	오니기리

절임	漬物 つけもの	쯔께모노

37 스포츠 종목

축구	サッカー	삭―까
야구	野球 やきゅう	야뀨―
농구	バスケットボール	바스껫―또 보―루
배구	バレーボール	바레―보―루
수영	水泳 すいえい	스이에―
마라톤	マラソン	마라손―
테니스	テニス	테니스
배드민턴	バドミントン	바도민―똔―
유도	柔道 じゅうどう	쥬―도―
검도	剣道 けんどう	겐―도―
역도	重量挙げ じゅうりょう あ	쥬―료―아게
권투	ボクシング	보꾸싱―구
럭비	ラグビー	라그비―
스키	スキー	스끼―
하키	ホッケー	혹―께―
스케이팅	スケート	스께―또
양궁	アーチェリー	아―쩨리―

38 맛

맛	味 あじ	아지

맵다	辛い から	가라이
달다	甘い あま	아마이
짜다	塩辛い しおから	시오까라이
쓰다	苦い にが	니가이
시다	酸っぱい す	습―빠이
떫다	渋い しぶ	시부이
싱겁다	味が薄い あじ うす	아지가 우스이

39 패스트푸드

패스트푸드	ファストフード	화스또 후―도
감자 튀김	フライドポテト	후라이도 포떼또
후라이드 치킨	フライドチキン	후라이도 치낀―
스파게티	スパゲッティ	스파겟―띠
샐러드	サラダ	사라다
토스트	トースト	도―스또
드레싱	ドレッシング	도렛―싱―구
샌드위치	サンドイッチ	산―도잇―찌
맥도널드	マクドナルド	마꾸도나루도
버거킹	バーガーキング	바―가―낑―구
도미노피자	ドミノピザ	도미노피자
KFC	ケッタッキーフライドチキ	껫―딱―까후라이도 치낀―
파파이스	ポパイズ	포빠이즈
롯데리아	ロッテリア	롯―떼리아
던킨도너츠	ダンキンドーナツ	단―낀―도―나쯔
스타벅스	スターバックスコーヒー	스따―박―구스 고―히―
베스킨라빈스	サーティーワンアイスクリーム	사―띠―완―아이스꾸라―무

코코스	ココス	고꼬스
씨즐러	シズラー	시즈라-
티지아이	TGIフライデー	TGI 후라이데-
미스터피자	ミスターピザ	미스따-피자
웬디스	ウェンディーズ	웬-디-즈

40 조미료

설탕	砂糖	사또-
소금	塩	시오
식초	酢	스
간장	醤油	쇼-유
된장	味噌汁	미소시루
고춧가루	唐辛子の粉	도-가라시노꼬나
후춧가루	胡椒	고쇼-
참기름	胡麻油	고마아부라
고추기름	ラー油	라-유
향신료	香辛料	고-신-료-
요리술	料理酒	료-리슈
소스	ソース	소-스
겨자	からし	가라시
고추냉이	わさび	와사비

41 차 · 음료

커피	コーヒー	고-히-
차	お茶	오쨔
녹차	緑茶	료꾸쨔
홍차	紅茶	고-쨔
우롱차	ウーロン茶	우-론-쨔
보리차	麦茶	무기쨔
생수	ミネラルウォーター	미네라루워-따-
우유	牛乳	규-뉴
오렌지주스	オレンジジュース	오렌-지쥬-스
딸기 주스	イチゴジュース	이찌고쥬-스
코카콜라	コカコーラ	코카꼬-라
펩시콜라	ペプシコーラ	페푸시꼬-라
사이다	サイダー	사이다-
스프라이트	スプライト	스프라이또
스포츠 음료	スポーツドリンク	스포-쯔 도링-크
포카리스웨트	ポカリスエット	포까리스엣-또

42 주류

술	お酒	오사께
맥주	ビール	비-루
소주	焼酎	쇼-쭈-
청주	日本酒	니혼-슈
인삼주	人参酒	닌-진-슈

위스키	ウイスキー	우이스끼ー
샴페인	シャンパン	샴ー빤ー
코냑	コニャック	고냑ー꾸
칵테일	カクテル	가꾸떼루

43 집 안

현관	玄関 (げんかん)	겐ー깐ー
복도	廊下 (ろうか)	로ー까
계단	階段 (かいだん)	가이단ー
방	部屋 (へや)	헤야
주방	台所/キッチン (だいどころ)	다이도꼬로/킷친
욕실	浴室 (よくしつ)	요꾸시쯔
화장실	お手洗い (て あら)	오떼아라이
창문	窓 (まど)	마도

44 가전제품

가전제품	家電製品 (か でんせいひん)	가덴ー세ー힝ー
텔레비전	テレビ	데레비
냉장고	冷蔵庫 (れいぞうこ)	레ー조ー꼬
청소기	掃除機 (そうじ き)	소ー지끼
전화기	電話機 (でんわ き)	뎅ー와끼
에어컨	エアコン	에아꼰ー
선풍기	扇風機 (せんぷうき)	센ー뿌ー끼

비디오	ビデオ	비데오
가스레인지	ガスレンジ	가스렌ー지
전자레인지	電子レンジ (でん し)	덴시렌ー지
전기밥솥	電気炊飯器 (でん き すいはん き)	덴ー끼스이한ー끼
오븐	オーブン	오ー븐ー
토스터	トースター	도ー스따ー
건조기	乾燥機 (かんそう き)	간ー소ー끼

45 문구

문구	文房具 (ぶんぼうぐ)	분ー보ー구
필통	筆箱 (ふでばこ)	후데바꼬
지우개	消しゴム (け)	게시고무
볼펜	ボールペン	보ー루뻰ー
만년필	万年筆 (まんねんひつ)	만ー넹ー히쯔
연필	鉛筆 (えんぴつ)	엠ー삐쯔
샤프	シャープペン	샤ー프뻰ー
도화지	画用紙 (が ようし)	가요ー시
색종이	色紙 (いろがみ)	이로가미
크레용	クレヨン	크레욘ー
자	定規 (じょうぎ)	죠ー기
가위	はさみ	하사미
칼	カッター	갓ー따ー
풀	のり	노리

22

46 학교생활

공부	勉強	벵―꾜―
입학	入学	뉴―가꾸
졸업	卒業	소쯔교―
가르치다	教える	오시에루
배우다	習う	나라우
등교	登校	도―꼬―
결석	欠席	겟―세끼
지각	遅刻	찌꼬꾸
예습	予習	요슈―
복습	復習	후꾸슈―
질문	質問	시쯔몽―
대답	答え	고따에
숙제	宿題	슈꾸다이
초등학교	小学校	쇼―각―꼬―
중학교	中学校	쮸―각―꼬―
고등학교	高等学校	고―또―각―꼬―
종합대학	総合大学	소―고―다이가꾸
전문대학	短期大学	단―끼다이가꾸

47 직장생활

일하다	仕事をする	시고또오 스루
출근하다	出勤する	슉―낀―스루
결근하다	欠勤する	겟―낀―스루
출장가다	出張する	슛―쪼―스루
승진하다	昇進する	쇼―신―스루
부임하다	赴任する	후닌―스루
근무하다	勤務する	긴―무스루
잔업하다	残業する	잔―교―스루
접대하다	接待する	셋―따이스루
전근가다	転勤する	덴―낀―스루
이직하다	離職する	리쇼꾸스루
회의를 하다	会議をする	가이기오 스루
보고하다	報告する	호―꼬꾸스루
발표하다	発表する	합―뾰―스루

48 직업

선생님	先生	센―세―
회사원	会社員	가이샤잉―
운전사	運転手	운―뗀―슈
요리사	調理師	죠―리시
사진사	写真家	샤신―까
변호사	弁護士	벵―고시
경찰	警察	게―사쯔
교수	教授	교―쥬
소방수	消防隊員	쇼―보―따이잉―
기자	記者	기샤
아나운서	アナウンサー	아나운―사―
건축사	建築士	겐―찌꾸시

| 회계사 | 会計士 かいけいし | 가이께―시 |
| 가수 | 歌手 かしゅ | 가슈 |

비가 그치다	雨が止む あめ や	아메가 야무
눈이 내리다	雪が降る ゆき ふ	유끼가 후루
해가 뜨다	日が昇る ひ のぼ	히가 노보루
해가 지다	日が沈む ひ しず	히가 시즈무

49 일상 생활

일어나다	起きる お	오끼루
이를 닦다	歯を磨く は みが	하오 미가꾸
세수를 하다	顔を洗う かお あら	가오오 아라우
면도를 하다	ひげを剃る そ	히게오 소루
옷을 갈아입다	着替する	기가에스루
화장하다	化粧する	게쇼―스루
청소하다	掃除をする	소―지오 스루
세탁하다	洗濯する	센―따꾸스루
옷을 개다	服を畳む ふく たた	후꾸오 다따무
요리하다	料理する りょうり	료―리스루
목욕을 하다	お風呂に入る ふろ はい	오후로니 하이루
잠자다	寝る ね	네루
꿈꾸다	夢を見る ゆめ み	유메오 미루

50 날씨

날씨	天気 てんき	덴끼
맑다	晴れる は	하레루
흐리다	曇る くも	구모루
비가 내리다	雨が降る あめ ふ	아메가 후루

왕초보를 위한

일본어 기본 문법

02

1 명사의 정중형

▶ ～です   ～입니다

'～입니다'라고 말할 때는 명사에 「です」를 붙인다.

- わたしは 学生^{がくせい}です。 나는 학생입니다.
- 金さんは 先生^{せんせい}です。 김○○ 씨는 선생님입니다.
- 木村^{きむら}さんは 会社員^{かいしゃいん}です。 기무라 씨는 회사원입니다.

2 명사의 의문형

▶ ～ですか   ～입니까?

'～입니까?'라고 상대방에게 물을 때는 명사에 「～ですか」를 붙인다. 의문형이 되어도 일본어 문장
에서는 '?'마크는 붙이지 않는다.

- 韓国人^{かんこくじん}ですか。 한국인입니까?
- あなたは 学生^{がくせい}ですか。 당신은 학생입니까?
- 先生^{せんせい}ですか。 선생님입니까?

3 명사의 부정형

▶ ～では[じゃ] ありません   ～이(가) 아닙니다

명사의 정중형인 「～です」의 부정형은 명사에 「～では[じゃ] ありません」을 붙인다. 「じゃ」는 「で
は」의 축약형으로 대화체에서 많이 쓴다.

- ゆめでは ありません。 꿈이 아닙니다.
- 医者^{いしゃ}じゃ ありません。 의사가 아닙니다.
- 日本人^{にほんじん}では ありません。 일본인이 아닙니다.

4 명사의 과거형

▶ ～でした   ～이었습니다

「～です」의 과거형은 「～でした」이다.

・学生です 학생입니다 → 学生でした 학생이었습니다

▶ **〜では ありませんでした 〜이[가] 아니었습니다**

「〜です」의 과거 부정은 부정형인 「〜では ありません」에 「〜でした」를 붙여서 만든다.

・医者では ありませんでした。 의사가 아니었습니다.

---

5 사물 지시 대명사

▶ **これ・それ・あれ・どれ**

「これ(이것)」는 나와 상대방을 기준으로 나와 가까운 것을 가리킬 때, 「それ(그것)」는 상대방에 가까운 것을 가리킬 때, 「あれ(저것)」는 나와 상대방 모두에게서 멀리 떨어져 있는 사물을 가리킬 때, 「どれ(어느 것)」는 어느 것을 가리키는지 물을 때 쓴다.

・これは 本です。 이것은 책입니다.   ・それは かばんです。 그것은 가방입니다.

・あれは 絵です。 저것은 그림입니다.   ・どれが あなたのですか。 어느 것이 당신 것입니까?

---

6 장소 지시 대명사

▶ **ここ・そこ・あそこ・どこ**

「ここ(여기)」는 나와 상대방을 기준으로 나와 가까운 장소일 때, 「そこ(거기)」는 상대방에 가까운 장소일 때, 「あそこ(저기)」는 나와 상대방 모두에게서 떨어진 장소일 때, 「どこ(어디/어느 곳)」는 어느 곳인지 물을 때 쓴다.

・ここは 図書館です。 이곳은 도서관입니다.   ・そこは 学校です。 그곳은 학교입니다.

・あそこは 教室です。 저곳은 교실입니다.   ・駅は どこですか。 역은 어디입니까?

---

7 방향 지시 대명사

▶ **こちら・そちら・あちら・どちら**

「こちら(=こっち 이쪽)」, 「そちら(=そっち 그쪽)」, 「あちら(=あっち 저쪽)」, 「どちら(=どっち어느 쪽)」 등은 방향을 나타내는 지시대명사이다.

・こちらの 方が 金さんです。　이쪽이 김ㅇㅇ 씨입니다.　・そちらが あなたのです。　그쪽이 당신 것입니다.

・あちらが 私の 部屋です。　저쪽이 내 방입니다.　・駅は どちらですか。　역은 어느 쪽입니까?

8 명사수식 지시 대명사

▶ **この・その・あの・どの**

「この(이)」, 「その(그)」, 「あの(저)」, 「どの(어느)」는 뒤에 오는 명사를 수식하면서 구체적으로 지시하는 역할을 하는 대명사이다.

・この 本は わたしのです。　이 책은 내 것입니다.　・その かばんは 高いです。　그 가방은 비쌉니다.

・あの 人は だれですか。　저 사람은 누구입니까?　・どの 方ですか。　어느 분입니까?

9 기본 조사

▶ **は　～은(는)**

「は」가 주격 조사로 쓰일 때는 [ha]로 발음하지 않고 [wa]로 발음한다.

・わたしは 学生です。　나는 학생입니다.

▶ **が　～이(가)**

・これが わたしの 本です。 이것이 내 책입니다.

▶ **も　～도**

같은 것을 나열하거나 첨가할 때 쓰는 조사.

・あなたも 先生ですか。 당신도 선생님입니까?

▶ **を　～을(를)**

발음은 「お」와 같지만, 목적격 조사로 쓰일 때는 반드시 「を」를 써야 한다.

・本を よみます。 책을 읽습니다.

▶ の ~의

명사와 명사 사이에 오는 조사로, 소유나 소속을 나타낸다.

・わたしの 名刺 내 명함　　　　　　　　・韓国の 食べ物 한국의 음식

10 い형용사 기본형

▶ ~い

い형용사는 기본형이 「~い」로 끝나는 형용사로, 기본형 그대로 의미를 전달할 수 있으며, 명사를 수식하기도 한다.

大きい 크다　小さい 작다　暑い 덥다　寒い 춥다　長い 길다　短い 짧다　高い 높다　低い 낮다
重い 무겁다　軽い 가볍다

・高い 山 높은 산　　　　　　　　　　・からい 料理 매운 요리

11 い형용사 정중형

▶ ~い+です

기본형 그대로도 의미가 통하지만, 정중하게 말하려면, い형용사의 기본형에 「です」를 붙인다.

・この かばんは 高いです。 이 가방은 비쌉니다.

・韓国の キムチは おいしいです。 한국 김치는 맛있습니다.

・英語は 難しいです。 영어는 어렵습니다.

12 い형용사 부정형

▶ ~く+ない

い형용사의 기본형 「~い」를 「~く」로 바꾸고 부정의 의미를 가진 「ない」를 붙여 「~くない」 형태로 만든다. 여기에 「です」를 붙여 「~くないです」가 되면 정중한 표현이 된다. 「~くありません」을 쓰기도 한다.

- この 本は おもしろくない。이 책은 재미없다.
- バナナは 赤くないです(＝赤くありません)。바나나는 빨갛지 않습니다.

＊「いい(좋다)」의 부정형은 「いくない」가 아니라, 「よくない」이다.

13 い형용사 과거형

▶ ～かった(です)

い형용사의 기본형에서 「い」를 빼고 「かった」를 붙이면 된다. 정중하게 말하려면, 「かった」 뒤에 「です」를 붙이면 된다. 「～です」의 과거형인 「～でした」와 혼동하여 「～いでした」라고 하면 안 된다.

- きのうの 映画は おもしろかった(です)。어제 영화는 재미있었다 /재미있었습니다.
- その にもつは 重かった(です)。그 짐은 무거웠다/무거웠습니다.

14 い형용사 て 접속형

▶ ～くて

い형용사의 기본형 「～い」를 「～くて」로 바꾸면, '～하고, ～해서'라는 의미가 된다. 단순 접속의 의미 외에 원인이나 이유를 나타내기도 한다.

- やすくて おいしい 料理。싸고 맛있는 요리.
- 彼女の かみのけは 長くて 黒いです。그녀의 머리카락은 길고 검습니다.
- その かばんは やすくてよかった。그 가방은 싸서 좋았다.

15 な형용사 기본형

▶ ～だ

な형용사는 기본형이 「～だ」로 끝나는 형용사로, 명사와 연결될 때 어미 「～だ」가 「～な」로 바뀌기 때문에 な형용사라고 한다. 기본적인 な형용사의 형태는 다음과 같다.

きれいだ 깨끗하다 すきだ 좋아하다 しずかだ 조용하다 じょうずだ 능숙하다 りっぱだ 훌륭하다
へただ 서툴다 はでだ 화려하다 じみだ 수수하다

・しずかな 部屋 조용한 방   ・有名な 観光地 유명한 관광지

16 な形容詞 정중형

▶ 〜です

な형용사의 기본형에서 「〜だ」를 빼고 「〜です」를 붙인다.

・きれいだ 깨끗하다 → きれいです 깨끗합니다
・しずかだ 조용하다 → しずかです 조용합니다
・わたしの 部屋は しずかです。 내 방은 조용합니다. ・彼女は きれいです。 그녀는 예쁩니다.
・わたしは コーヒーが 好きです。 나는 커피를 좋아합니다.

17 な形容詞 부정형

▶ 〜では[じゃ]ありません

な형용사의 기본형에서 「〜だ」를 빼고 대신 「〜では[じゃ] ありません」을 붙인다.

・きれいだ 깨끗하다 → きれいでは ありません 깨끗하지 않습니다
・上手だ 능숙하다 → 上手では ありません 능숙하지 않습니다
・あの 部屋は 静かではありません。 그 방은 조용하지 않습니다.
・この ボールペンは べんりでは ありません。 이 볼펜은 편리하지 않습니다.

18 な形容詞 과거형

▶ 〜だった(です)・〜でした

な형용사의 기본형 「〜だ」 대신 「〜だった」를 붙인다. 정중하게 말하려면 「〜だった」에 「〜です」를 붙여 「〜だったです」의 형태로 만들거나, 기본형의 「〜だ」 대신 「〜でした」를 붙여 말하기도 한다.

・きれいだ → きれいだった → きれいでした
　깨끗하다　　　　 깨끗했다　　　　　깨끗했습니다

・しずかだ → しずかだった → しずかでした
　조용하다　　　　 조용했다　　　　　조용했습니다

19 な형용사 て접속형

▶ ～で

な형용사의 기본형 「～だ」를 「～で」로 바꾸면, '~해서, ~하고'의 의미가 된다.

・この部屋は しずかで、きれいです。 이 방은 조용하고 깨끗합니다.
・山田さんは 親切で、やさしいです。 야마다 씨는 친절하고 상냥합니다.
・彼は 正直で、まじめです。 그는 정직하고 성실합니다.

20 동사의 종류

일본어의 동사는 모두 「ウ단(う, く, す, つ, ぬ, ぶ, む, る, ぐ)」으로 끝나고, 활용에 따라 세 가지로 나눌 수 있다.

▶ 1그룹 동사(5단동사)

어미가 「ウ단(う, く, ぐ, す, つ, ぬ, ぶ, む)」으로 끝나거나, 「る」로 끝나는 동사 중에서 「る」 앞 글자의 모음이 「ア단」, 「ウ단」, 「オ단」인 동사를 1그룹 동사라고 한다.

・かく 쓰다　・たつ 일어서다　・とる 집다　・のむ 마시다　・あそぶ 놀다　・なく 울다
・はなす 이야기하다 등이 있다.

▶ 2그룹 동사(1단동사)

어미가 「る」로 끝나고, 「る」 앞 글자가 「イ단」이나 「エ단」으로 끝난다.

おきる 일어나다　たべる 먹다　みる 보다　ねる 자다　でる 나오다　あける 열다　おりる 내리다

▶ 3그룹 동사(변격동사)

・する 하다　・くる 오다 두 개뿐이다.

21 동사의 정중형

▶ ~ます

　동사에 「~ます」를 붙이면 정중한 표현이 된다.

▶ 1그룹 동사(5단동사) : 동사의 어미를 「イ단」으로 바꾸고 「ます」를 붙인다.

　・かく 쓰다 → かきます 씁니다　　　　　　　・のむ 마시다 → のみます 마십니다

▶ 2그룹동사(1단동사) : 어미 「る」를 빼고 「ます」를 붙인다.

　・おきる 일어나다 → おきます 일어납니다　　・たべる 먹다 → たべます 먹습니다

▶ 3그룹 동사(변격동사)

　・する 하다 → します 합니다　　　　　　　　・くる 오다 → きます 옵니다

　* 예외 1그룹 동사 : 모양은 2그룹 동사이나 활용은 1그룹 동사처럼 활용하는 동사

　・かえる 돌아가다 → かえります 돌아갑니다

　きる 자르다　　しる 알다　　はいる 들어가다　　はしる 달리다

22 동사의 부정형

▶ ~ない

　동사에 부정을 나타내는 「~ない」를 붙이면 부정 표현이 된다. 이 때 동사의 어미 부분이 변하는데
　이것을 「ない형」 활용이라 한다.

▶ 1그룹 동사(5단동사)

　동사의 어미를 「ア단」으로 바꾸고 「ない」를 붙인다.

　・かく 쓰다 → かかない 쓰지 않다　　　　　・のむ 마시다 → のまない 마시지 않다

▶ 2그룹동사(1단동사)

　어미 「る」를 빼고 「ない」를 붙인다.

　・おきる 일어나다 → おきない 일어나지 않다　・たべる 먹다 → たべない 먹지 않다

▶ 3그룹 동사(변격동사)

・する 하다 → しない 하지 않다　　　　・くる 오다 → こない 오지 않다

23 동사의 정중한 부정형

▶ ～ません

동사에 「～ます」 대신 「～ません」을 붙이면 부정이면서 정중한 표현이 된다. 활용은 「ます형」과 같다.

▶ 1그룹 동사(5단동사)

동사의 어미를 「イ단」으로 바꾸고 「～ません」을 붙인다.

・かく 쓰다 → かきます 씁니다 → かきません 쓰지 않습니다

・のむ 마시다 → のみます 마십니다 → のみません 마시지 않습니다

▶ 2그룹동사(1단동사)　어미 「る」를 빼고 「～ません」을 붙인다.

・おきる 일어나다 → おきます 일어납니다 → おきません 일어나지 않습니다

・たべる 먹다 → たべます 먹습니다 → たべません 먹지 않습니다

・みる 보다 → みます 봅니다 → みません 보지 않습니다

▶ 3그룹 동사(변격동사)

・する 하다 → します 합니다 → しません 하지 않습니다

・くる 오다 → きます 옵니다 → きません 오지 않습니다

24 동사의 て 접속형

「て형」이라고도 하는 일본 동사의 활용으로, '～하고, ～해서' 정도로 해석된다.

▶ 1그룹 동사(5단동사)

1그룹 동사가 「て」와 연결될 때는 자연스럽게 발음하기 위해 음편 현상이 일어난다.

① 촉음편 : 「う, つ, る」로 끝나는 동사는 「う, つ, る」 대신 「って」를 붙인다.

- かう 사다 → かって 사고
- 取る 들다 → 取って 들고
- たつ 일어서다 → たって 일어서서

② 발음편 : 「ぬ, ぶ, む」로 끝나는 동사는 「ぬ, ぶ ,む」 대신 「んで」를 붙인다.

- しぬ 죽다 → しんで 죽어서
- 飲む 마시다 → 飲んで 마시고
- 遊ぶ 놀다 → 遊んで 놀고

③ い음편 : 「く, ぐ」로 끝나는 동사는 「く」 대신 「いて」, 「ぐ」 대신 「いで」를 붙인다.

- 書く 쓰다 → 書いて 쓰고, 써서
- 泳ぐ 헤엄치다 → 泳いで 헤엄쳐서

④ し음편 : 「す」로 끝나는 동사는 「す」 대신 「して」를 붙인다.

- 話す 말하다 → 話して 말하고, 말해서

- 果物を 買って 家に 帰ります。 과일을 사서 집에 돌아갑니다. 〈촉음편〉
- 子供たちは 運動場で 遊んでいます。 〈발음편〉
  아이들은 운동장에서 놀고 있습니다.
- 手紙を 書いてだします。 편지를 써서 부칩니다. 〈い음편〉
- ゆっくり 話してください。 천천히 말해 주세요. 〈し음편〉

▶ 2그룹 동사(1단동사)

기본형 「る」를 「て」로 바꾼다.

- おきる 일어나다 → おきて 일어나서
- たべる 먹다 → たべて 먹고

▶ 3그룹 동사(변격동사)

- する 하다 → して 하고, 해서
- くる 오다 → きて 오고, 와서

25 동사의 과거형

동사의 「て형」에서 「て」를 「た」로 바꾼다. 「た형」이라고도 한다.

▶ 1그룹 동사(5단동사)

- 買う 사다 → 買って 사고 → 買った 샀다
- 飲む 마시다 → 飲んで 마시고 → 飲んだ 마셨다
- 書く 쓰다 → 書いて 쓰고, 써서 → 書いた 썼다
- 話す 말하다 → 話して 말하고, 말해서 → 話した 말했다

- 昨夜は お酒を 飲んだ。 어젯밤에는 술을 마셨다.

▶ 2그룹 동사(1단동사)

- おきる 일어나다 → おきて 일어나서 → おきた 일어났다
- たべる 먹다 → たべて 먹고 → たべた 먹었다

- 今日は 朝早く 起きた。 오늘은 아침 일찍 일어났다.

▶ 3그룹 동사(변격동사)

- する 하다 → して 하고, 해서 → した 했다
- くる 오다 → きて 오고, 와서 → きた 왔다

26 동사의 정중한 과거형

동사에 「～ます」를 붙이면 정중한 표현이 되었다. 이 「ます」 대신 「～ました」를 붙이면 정중한 과거 표현이 된다.

▶ 1그룹 동사(5단동사)

- かく 쓰다 → かきます 씁니다 → かきました 썼습니다
- のむ 마시다 → のみます 마십니다 → のみました 마셨습니다

- お酒を 飲みました。 술을 마셨습니다
- 手紙を 書きました。 편지를 썼습니다.

▶ 2그룹 동사(1단동사)

- おきる 일어나다 → おきます 일어납니다 → おきました 일어났습니다
- たべる 먹다 → たべます 먹습니다 → たべました 먹었습니다

- 朝 早く 起きました。 아침 일찍 일어났습니다.

- カレーライスを たべました。 카레라이스를 먹었습니다.

▶ **3그룹 동사(변격동사)**

- する 하다 → します 합니다 → しました 했습니다

- くる 오다 → きます 옵니다 → きました 왔습니다

27 존재 동사

▶ **ある와 いる**

존재를 나타내는 동사에는 「ある」와 「いる」가 있다. 「ある」는 혼자서는 움직일 수 없는 식물이나 물건, 「いる」는 혼자서 움직일 수 있는 사람이나 동물의 존재를 나타낼 때 쓴다.

- 机の 上に 本が あります。 책상 위에 책이 있습니다.

- 教室の 中に 学生が います。 교실 안에 학생이 있습니다.

- 海に 魚が います。 바다에 물고기가 있습니다.

28 동사의 가능형

'~할 수 있다'는 동사의 가능 표현에는 다음 두 가지가 있다.

▶ **동사의 기본형+ことができる**

동사의 기본형에 「〜ことができる」를 붙이면, '~할 수 있다'는 가능 표현이 된다. 반대로 '~할 수 없다'고 하려면 「〜ことができない」를 붙이면 된다.

- 私は 日本語を 読むことが できます。 나는 일본어를 읽을 수 있습니다.

- 辛い キムチを 食べることが できます。 매운 김치를 먹을 수 있습니다.

- 英語を 話すことが できません。 영어를 말할 수 없습니다.

▶ 가능 동사

① 1그룹 동사(5단동사) : 어미를 「エ단」으로 바꾸고 「る」를 붙인다.

・読む 읽다 → 読める 읽을 수 있다　　　　　・書く 쓰다 → 書ける 쓸 수 있다

・私は 日本語が 読めます。 나는 일본어를 읽을 수 있습니다.

・私は 漢字が 書けます。 나는 한자를 쓸 수 있습니다.

② 2그룹 동사(1단동사) : 어미 「る」를 「られる」로 바꾼다.

・食べる 먹다 → 食べられる 먹을 수 있다

・鈴木さんは 辛い キムチが 食べられます。 스즈키 씨는 매운 김치를 먹을 수 있습니다.

③ 3그룹 동사(변격동사)

・する 하다 → できる 할 수 있다　　　　　・くる 오다 → こられる 올 수 있다

・私は テニスが できます。 나는 테니스를 할 수 있습니다.

* '~을(를) 할 수 있다'에서 '~을(를)'에 해당하는 일본어는 「を」가 아니라, 「が」이다. 즉, 가능 동사의 목적이 되는 대상을 나타낼 때는 조사 「が」를 쓴다.

29 과거 경험 표현

▶ ~たことがある

과거에 '~한 적이 있다'라고 할 때는 동사의 과거형(た형)에 「~ことがある」를 붙인다.

・中国に 行った ことが あります。 중국에 간 적이 있습니다.

・この 料理を 食べた ことが ありますか。 이 요리를 먹어 본 적이 있습니까?

・あの 人に 会った ことが あります。 그 사람을 만난 적이 있습니다.

30 수수(授受) 동사

▶ **あげる・くれる・もらう**

「あげる(주다)・くれる(주다)・もらう(받다)」를 수수 동사(물건이나 행위를 주고 받는 동사)라고 한다.

① あげる : 나 또는 다른 사람이 제 3자에게 주는 경우에 쓴다. 같은 의미의 「やる」는 동년배나 손아 랫사람에게 쓴다.

· 私は あなたに プレゼントを あげました。 나는 당신에게 선물을 주었습니다.

② くれる: 다른 사람이 나에게 주는 경우에 쓴다.

· あなたは 私に プレゼントを くれました。 당신은 나에게 선물을 주었습니다.

③ もらう : 나 또는 다른 사람이 제 3자에게 받을 때 쓴다.

· 私は あなたに プレゼントを もらいました。 나는 당신에게 선물을 받았습니다.

▶ **〜てあげる(さしあげる)・〜てくれる(くださる)・〜てもらう(いただく)**

① 〜てあげる(〜てさしあげる) : 나 또는 다른 사람이 제 3자에게 어떤 행위를 '〜해 주다(드리다)'.

· 私が あなたに 日本語を 教えて さしあげます。 내가 당신에게 일본어를 가르쳐 드리겠습니다.

② 〜てくれる(〜てくださる) : 제 3자가 나 또는 다른 사람에게 어떤 행위를 '〜해 주다(주시다)'.

· 先生が 私に 日本語を 教えてくださいます。 선생님이 내게 영어를 가르쳐 주십니다.

③ 〜てもらう(〜ていただく) : 나 또는 다른 사람이 제 3자에게 어떤 행위를 '〜해 받다(주시다)'.

· 私は 先生に 日本語を 教えていただきます。
나는 선생님께 일본어를 가르쳐 받습니다. (선생님께서 일본어를 가르쳐 주십니다.)

31 동사의 의뢰 표현

▶ **〜てください**

「〜てください」는 '〜해 주세요, 〜해 주십시오'라는 의미의 의뢰 표현으로, 앞서 공부한 동사의 て 형에 접속한다.

· はやく 起きてください。 빨리 일어나세요.   · 私に 話してください。 나한테 말해 주세요.

· ちょっと 待ってください。 잠시 기다려 주세요.   · こちらに 来てください。 이쪽으로 와 주세요.

32 허가 · 금지

▶ **〜てもいいですか・〜ては いけません　〜해도 좋습니까? · 〜해서는 안됩니다**

허가 표현인 「〜てもいいですか」에 대해, 허락할 때는 「はい、いいです(かまいません)」라고 하고, 허락하지 않을 때는 「いいえ、〜てはいけません(だめです)」과 같은 금지 표현을 쓴다. 모두 て형에 접속한다.

- 本を 見てもいいですか。책을 봐도 됩니까?

- いいえ、見てはいけません。아니오. 보면 안 됩니다.

33 동사의 진행 · 상태

▶ **〜ている · 〜てある**

「〜ている·〜てある」는 앞에 오는 동사가 목적어가 필요한 타동사인지 목적어가 필요 없는 자동사인지에 따라 동작의 현재 진행이나 상태 · 결과 등을 나타낸다. 일본어 동사 중에는 타동사도 되면서 자동자도 되는 동사도 있다.

① 타동사 + ている : ~하고 있다 〈동작 진행〉

- ドアを 開けて います。문을 열고 있습니다.　• テレビを 見て います。텔레비전을 보고 있습니다.

② 자동사 + ている : ~해 있다 〈자연적인 상태〉

- ドアが 開いて います。문이 열려 있습니다.　• 花が 咲いて います。꽃이 피어 있습니다.

③ 타동사 + てある : ~해져 있다 〈행위의 결과 · 인위적인 상태〉

- ドアが 開けて あります。문이 열려져 있습니다.

- テーブルの 上に 本が おいて あります。테이블 위에 책이 놓여 있습니다.

34 동사의 명령형

자기보다 손아랫사람이나 동년배 사이에서 쓰는 표현으로, 의뢰 표현인 「〜てください(〜해 주세요)」보다 직접적인 표현이다.

▶ 1그룹 동사(5단동사) : 동사의 어미를 「エ단」으로 바꾼다.

- 読む 읽다 → 読め 읽어라!　　　　　　　　- 行く 가다 → 行け 가라!

▶ 2그룹 동사(1단동사) : 동사의 어미 「る」를 「ろ」 또는 「よ」로 바꾼다.

- 見る 보다 → 見ろ・見よ 보라!　　　　　　- 出る 나가다 → 出ろ・出よ 나가라!

▶ 3그룹 동사(변격동사)

- する 하다 → しろ・せよ 해라!　　　　　　- 来る 오다 → 来い 와라!

※ 부정 명령 : '〜하지 마(라)'라고 할 때는 모든 동사의 기본형에 「な」를 붙인다.

- 見る 보다 → 見るな 보지 마　　- 行く 가다 → 行くな 가지 마　　- する 하다 → するな 하지 마

35 동사의 가정 표현

▶ **동사의 가정형 + ば　〜하면**

동사의 가정형을 만드려면, 동사 종류에 관계없이 어미를 「エ단」으로 바꾸고, 「ば」를 붙인다.

- 見る 보다 → 見れば 보면　　　　　　　　- 行く 가다 → 行けば 가면
- 来る 오다 → 来れば 오면　　　　　　　　- する 하다 → すれば 하면

- この 本を 読めば わかります。 이 책을 읽으면 알 수 있습니다.

▶ **동사의 기본형 + と　〜하면**

동사의 기본형에 조사 「と」를 붙이면, 가정 표현이 된다.

- 行く 가다 → 行くと 가면　　　　- 来る 오다 → 来ると 오면　　- する 하다 → すると 하면

* 상황을 가정해 그것을 조건으로 말할 경우는 「가정형+ば」가 오고, 어떤 상황에 이어서 다음 상황이 올 때는 「기본형+と」가 온다.
- 春に なると 花は 咲きます。 봄이 되면 꽃은 핍니다.

36 부정의 가정 표현

▶ **～ければ ～하지 않으면**

'～하면'의 부정 표현인 '～하지 않으면'을 만들려면, 동사의 「ない형」에서 「～ない」의 「い」대신 「ければ」를 붙이면 된다.

- 見ない 보지 않다 → 見なければ 보지 않으면
- 来ない 오지 않다 → 来なければ 오지 않으면
- 行かない 가지 않다 → 行かなければ 가지 않으면
- しない 하지 않다 → しなければ 하지 않으면

- はやく 起きなければ 遅刻します。 빨리 일어나지 않으면 지각합니다.

37 의무 · 당연

▶ **～なければならない**

동사의 ない형에 「～なければならない」를 붙이면 '～하지 않으면 안 된다, ～해야 한다'는 당연 또는 의무를 나타내는 표현이 된다.

- 毎朝、朝ごはんを 食べなければならない。 매일 아침 아침밥을 먹지 않으면 안 된다.
- 約束は 守らなければならない。 약속은 지켜야 한다.
- 一生懸命 勉強しなければならない。 열심히 공부하지 않으면 안 된다.

38 い형용사의 가정형

▶ **～ければ**

い형용사의 가정형은 い형용사의 어미 「い」 대신 「ければ」를 붙이면 된다.

- 長い 길다 → 長ければ 길면
- 遅い 늦다 → 遅ければ 늦으면

- この かばん、やすければ 買います。 이 가방, 싸면 사겠습니다.
- 寒くなければ 行きます。 춥지 않으면 가겠습니다.

39 な형용사의 가정형

▶ ~なら

な형용사의 어미「だ」대신「なら」를 붙이면 な형용사의 가정형이 된다.

- 好きだ 좋다 → 好きなら 좋다면
- 下手だ 서툴다 → 下手なら 서툴다면

- あなたが 好きなら、私も 好きです。 당신이 좋으면, 나도 좋습니다.
- 野菜が 新鮮なら 買います。 채소가 신선하면 사겠습니다.

40 동사의 수동 표현

남에게 '~함을 당하다'라는 일본 동사의 수동 표현은 다음과 같이 만든다.

① 1그룹 동사(5단동사) : 어미를「ア단」으로 바꾸고「れる」를 붙인다.

- 泣く 울다 → 泣かれる 울리다

② 2그룹 동사(1단동사) : 어미「る」를「られる」로 바꾼다.

- 食べる 먹다 → 食べられる 먹히다

③ 3그룹 동사(변격동사)

- する 하다 → される 당하다
- くる 오다 → こられる 찾아오다(옴을 당하다)

동사의 수동 표현은 일반적인 수동의 의미 외에도 '가능, 자발, 존경'의 뜻으로 쓰인다.

① 수동

- 先生に しかられました。 선생님께 야단맞았습니다.
- 隣の人に 足を 踏まれました。 옆사람에게 발을 밟혔습니다.

② 가능

- 私は 日本語が 書かれます。 나는 일본어를 쓸 수 있습니다.
- この 子は 百まで 数えられます。 이 아이는 백까지 셀 수 있습니다.

③ 존경

· お客様が 来られました。 손님이 오셨습니다.

· 父は 毎朝 6時に 起きられます。 아버지는 매일 아침 6시에 일어나십니다.

④ 자발

· クリスマスが 待たれます。 크리스마스가 기다려집니다.

· 初恋の 人が 思い出されます。 첫사랑이 생각납니다.

41 동사의 사역 표현

'~하게 하다, ~시키다'로 해석되는 사역형은 다음과 같이 만든다.

① 1그룹 동사(5단동사) : 어미를 「ア단」으로 바꾸고 「せる」를 붙인다.

· 泣く 울다 → 泣かせる 울게 하다

· 私は 弟を 泣かせました。 나는 동생을 울렸습니다.

② 2그룹 동사(1단동사) : 어미 「る」를 「させる」로 바꾼다.

· 食べる 먹다 → 食べさせる 먹게 하다

· お母さんが 子供に ご飯を 食べさせました。 엄마가 아이에게 밥을 먹였습니다.

③ 3그룹 동사(변격동사)

· する 하다 → させる 시키다   · くる 오다 → こさせる 오게 하다

· 先生は 私に 教室の 掃除を させました。 선생님은 나에게 교실 청소를 시켰습니다.

· 9時までに 来させました。 9시까지 오게 했습니다.

42 사역 수동 표현

사역 수동 표현은 말 그대로 사역에 수동 표현이 더해진 것이다. 우리말로 해석하면, '~함을 당하다, 어쩔 수 없이 ~하게 되다' 정도. 일반적으로 손윗사람이 손아랫사람에게 한 지시나 명령을 손아랫사람의 입장에서 말할 때 쓴다. 불쾌한 상황을 강조할 때 많이 쓴다.

• 私は 母に きらいな 料理を 食べさせられました。
나는 엄마가 시켜서 어쩔 수 없이 싫어하는 요리를 먹었습니다.

• 私は 駅の 前で 彼女に 三時間も 待たせられました。
나는 그녀가 기다리라고 해서 역 앞에서 3시간이나 기다렸습니다.

• 弟は 父に 靴を 磨かせられました。 남동생은 아버지가 시켜서 어쩔 수 없이 구두를 닦았습니다.
*사역 수동 표현은 사역형인 「〜(さ)せる」에 어미 「る」를 빼고 수동의 「られる」를 붙인다.

43 추측 표현

▶ 〜だろう · 〜でしょう

「〜だ(〜이다)」의 추측 표현인 '〜일 것이다'는 「〜だろう」, 「〜です(〜입니다)」의 추측 표현인 '〜겠지요'는 「〜でしょう」이고, 동사의 기본형에 접속한다.

• あしたも 雪が 降るだろう。〈동사〉 내일도 눈이 올 것이다.

• 彼は もう すぐ 来るでしょう。〈동사〉 그는 이제 곧 오겠지요.

명사나 い형용사 · な형용사의 경우도 뒤에 「〜だろう」, 「〜でしょう」가 오면 추측 표현이 된다.
い형용사는 기본형 다음에, 그리고 な형용사는 기본형에서 「だ」 대신 붙인다.

• あしたも いい 天気だろう(でしょう)。〈명사〉 내일도 날씨가 좋을 것이다(좋겠지요).

• あの くつは 高いだろう(でしょう)。〈い형용사〉 그 구두는 비쌀 것이다 (비싸겠지요).

• その 部屋は 静かだろう(でしょう)。〈な형용사〉 그 방은 조용할 것이다(조용하겠지요).

44 권유 · 의지 표현

▶ 〜う · 〜よう

'〜하자/〜하겠다'와 같은 보통형의 권유, 의지 표현은 다음과 같이 만든다.

① 1그룹 동사(5단동사) : 어미를 「オ단」으로 바꾸고 「う」를 붙인다.

• 家に 帰ろう。 집으로 돌아가자.

② 2그룹 동사(1단동사) : 기본형의 「る」를 「よう」로 바꾼다.

- 一緒に 映画でも 見よう。 같이 영화라도 봅시다.

③ 3그룹 동사(변격동사)

「くる」는 「こよう」, 「する」는 「しよう」가 된다.

- あしたから 一緒に 運動しよう。 내일부터 함께 운동하자.

▶ ~ましょう

'~합시다/~하겠습니다'와 같은 정중형의 권유, 의지 표현은 「~ます」를 「~ましょう」로 바꾸면 된다.

- コーヒーでも 一杯 飲みましょう。 커피라도 한잔 마십시다.

45 존경 표현

말하는 사람이 듣는 사람이나 화제가 되는 사람의 행동, 상태를 높일 때 쓰는 것이 존경어이다.

① お[ご]+동사의 ます형 +になる

- 何時ごろ お帰りになりますか。 몇 시쯤 귀가하십니까?
- 何を お飲みになりますか。 무엇을 드시겠습니까?

② 동사의 ない형에서 「ない」를 빼고 「れる」, 「られる」를 붙인다. → 수동형의 존경 표현

- お客さんが 来られました。 손님이 오셨습니다.

③ お[ご]+동사의 ます형 + です

- お出かけですか。 외출하십니까?　　　　・お呼びですか。 부르셨습니까?

④　기타 동사

- 行く 가다, 来る 오다, いる 있다 → いらっしゃる 가시다. 오시다. 계시다
- 食べる 먹다, 飲む 마시다 → めしあがる 드시다
- 言う 말하다 → おっしゃる 말씀하시다　　　　・する 하다 → なさる 하시다

46 겸양 표현

말하는 사람 자신의 행위를 낮추어서 상대방에게 경의를 나타내는 것이 겸양어이다.

① お[ご]＋동사의 ます형 [한자어]＋する
　 お[ご]＋동사의 ます형 [한자어]＋いたす

・お持ちします。 들어다 드리겠습니다.　　　　　　・お願いいたします。 부탁 드리겠습니다.

・ご連絡いたします。 연락 드리겠습니다.

② 기타 동사

・行く 가다・来る 오다 → まいる 가다・오다, 伺う 찾아뵙다, 上がる 가다・찾아뵙다

・食べる 먹다・飲む 마시다 → いただく 먹다

・言う 말하다 → 申す 말하다・申し上げる 말씀 올리다

・会う 만나다 → おめにかかる 찾아뵙다

・やる 하다 → あげる 하다・さしあげる 해 드리다

・いる 있다 → おる 있다　　　　　　　　　・する 하다 → いたす 하다

47 ～そうだ

▶ 추측 (양태) : ～같다

① 형용사의 어간＋そうだ → い형용사의 어미 「い」, な형용사의 어미 「だ」를 빼고 「そうだ」를 붙인다.

・あの料理は おいしそうです。 저 요리는 맛있을 것 같습니다.

・あの掃除機は 便利そうです。 저 청소기는 편리할 것 같습니다.

② 동사의 ます형＋そうだ

・雨が 降りそうです。 비가 올 것 같습니다.

▶ 전문 : ～라고 한다

명사, 형용사, 동사의 기본형에 접속한다.

• それは 彼女の 財布だそうです。 그것은 그녀의 지갑이라고 합니다.

• 今年の 冬は 寒いそうです。 올 겨울은 춥다고 합니다.

• 彼は 親切だそうです。 그는 친절하다고 합니다.

• 天気予報に よると、あしたは 雨が 降るそうです。 일기예보에 따르면, 내일은 비가 온다고 합니다.

48 ～たい

▶ 희망 : ～하고 싶다

'～하고 싶다'는 희망을 나타내는 「～たい」는 동사의 ます형에 접속하며, 그 대상에는 목적격 조사 「を」대신 「が」가 온다. 「～たい」는 い형용사와 같이 활용한다.

• フランス料理が 食べたいです。 프랑스 요리가 먹고 싶습니다.

• 私は 東京に 行きたいです。 나는 도쿄에 가고 싶습니다.

• 髪は 切りたくないです。 머리는 자르고 싶지 않습니다.

＊「～たい」는 1, 2인칭 화자의 희망이며, 3인칭 화자의 희망을 나타낼 때는 「～たがる」를 쓴다.

49 ～らしい

▶ 추측 : ～인 것 같다

'(확실하지는 않지만 어떤 근거에 의해) ～인 것 같다'는 추측을 나타낼 때 쓴다. 동사, い형용사, 명사의 기본형 그리고 な형용사의 어간에 접속한다.

• 中国語は 難しいらしい。 중국어는 어려운 것 같다.　• 彼女は 元気らしい。 그녀는 건강한 것 같다.

• 明日は 雨が 降るらしい。 내일은 비가 올 것 같다.　• 彼は 学生らしい。 그는 학생 같다(그는 학생답다).

＊「らしい」가 주로 사람을 나타내는 명사에 붙으면 접미어로 쓰여 '～답다'는 의미가 되기도 한다.

50 ～ようだ

▶ **불확실한 추측 : ～같다**

い형용사, な형용사, 동사의 연체형(명사를 수식하는 형태)에 접속하여 불확실한 추측이나 단정을 나타낸다.

- あしたは 忙しいようです。 내일은 바쁠 것 같습니다.
- 夜は タクシーより バスの ほうが 安全なようです。 밤에는 택시보다 버스가 안전한 것 같습니다.
- 事務所に だれか いるようです。 사무실에 누군가 있는 것 같습니다.
- 雨が 止んだ ようです。 비가 그친 것 같습니다.

▶ **비유·예시 : ～과(와) 같다**

주로 명사 다음에 「～のようだ」의 형태로 접속하여 '마치 ～같다'는 의미를 나타낸다.

- 月日は 水の 流れの ようです。 세월은 물의 흐름과 같습니다.
- 彼の ような 人格者は 少ない。 그와 같은 인격자는 드물다.

▶ **목적 : ～하도록**

동사의 기본형 또는 ない형에 붙어 목적을 나타낸다.

- 誰にも わからないように そっと 家を 出た。 아무도 모르게 슬그머니 집을 나왔다.

51 조사 の

▶ **の : ～의, ～의 것, ～인 등**

- 日本の 歌です。 일본 노래입니다. 〈명사와 명사 연결〉
- これは 私の かばんです。 이것은 내 가방입니다. 〈소유〉
- 先生の 父 교사인 아버지 〈동격〉
- 勉強の とき 공부할 때 〈시간〉
- 雷の 鳴る 夜は 怖い。 천둥이 치는 밤은 무섭다. 〈주격〉

* 조사 「の」의 용법은 매우 다양하다. 다양한 예문을 통해 학습하도록 한다.

52 조사 と

▶ と : ~와 (과), ~라고 등

- 机の 上に 本と ノートが あります。 책상 위에 책과 노트가 있습니다. 〈열거〉
- 母は『勉強しなさい』といいました。 엄마는 "공부하거라"라고 말했습니다. 〈인용〉
- 氷が 水と なります。 얼음이 물이 됩니다. 〈결과〉
- 今は 昔と 違う。 지금은 옛날과 다르다. 〈비교〉

53 조사 に

▶ に : ~에, ~(으)로, ~에게, ~(하)러

- 私は 6時に 起きた。 나는 6시에 일어났다. 〈시간〉
- 机の 上に ノートが ある。 책상 위에 노트가 있다. 〈위치 · 장소〉
- 信号が 赤に 変わった。 신호가 빨강으로 바뀌었다. 〈결과〉
- 遊びに 行きます。 놀러 갑니다. 〈목적〉
- 山に 登りました。 산에 올라갔습니다. 〈귀착점〉
- 友達に 会いました。 친구를 만났습니다. 〈대상〉

54 조사 へ, や

▶ へ : ~에 , ~(으)로

- 私は 来年 日本へ 行きます。 나는 내년에 일본에 갑니다. 〈방향〉
- 会社へ 連絡します。 회사로 연락하겠습니다. 〈대상〉

▶ や : ~(이)나, ~랑

- そこで 本や ノートを 買いました。 거기에서 책이랑 노트를 샀습니다. 〈나열〉
- 暇の 時、新聞や 雑誌を 読みます。 한가할 때, 신문이나 잡지를 읽습니다. 〈나열〉

55 조사 で

▶ で : ～에서, ～(으)로, ～이면 등

- 図書館で 本を 読みます。 도서관에서 책을 읽습니다. 〈장소〉

- タクシーで 行きます。 택시로 갑니다. 〈수단〉

- 鉛筆で 字を 書きます。 연필로 글씨를 씁니다. 〈도구〉

- 風邪で 学校を 欠席しました。 감기로 학교를 결석했습니다. 〈원인 · 이유〉

- これは 三個で 900円です。 이것은 3개에 900엔입니다. 〈수량의 조건〉

56 조사 から

▶ から : ～에서, ～부터, ～로, ～때문에

- 学校から 帰ってきた。 학교에서 돌아왔다. 〈장소〉

- 授業は 9時から 12時までです。 수업은 9시부터 12까지입니다. 〈시간〉

  *～から～まで : ～에서 ～까지

- 葡萄から ワインを 作ります。 포도로 와인을 만듭니다. 〈재료〉

- 寒いから 早く 帰ったほうがいい。 추우니까 빨리 돌아가는 편이 낫겠다 〈이유, 원인〉

57 조사 か

▶ か : ～인지, ～인가?

- 好きか 嫌いか はっきりしなさい。 좋은지 싫은지 확실히 하시오. 〈양자 택일〉

- いつかは 行きたいと 思う。 언젠가는 가고 싶다고 생각한다. 〈불확실함〉

- 明日も 雨が 降るでしょうか。 내일도 비가 올까요? 〈의문〉

- 始まるか 始まらないかのうちに 終わってしまった。 시작하자마자 끝나고 말았다.

  * ～か～かのうちに ～하자마자

58 조사 など, だけ

▶ など : ~등, ~따위

- 本や ノートなどを 買った。 책이나 노트 등을 샀다. 〈예시〉

- 金などは 要らない。 돈 따위는 필요 없다. 〈경멸〉

▶ だけ : ~뿐, ~만, ~만큼

- これだけは 確かです。 이것만은 확실합니다. 〈한정〉

- それだけ 読めれば いい。 그 정도만 읽으면 된다. 〈정도〉

- 努力しただけの ことは あった。 노력한 만큼의 보람은 있었다. 〈상응〉

59 조사 ながら, ぐらい

▶ ながら : ~하면서, ~면서도

- 歩きながら 食べる。 걸으면서 먹는다. 〈동작의 병행〉

- 知っていながら 教えてくれない。 알면서도 가르쳐 주지 않는다. 〈모순된 사실〉

▶ ぐらい : ~정도, ~쯤

- 教室に 学生が 10人ぐらいいる。 교실에 학생이 10명 정도 있다. 〈수량〉

- これぐらい なら だれでも できる。 그 정도라면 누구나 할 수 있다. 〈한도〉

60 조사 でも, しか

▶ でも : ~라도, ~이든지

- コーヒーでも いかがですか。 커피라도 어떻습니까? 〈예시〉

- 何でも かまわない。 무엇이든 상관없다. 〈전면적인 긍정, 부정〉

▶ しか : ~밖에 (한정을 나타내며 뒤에 부정이 온다)

· 千円しか 持っていません。 천 엔밖에 가지고 있지 않습니다.

· テレビを 見るだけしか 楽しみがない。 텔레비전을 보는 것밖에는 즐거움이 없다.

61 조사 まで, より

▶ まで : ~까지 (시간 장소의 한계)

· 明日 10時まで 提出しなさい。 내일 10시까지 제출하세요.

· ソウルから 東京まで 何時間ぐらい かかりますか。 서울에서 도쿄까지 몇 시간 정도 걸립니까?

▶ より : ~보다, ~밖에

· 今年は 昨年より 暑いです。 올해는 작년보다 덥습니다. 〈비교〉

· 勉強するより 方法が ない。 공부하는 것밖에 방법이 없다. 〈한정〉

62 조사 ほど, が

▶ ほど : ~정도, ~만큼, ~수록 (~ば~ほど 꼴로 쓰임)

· 三日ほど 休みました。 3일 정도 쉬었습니다. 〈정도〉

· 見れば 見るほど うつくしい。 보면 볼수록 아름답다.

▶ が : ~이(가), ~지만

· これが 私の 本です。 이것이 내 책입니다. 〈주격〉

· 残念ですが、お金が ありません。 죄송하지만, 돈이 없습니다. 〈역접〉

63 조사 ばかり

▶ ばかり : ~만, ~정도, ~쯤, 막 ~한

- あの人は 勉強ばかり している。 그 사람은 공부만 하고 있다. 〈한정〉
- 1万ウォンばかり もっています。 1만 원 정도 가지고 있습니다. 〈정도〉
- 今、帰ってきた ばかりです。 지금 막 돌아왔습니다. 〈동작이 막 끝난 상태〉
- 出かけるばかりの ところへ お客さんが 来た。 나가려던 참에 손님이 왔다. 〈동작을 하려는 상태〉

64 조사 ずつ, たり, こそ

▶ ずつ : ~씩 (수량에 붙음)

- 一人ずつ 話してください。 한 사람씩 말해 주세요.

▶ たり : ~하기도 하고 (~たり~たり 꼴로 씀)

- 本を 読んだり 音楽を 聴いたりします。 책을 읽기도 하고 음악을 듣기도 합니다.

▶ こそ : ~야말로

- 私こそ よろしく お願いします。 저야말로 잘 부탁드립니다.

65 조사 よ, ね, わ

▶ よ : ~요 (감동이나 강조할 때 문장의 맨끝에 씀)

- この 料理は おいしいよ。 이 요리는 맛있어요.

▶ ね : ~요 (감동이나 다짐을 나타내며 문장의 맨끝에 옴)

- これは 安くて いいですね。 이것은 싸고 좋군요.

▶ わ : ~요 (여성어로, 문장의 맨끝에 쓰이며 감동이나 단정을 나타냄)

- 私は コーヒーに するわ。 난 커피로 할래요.

54

왕초보를 위한
상황별 패턴회화

1 일상 인사

- 안녕하세요. (아침)

  おはようございます。
  오하요- 고자이마스.

- 안녕하세요. (점심)

  こんにちは。
  곤-니찌와.

- 안녕하세요. (저녁)

  こんばんは。
  곰-방-와.

- 안녕히 주무세요. (잠자리에 들 때)

  おやすみなさい。
  오야스미나사이.

- 감사합니다.

  ありがとうこざいます。
  아리가또- 고자이마스.

- 수고하셨습니다.

  おつかれさまでした。
  오쯔까레사마데시따.

- 미안합니다. 실례합니다. 저기요.

  すみません。
  스미마셍-.

- 미안합니다.

  ごめんなさい。
  고멘-나사이.

2 생활 인사

- 다녀오겠습니다.

  いってきます。
  잇-떼 기마스.

- 잘 다녀오세요.

  いってらっしゃい。
  잇-떼랏-샤이.

- 다녀왔습니다.

  ただいま。
  다다이마.

- 잘 다녀왔어요?

  おかえりなさい。
  오까에리나사이.

- (음식점) 어서 오세요.

  いらっしゃいませ。
  이랏-샤이마세.

- 잘 먹겠습니다.

  いただきます。
  이따다끼마스.

- 잘 먹었습니다.

  ごちそうさまでした。
  고찌소-사마데시따.

- 먼저 실례하겠습니다.

  お先に 失礼します。
  오사끼니 시쯔레-시마스.

3 오랜만에 하는 인사

- 오랜만입니다.
  ご無沙汰しています。
  고부사따시떼이마스.

- 가족들은 건강하시죠?
  ご家族は お元気ですか。
  고까조꾸와 오겡-끼데스까.

- 네. 덕분에요.
  はい。お蔭様で。
  하이. 오까게사마데.

- 안부 전해 주세요.
  よろしく お伝えて ください。
  요로시꾸 오쯔따에 구다사이.

- 많이 컷네요.
  すっかり 大きく なりましたね。
  슥-까리 오-끼꾸 나리마시따네.

- 시간은 정말 빠르네요.
  時間は とても 早いですね。
  지깡-와 도떼모 하야이데스네.

- 요새 어떻게 지내셨어요?
  最近 どう 過ごしましたか。
  사이낑- 도- 스고시마시따까.

- 부모님은 건강하시죠?
  ご両親は お元気ですか。
  고료-싱-와 오겡-끼데스까.

4 상대에게 하는 인사말

- 덕분에 잘 지내고 있습니다.
  おかげさまで 元気です。
  오까게사마데 겡-끼데스.

- 컨디션이 좋아요.
  調子が いいです。
  쪼-시가 이-데스.

- 그저 그래요.
  まあまあです。
  마-마-데스.

- 여전하지요.
  あいかわらずです。
  아이까와라즈데스.

- 한가합니다.
  暇です。
  히마데스.

- 큰 변화는 없습니다.
  特に 変わりは ありません。
  도꾸니 가와리와 아리마셍-

- 바쁘지만 건강합니다.
  忙しいですが 元気です。
  이소가시-데스가 겡-끼데스.

- 나쁘지 않아요.
  悪くないです。
  와루꾸나이데스.

5 첫대면 인사

- 처음 뵙겠습니다.

  はじめまして。

  하지메마시떼.

- 만나서 반갑습니다.

  会えて うれしいです。

  아에떼 우레시-데스.

- 잘 부탁 드립니다.

  よろしく お願いします。

  요로시꾸 오네가이 시마스.

- 저야말로 잘 부탁드립니다.

  こちらこそ、よろしく。

  고찌라꼬소 요로시꾸.

6 헤어질 때 인사

- 만나서 정말 반가웠습니다.

  会えて ほんとうに うれしかったです。

  아에떼 혼-또-니 우레시깟-따데스.

- 즐거운 시간이었어요.

  楽しい 時間でした。

  다노시- 지깐-데시따.

- 다시 만날 수 있기를 기대할게요.

  また 会えることを 楽しみに します。

  마따 아에루꼬또오 다노시미니 시마스.

- 안녕히 가세요.

  さようなら。

  사요-나라.

- 그럼, 내일 만나요.

  じゃ、明日 会いましょう。

  쟈, 아시따 아이마쇼-.

- 바이 바이.

  バイバイ。

  바이바이

- 좋은 주말 보내.

  よい 週末を 過ごしてね。

  요이 슈-마쯔오 스고시떼네.

7 취미 이야기하기

- 취미는 음악 감상입니다.

  趣味は 音楽鑑賞です。

  슈미와 옹-가꾸 간-쇼-데스.

- 책읽기를 좋아합니다.

  読書が 好きです。

  도꾸쇼가 스키데스.

- 산책을 좋아합니다.

  散歩が 好きです。

  산-뽀가 스키데스.

- 특별한 취미는 없습니다.

  特別に 趣味は ありません。

  도꾸베쯔니 슈미와 아리마센-.

8 가족 이야기하기

- 네 식구입니다.

  四人 家族です。

  요닝- 가조꾸데스.

- 장남입니다.
  長男です。
  쵸-낭-데스.

- 아들이 한 명 딸이 한 명입니다.
  息子が 一人と 娘が 一人 います。
  무스꼬가 히또리또 무스메가 히또리 이마스.

- 자매 둘 입니다.
  姉と妹、二人です。
  아네또 이모-또 후다리데스.

- 위로 형이 있습니다.
  上に 兄が います。
  우에니 아니가 이마스.

- 제일 막내 아들입니다.
  一番 下の 息子です。
  이찌방- 시타노 무스꼬데스.

- 형제 세 명 중 가운데입니다.
  三人兄弟の 真ん中です。
  산-닝- 교-다이노 만-나까데스.

9 상대에게 궁금한 것 물어보기

- 성함이 어떻게 되시나요?
  お名前は 何ですか。
  오나마에와 난-데스까.

- 어디 사셔요?
  お住まいは どちらですか。
  오스마이와 도찌라데스까.

- 어떤 일을 하고 계셔요?
  お仕事は 何を なさっていますか。
  오시고또와 나니오 나삿-떼이마스까.

- 몇 살이세요?
  おいくつですか。
  오이꾸쯔 데스까.

- 취미는 무엇입니까?
  ご趣味は 何ですか。
  고슈미와 난-데스까.

- 어디 출신이십니까?
  ご出身は どちらですか。
  고슛-신-와 도찌라데스까.

- 어디에 근무하세요?
  どちらに お勤めですか。
  도찌라니 오쯔또메데스까.

10 상대에게 다시 묻기

- 지금 뭐라고 하셨나요?
  いま、なんて おっしゃいましたか。
  이마 난-떼 옷-샤이-마시따까.

- 다시 한 번 부탁드립니다.
  もう いちど おねがいします。
  모- 이찌도 오네가이시마스.

- 조금만 천천히 말씀해 주시지 않겠어요?
  もう 少し ゆっくり 話して いただけませんか。
  모- 스꼬시 육-쿠리 하나시떼 이따다께마셍-까.

11 상대에게 맞장구(응수)하는 표현

- 그렇습니까?
  そうですか。
  소-데스까.

- 과연.

  なるほどね。
  나루호도네.

- 그것 잘됐네요.

  それは よかったですね。
  소레와 요깟-따데스네.

- 참 굉장하네요.

  ほんとうに すごいですね。
  혼-또-니 스고이데스네.

12 상대에게 고마움을 표시할 때

- 정말 고맙습니다.

  どうも ありがとうございます。
  도-모 아리가또-고자이마스.

- 여러 가지로 감사합니다.

  いろいろ ありがとうございます。
  이로이로 아리가또-고자이마스.

- 여러분 덕분입니다.

  みんなの おかげです。
  민-나노 오까게데스.

- 더 분발하겠습니다.

  もっと がんばります。
  못-또 감-바리마스.

- 신경 써 주셔서 감사합니다.
  お気遣い ありがとうございます。
  오끼즈까이 아리가또-고자이마스.

- 마음을 써주셔서 감사합니다.
  お心遣い ありがとうございます。
  오꼬꼬로즈까이 아리가또-고자이마스.

13 상대에게 칭찬받았을 때

- 아니에요. 아니에요.

  いいえ、いいえ。
  이-에.이-에.

- 대단한 일은 아닙니다.
  大した ことじゃ ないんです。
  다이시따 고또쟈 나인-데스.

- 열심히 했을 뿐입니다.
  熱心に やった だけです。
  넷-신-니 얏-따 다께데스.

- 너무 칭찬하지 마셔요. (부끄럽습니다)

  あまり ほめないでください。
  아마리 호메나이데 구다사이.

14 위로의 인사말

- 정말 유감입니다.
  本当に 残念です。
  혼-또-니 잔-넨-데스.

- 운이 나빴어요.
  運が わるかったんです。
  운-가 와루깟-딴-데스.

- 너무 실망하지 마세요.
  あまり 気を おとさないでね。
  아마리 기오 오또사 나이데네.

- 또 기회가 있겠지요.

  また、チャンスが あるでしょう。
  마따 챤-스가 아루데쇼-.

15 사과하는 표현

- 정말, 미안해요.
  本当に ごめんなさい。
  혼-또-니 고멘-나사이.

- 드릴 말씀이 없습니다.
  申し訳ありません。
  모-시 와께아리마센-.

- 제가 틀렸습니다.
  私が 間違っていました。
  와타시가 마찌갓-떼 이마시따.

- 마음으로부터 사죄드립니다.
  心から お詫び 申し上げます。
  고꼬로까라 오와비 모-시아게마스.

16 사과에 대한 응대

- 신경 쓰지 마세요.
  気に しないでください。
  기니 시나이데 구다사이.

- 괜찮은데.
  別に いいですよ。
  베쯔니 이-데스요.

- 사과하지 않아도 괜찮아요.
  謝らなくても いいです。
  아야마라 나꾸떼모 이-데스.

- 이제 신경 쓰지 않는걸요.
  もう 気に していません。
  모- 기니 시테 이마센-.

17 특별한 때의 인사

- 새해 인사드립니다(새해 복 많이 받으세요).
  明けまして おめでとうございます。
  아께마시떼 오메데또-고자이마스.

- 좋은 해 맞으시길 기원합니다.
  よい お年に なりますように。
  요이 오또시니 나리마스 요-니.

- 생일 축하해.
  誕生日 おめでとう。
  단-죠-비 오메데또-.

- 입학을 축하합니다.
  入学 おめでとうございます。
  뉴-가꾸 오메데또-고자이마스.

- 졸업을 축하합니다.
  卒業 おめでとうございます。
  소쯔교- 오메데또-고자이마스.

- 취직을 축하합니다.
  就職 おめでとうございます。
  슈-쇼꾸 오메데또-고자이마스.

- 출산 축하합니다.
  ご出産 おめでとうございます。
  고슛-산- 오메데또-고자이마스.

18 생일 축하 표현

- 생일 축하해요.
  お誕生日 おめでとうございます。
  오딴-죠-비 오메데또-고자이마스.

- 즐거운 생일을 보내세요.
  楽しい お誕生日を お過ごしください。
  다노시- 오딴-죠-비오 오스고시 구다사이.

- 앞으로도 아무쪼록 건강하시길.
  これからも どうぞ お元気で。
  고레까라모 도-조 오겡-끼데.

19 여러 가지 축하 표현

- 정말 잘 어울리는 커플이네요.
  本当に お似合いの カップルですね。
  혼-또-니 오니아이노 캅-뿌루데스네.

- 오래 오래 행복하세요.
  末長く お幸せに。
  스에나가꾸 오시아와세니.

- 행복을 기원합니다.
  幸福を 祈っています。
  고-후꾸오 이놋-떼이마스.

20 날짜 묻기

- 오늘은 며칠입니까?
  今日は 何日ですか。
  교-와 난-니찌데스까.

- 어제는 며칠이었죠?
  昨日は 何日でしたか。
  기노-와 난-니찌데시따까.

- 오늘은 무슨 요일이죠?
  今日は 何曜日ですか。
  교-와 나니요-비데스까.

- 5일은 무슨 요일이었죠?
  5日は 何曜日でしたか。
  이쯔까와 나니요-비데시따까.

21 시간 묻기

- 지금 몇 시입니까?
  今 何時ですか。
  이마 난-지데스까.

- 시간을 알려주시지 않겠습니까?
  時間を 教えてくださいませんか。
  지깡-오 오시에떼 구다사이마셍-까.

- 지금 몇 시 몇 분입니까?
  今 何時 何分ですか。
  이마 난-지 남-뿡-데스까.

22 시간에 대한 대답

- 12시 정각입니다.
  ちょうど 12時です。
  죠-도 쥬-니지데스.

- 오전 9시 반입니다.
  午前 9時半です。
  고젠- 구지한-데스.

- 3시 좀 넘었네요.
  3時 ちょっと 過ぎです。
  산-지 촛-또 스기데스.

- 좀 있으면 5시가 되네요.
  もうすぐ 5時です。
  모-스구 고지데스.

23 전화 걸기 표현

- 여보세요. 저는 ○○○입니다만.

  もしもし、私は○○○ですが。

  모시모시, 와따시와 ○○○데스가.

- ○○○ 댁인가요?

  ○○○さんの お宅ですか。

  ○○○산-노 오따꾸데스까.

- ○○○ 씨 계셔요?

  ○○○さん いらっしゃいますか。

  ○○○상- 이랏-샤이마스까.

- ○○○ 씨 부탁합니다.

  ○○○さん、お願いします。

  ○○○상-, 오네가이시마스.

24 일본에서 전화받기

- 실례지만, 누구시죠?

  失礼ですが、どちらさまですか。

  시쯔레-데스가 도찌라사마데스까.

- 예, 그렇습니다

  はい、そうです。

  하이, 소-데스.

- 잠깐 기다려 주세요.

  少々 待って ください。

  쇼-쇼- 맛-떼 구다사이.

- 지금 바꿔드리겠습니다.

  いま、かわります。

  이마, 가와리마스.

25 찾는 사람이 없을 때 표현

- 마침, 지금 외출중입니다.

  あいにく、今外出中ですが。

  아이니꾸, 이마 가이슛-쮸-데스가.

- 지금 없는데요.

  今、いませんが。

  이마, 이마셍-가.

- 아직 안 왔는데요.

  まだ 帰って いません。

  마다 가엣-떼 이마셍-.

- 전할 말씀 있으세요?

  何か お伝えしましょうか。

  나니까 오쯔다에시마쇼-까.

26 전화를 끊을 때

- 죄송합니다만, 메모를 부탁합니다.
  (상대가 부재 중일 때)

  すみませんが、伝言、お願いします。

  스미마셍-가, 뎅-곤-, 오네가이시마스.

- 전화 왔었다고 전해주세요.

  電話が あったと 伝えて ください。

  뎅-와가 앗-따또 쯔따에떼 구다사이.

- 안부 전화했었다고 전해 주시겠어요?

  よろしく お伝えください。

  요로시꾸 오쯔따에 구다사이.

27 고마움 표현하기

● 전화 고마워요.

お電話 ありがとうございます。

오뎅-와 아리가또-고자이마스.

● 편지 고마워요.

手紙 ありがとう。

데가미 아리가또-.

● 예쁜 그림엽서 고마워요.

きれいな 絵ハガキ ありがとうね。

기레이나 에하가끼 아리가또-네.

● 바로 답장해 줘서 고맙습니다.

すぐ 返事を ぐださって ありがとう。

스구 헨-지오 구다삿-떼 아리가또-.

28 팩스

● 팩스로 보내 주세요.

ファクスで 送って ください。

화쿠스데 오꿋-떼 구다사이.

● 팩스 번호를 가르쳐 주세요.

ファクス番号を 教えて ください。

화쿠스 방-고-오 오시에떼 구다사이.

● 팩스 왔나요?

ファクス 届きましたか。

화쿠스 도도끼마시따까.

29 메일

● 메일 주소를 가르쳐 주세요.

メールアドレスを 教えて ください。

메-루 아도레스오 오시에떼 구다사이.

● 문자가 깨져 있네요.

文字化けして います。

모지바께시떼 이마스.

● 스팸메일이 와서 곤란하네요.

迷惑メールが 来て 困って います。

메이와꾸 메-루가 기떼 고맛-떼 이마스.

30 메뉴 주문하기

● 오늘의 스페셜 메뉴는 무엇이죠?

今日の スペシャル メニューは 何ですか。

교-노 스페샤루 메뉴-와 난-데스까.

● 추천요리는 무엇입니까?

お勧め 料理は 何ですか。

오스스메 료-리와 난-데스까.

● 이건 어떤 음식인가요?

これは どんな 食べものですか。

고레와 돈-나 다베모노데스까.

● 이 중에서 가장 빨리 되는 요리는 무엇입니까?

この 中で 何が 一番 早く できますか。

고노 나까데 나니가 이찌방- 하야꾸 데끼마스까.

● 빨리 나옵니까?

すぐ できますか。

스구 데끼마스까.

- 맛은 어때요?
  味は いかがですか。
  <ruby>味<rt>あじ</rt></ruby>は いかがですか。
  아지와 이까가데스까.

- 포장해 주세요.
  持ち帰りで お願いします。
  모찌가에리데 오네가이시마스.

31 식사할 때 인사말

- 맛있겠네.
  おいしそう。
  오이시소-.

- 맛있었어요.
  おいしかったです。
  오이시깟-따데스.

- 배가 많이 고팠어요.
  おなかが ぺこぺこでした。
  오나까가 뻬꼬뻬꼬데시따.

- 잘 먹었습니다.
  ごちそうさまでした。
  고찌소-사마데시따.

32 패스트푸드점에서 주문시

- 햄버거 주세요.
  ハンバーガー ください。
  함-바-가- 구다사이.

- 콜라 S사이즈로 주세요.
  コーラの Sを ください。
  코-라노 에스오 구다사이.

- 치킨 너겟 하나 주세요.
  チキンナゲット 一つ ください。
  치킨-나겟-또 히또쯔 구다사이.

33 식당에서 자리 부탁하기

- 금연석을 부탁합니다.
  禁煙席を お願いします。
  깅-엔-세끼오 오네가이시마스.

- 흡연석을 부탁합니다.
  喫煙席を お願いします。
  기쯔엔-세끼오 오네가이시마스.

- 창 쪽이 좋습니다.
  窓側が いいです。
  마도가와가 이-데스.

- 테라스 자리를 부탁합니다.
  テラス席を お願いします。
  테라스세끼오 오네가이시마스.

34 계산할 때

- 오늘은 각자 부담해요.
  今日は 割り勘しましょう。
  교-와 와리깡-시마쇼-.

- 제건 제가 내지요.
  私の分は 私が 出します。
  와따시노 붕-와 와따시가 다시마스.

- 잘 먹었습니다.
  ごちそうさまでした。
  고찌소-사마데시따.

- 오늘은 내가 대접할게요.
今日は 私が おごります。
교-와 와따시가 오고리마스.

35 요리 표현하기

- 짜네요.
塩辛いです。
시오까라이데스.

- 맛이 진하네요.
味が 濃いですね。
아지가 고이데스네.

- 기름기가 많네요.
脂っこいね。
아부랏-꼬이네.

- 좀 더 익혀 주세요.
もう 少し 焼いて ください。
모- 스꼬시 야이떼 구다사이.

36 옷 사기

- 저는 S사이즈입니다.
私は Sサイズです。
와따시와 에스사이즈데스.

- 아마 저는 M사이즈가 괜찮을 겁니다.
たぶん 私は Mで 大丈夫 だろうと 思います。
다붕- 와따시와 에무데 다이죠-부 다로-또 오모이마스.

- L사이즈라면 너무 클 거예요.
Lサイズなら 大きすぎます。
에루 사이즈나라 오-끼-스기마스.

37 쇼핑하기

- ○○을 사고 싶은데요.
○○を 買いたいんですが。
○○오 가이따잉-데스가.

- 이것 어떻게 하면 되나요?
これ、どうしたら いいんでしょうか。
고레, 도-시따라 이-잉-데쇼-까.

- 잠깐 구경하려구요.
ちょっと 見るだけです。
촛-또 미루다께데스.

- 다른 스타일을 보여 주세요.
違う スタイルの ものを 見せて ください。
찌가우 스따이루노 모노오 미세떼 구다사이.

- 사용법을 알려 주세요.
使い方を 教えて ください。
쯔까이까따오 오시에떼 구다사이.

- 좀 더 좋은 것은 어떻습니까?
もっと いいものは ありませんか。
못-또 이-모노와 아리마셍-까.

38 사이즈 설명하기

- 저는 L사이즈입니다.
私は Lサイズです。
와따시와 에루사이즈데스.

- 저는 M사이즈면 될 겁니다.
  私は Mサイズで いいと 思います。
  와따시와 에무사이즈데 이-또 오모이마스.

- 이걸로 큰 사이즈는 없나요?
  これで 大きい サイズは ありませんか。
  고레데 오-끼- 사이즈와 아리마셍-까.

39 색과 디자인의 설명

- 빨간색이 좋아요.
  赤い 色が 好きです。
  아까이 이로가 스끼데스.

- 이건 너무 화려해요.
  これは 派手すぎます。
  고레와 하데스기마스.

- 이걸로 다른 색깔은 없나요?
  これの 別の 色は ありますか。
  고레노 베쯔노 이로와 아리마스까.

- 다른 디자인은 없나요?
  他の デザインは ありませんか。
  호까노 데자잉-와 아리마셍-까.

40 계산하기

- 소비세 포함입니까?
  消費税込みですか。
  쇼-히제-꼬미데스까.

- 전부 합해서 얼마입니까?
  全部で いくらですか。
  젬-부데 이꾸라데스까.

- 좀 싸게 해 주시겠어요?
  ちょっと 安くして いただけませんか。
  촛-또 야스꾸시떼 이따다께마셍-까.

- 너무 비싸네요.
  高すぎます。
  다까스기마스.

- 카드 되나요?
  カードは 使えますか。
  카-도와 쯔가에마스까.

- 한국 원으로 계산할 수 있나요?
  韓国ウォンで 計算できますか。
  강-꼬꾸 원-데 게-상-데끼마스까.

41 배달 포장을 부탁할 때

- 포장할 수 있습니까?
  包装 できますか。
  호-소- 데끼마스까.

- 배달 가능합니까?
  配達は できますか。
  하이따쯔와 데끼마스까.

- 배달 요금은 얼마입니까?
  配達 料金は いくらですか。
  하이따쯔 료-낑-와 이꾸라데스까.

- 봉투 주시겠어요?
  封筒 もらえますか。
  후-또- 모라에마스까.

42 반품을 원할 때

- 이것을 반품하고 싶은데요.

  これを 返品したいんですが。

  고레오 헴-삥-시따잉-데스가.

- 이것 환불할 수 있나요?

  これ、払い戻し できますか。

  고레, 하라이모도시 데끼마스까.

- 이것을 다른 것과 바꾸고 싶은데요.

  これを 別の ものと 交換したいんです。

  고레오 베쯔노 모노또 고-깐-시따잉-데스.

43 터미널이나 정류장을 묻는 말

- 길을 잃었어요.

  道に 迷ってしまいました。

  미찌니 마욧-떼 시마이마시따.

- 죄송합니다만, 역은 어디지요?

  すみませんが、駅は どこですか。

  스미마셍-가, 에끼와 도꼬데스까.

- 버스터미널은 어딘가요?

  バスターミナルは どこですか。

  바스 타-미나루와 도꼬데스까.

- 택시 승차장은 어디죠?

  タクシー 乗り場は どこですか。

  다꾸시- 노리바와 도꼬데스까.

44 특정한 장소를 묻는 말

- 신주쿠역까지 가는 방법을 가르쳐 주시겠어요?

  新宿駅までの 行き方を 教えて くださいませんか。

  신-쥬꾸에끼마데노 이끼까따오 오시에떼 구다사이마셍-까.

- 도쿄역까지 제일 빨리 가는 방법을 가르쳐 주세요.

  東京駅まで 一番 早く 着く 行き方を 教えて ください。

  도-꾜-에끼마데 이찌방- 하야꾸 쯔꾸 이끼까따오 오시에떼 구다사이.

- 이 근처에 공중 화장실은 없습니까?

  この 近くに 公衆トイレは ありませんか。

  고노 찌까꾸니 고-슈-또이레와 아리마셍-까.

45 길 안내하기

- 이 길을 똑바로 가 주세요.

  この 道を まっすぐ 行って ください。

  고노 미찌오 맛-스구 잇-떼 구다사이.

- 신호를 건너 주세요.

  信号を 渡って ください。

  싱-고-오 와땃-떼 구다사이.

- 오른쪽으로 꺾어 주세요.

  右に 曲がってください。

  미기니 마갓-떼 구다사이.

46 버스

- 버스비는 얼마입니까?
  バスの 運賃は いくらですか。
  바스노 운―찡―와 이꾸라데스까.

- 어디 버스 정류장에서 내리면 됩니까?
  どこの バス停で 降りれば いいですか。
  도꼬노 바스떼―데 오리레바 이―데스까.

- 이 버스는 도쿄역까지 갑니까?
  この バスは 東京駅まで 行きますか。
  고노 바스와 도―꾜―에끼마데 이끼마스까.

47 지하철

- 이 근처에 역은 없나요?
  この 近くに 駅は ありませんか。
  고노 찌까꾸니 에끼와 아리마셍―까.

- 매표소는 어디에 있나요?
  切符売り場は どこに ありますか。
  깁―뿌우리바와 도꼬니 아리마스까.

- 급행열차는 몇 분마다 옵니까?
  急行電車は 何分おきに 来ますか。
  규―꼬―덴―샤와 남―뿡―오끼니 기마스까.

- 환승역은 어디입니까?
  乗り換え駅は どこですか。
  노리까에 에끼와 도꼬데스까.

- 지하철 노선도는 없습니까?
  地下鉄路線図は ありませんか。
  찌까떼쯔 로센―즈와 아리마셍―까.

- 막차는 몇 시입니까?
  終電は 何時ですか。
  슈―뎅―와 난―지데스까.

- 표를 잃어버렸습니다.
  切符を なくしました。
  깁―뿌오 나꾸시마시따.

48 택시

- 신주쿠역까지 부탁합니다.
  新宿駅まで お願いします。
  신―쥬꾸에끼마데 오네가이시마스.

- 트렁크를 열어 주세요.
  トランクを 開けて もらえますか。
  토랑―꾸오 아께떼 모라에마스까.

- 금방 올테니 잠시 기다려 주세요.
  すぐに 戻りますので、ちょっと 待ってください。
  스구니 모도리마스노데, 촛―또 맛―떼 구다사이.

49 비행기

- 일본까지의 항공권을 예약하고 싶은데요.
  日本までの 航空券を 予約したいのですが。
  니혼―마데노 고―꾸―껭―오 요야꾸시따이노데스가.

- 안전벨트를 매 주세요.
  シートベルトを お締めください。
  시―또베루또오 오시메 구다사이.

- 모포를 주시겠어요?

  毛布を いただけますか。

  모-후오 이따다께마스까.

- 불을 꺼요.

  火を 消してよ。

  히오 게시떼요.

50 날씨를 묻는 말

- 그쪽 날씨는 어떻습니까?

  そちらの 天気は いかがですか。

  소찌라노 뎅-끼와 이까가데스까.

- 거기는 맑습니까?

  そこは 晴れて いますか。

  소꼬와 하레떼 이마스까.

- 그쪽은 눈이 자주 오나요?

  そちらは 雪が よく 降りますか。

  소찌라와 유끼가 요꾸 후리마스까.

- 그쪽 날씨는 어땠나요?

  そちらの 天気は どうでしたか。

  소찌라노 뎅-끼와 도-데시따까.

51 지진에 대해

- 일본은 지진이 많다.

  日本は 地震が 多い。

  니홍-와 지싱-가 오-이.

- 여진이 있을지도 모릅니다.

  余震が あるかもしれません。

  요싱-가 아루까모시레마셍-.

- 화산이 분화했어요.

  火山が 噴火しました。

  가장-가 훈-까시마시따.

52 날씨를 표현하는 말

- 오늘은 맑은 후 흐리겠습니다.

  今日は 晴れのち 曇りでしょう。

  교-와 하레노찌 구모리데쇼-.

- 날씨가 나빠지겠습니다.

  天気が くずれて きます。

  뎅-끼가 구즈레떼 기마스.

- 으스스 추운 날씨네요.

  肌寒い 天気ですね。

  하다사무이 뎅-끼데스네.

- 너무 춥네요.

  寒さが 厳しいですね。

  사무사가 기비시-데스네.

- 상쾌한 하루가 되겠네요.

  さわやかな 一日に なるでしょう。

  사와야까나 이찌니찌니 나루데쇼-.

- 너무 무덥네요.

  とても 蒸し暑いですね。

  도떼모 무시아쯔이데스네.

- 눅눅한 날씨네요.

  じめじめと して いますね。

  지메지메또 시떼 이마스네.

- 오늘은 햇살이 강하네요.

  今日は 日差しが 強いですね。

  교-와 히자시가 쯔요이데스네.

53 계절을 나타내는 말

- 완연한 봄 날씨네요.
  すっかり 春めいて きました。
  슥—까리 하루메이떼 기마시따.

- 신록이 아름답네요.
  新芽が きれいですね。
  심—메가 기레—데스네.

- 장마가 시작되었네요.
  梅雨に 入りました。
  쯔유니 하이리마시따.

- 장마가 끝났네요.
  梅雨が 明けました。
  쯔유가 아께마시따.

- 너무 더워.
  暑すぎるよ。
  아쯔스기루요.

- 햇살이 눈부셔.
  日差しが まぶしいね。
  히자시가 마부시—네.

- 해가 길어졌지요?
  日が 長くなりましたね。
  히가 나가꾸 나리마시따네.

54 상대의 행동을 묻는 표현

- 지금 뭘 하고 있나요?
  今、何を して いますか。
  이마, 나니오 시떼 이마스까.

- 지금 무얼 보고 계십니까?
  今、何を 見て いますか。
  이마, 나니오 미떼 이마스까.

- 지금 읽고 있는 것은 무엇입니까?
  今 読んで いるのは 何ですか。
  이마 욘—데 이루노와 난—데스까.

- 지금 바쁘세요?
  今、忙しいですか。
  이마, 이소가시—데스까.

55 시간이 있는지 묻는 표현

- 지금 한가해요?
  今、暇ですか。
  이마, 히마데스까.

- 지금 시간 있으세요?
  今、お時間 ありますか。
  이마, 오지깐— 아리마스까.

- 지금 이야기할 수 있어요?
  今、話できますか。
  이마, 하나시 데끼마스까.

- 잠깐 괜찮아요?
  ちょっと、いいですか。
  좃—또, 이—데스까.

56 상대가 뭘 하냐고 물었을 때

- 지금 밥 먹고 있는 중인데요.
  今 ご飯を 食べて いる ところです。
  이마 고항—오 다베떼 이루 도꼬로데스.

- 지금 청소하고 있던 중인데요.
今、掃除を して いる ところです。
이마, 소-지오 시떼 이루 도꼬로데스.

- 잠깐 쉬고 있던 참이였어요.
ちょっと 休んで いる ところです。
촛-또- 야슨-데 이루 도꼬로데스.

- 샤워하고 있었어요.
シャワーして いました。
샤와-시떼 이마시따.

- 공부하고 있었어요.
勉強中でした。
벵-꾜-쭈-데시따.

- 숙제를 하고 있었어요.
宿題を やって いました。
슈꾸다이오 얏-떼 이마시따.

- 아이랑 놀고 있었어요.
子供と 遊んでいました。
고도모또 아손-데 이마시따.

57 일의 진척 상황 묻기

- 잘 되고 있어요?
うまく いって いますか。
우마꾸 잇-떼 이마스까.

- 일은 순조로운가요?
仕事は 順調ですか。
시고또와 준-쵸-데스까.

- 다 잘 되어가고 있나요?
すべて うまく いってますか。
스베떼 우마꾸 잇-떼마스까.

- 예정대로 진행되고 있나요?
予定通りに 進んで いますか。
요떼-도오리니 스슨-데 이마스까.

58 진행 상황 설명하기

- 생각했던 것보다 잘 되고 있어요.
思ったより 早く 進んで います。
오못-따요리 하야꾸 스슨-데 이마스.

- 제 페이스대로 어떻게든 하고 있어요.
マイペースで 何とか やって います。
마이뻬-스데 난-또까 얏-떼 이마스.

- 고전하고 있습니다.
苦戦してます。
구센-시떼마스.

59 기쁠 때 표현

- 정말 기쁘네요.
ほんとうに うれしいです。
혼-또-니 우레시-데스.

- 그 말을 듣고 너무 기분이 좋아졌습니다.
その 言葉を 聞いて すごく うれしくな
りました。
소노 고또바오 기이떼 스고꾸 우레시꾸나리마시따.

- 너무 기뻐요.
うれしくて たまりませんね。
우레시꾸떼 다마리마센-네.

60 일이 해결되어 안심하는 표현

● 겨우 마음이 놓이네요.

やっと、ほっとしました。

얏-또, 홋-또 시마시따.

● 마음이 편해졌다.

気が 楽になった。

기가 라꾸니 낫-따.

● 안심해도 되겠지요?

安心しても いいでしょう。

안-신-시떼모 이-데쇼-.

● 무엇보다 다행이네요.

何より 幸いです。

나니요리 사이와이데스.

61 슬픔 표현하기

● 너무 슬퍼요.

とても 悲しいです。

도떼모 가나시-데스.

● 가슴이 찢어질듯 슬퍼요.

胸が 張り裂けるくらい 悲しいです。

무네가 하리사께루꾸라이 가나시-데스.

● 실컷 울고 싶은 심정입니다.

思い切り 泣きたい 気分です。

오모이끼리 나끼따이 기분-데스.

62 화가 날 때 표현

● 이제 정말 화가 난다.

もう ほんとうに 頭に きちゃった。

모- 혼-또-니 아따마니 기짯-따.

● 정말 이젠 질렸어요.

もう うんざりです。

모- 운-자리데스.

● 더 이상 참을 수 없어요.

これ以上、がまんできないんです。

고레 이죠-, 가만-데끼나인-데스.

63 상대방을 걱정할 때 하는 말

● 괜찮아요?

大丈夫ですか。

다이죠-부데스까.

● 안색이 안 좋아요.

顔色が 悪いです。

가오이로가 와루이데스.

● 걱정거리라도 있나요?

何か 心配事でも あるんですか。

나니까 심-빠이고또데모 아룬-데스까.

64 상대의 상태 묻기

● 기분은 어때요?

気分は どうですか。

기붕-와 도-데스까.

- 안색이 좋아 보여요.
  顔色が いいですね。
  가오이로가 이-데스네.

- 많이 피곤해 보이네요.
  とても つかれて みえるよ。
  도떼모 쯔까레떼 미에루요.

- 건강해 보이네요.
  元気そうですね。
  겡-끼소-데스네.

- 요즘 많이 피곤하네요.
  この頃、疲れ気味です。
  고노고로, 쯔까레기미데스.

- 잠이 부족해요.
  寝不足です。
  네부소꾸데스.

- 식욕이 없네요.
  食欲が ないんです。
  쇼꾸요꾸가 나인-데스.

65 좋은 상태 표현하기

- 몸 컨디션이 좋아요.
  体調が いいです。
  다이쪼-가 이-데스.

- 건강합니다.
  健康です。
  겡-꼬-데스.

- 컨디션이 좋아요.
  コンディションがいいです。
  콘-디숑-가 이-데스.

- 몸 상태 아주 좋습니다.
  元気 いっぱいです。
  겡-끼 입-빠이데스.

67 감기의 증상을 나타내는 말

- 감기에 걸렸어요.
  風邪を ひきました。
  가제오 히끼마시따.

- 열이 있네요.
  熱が あります。
  네쯔가 아리마스.

- 머리가 지끈지끈 아픈데요.
  頭が ずきずきします。
  아따마가 즈끼즈끼시마스.

- 코가 막혔어요.
  鼻が つまっています。
  하나가 쯔맛-떼 이마스.

- 가래가 나와요.
  痰が 出ます。
  단-가 데마스.

- 목이 아프네요.
  喉が 痛いです。
  노도가 이따이데스.

66 안 좋은 상태 표현하기

- 몸 상태가 나빠요.
  体調が 悪いです。
  다이쪼-가 와루이데스.

- 재채기가 계속 나오는데요.

  くしゃみが とまりません。

  구샤미가 도마리마센-.

- 어질어질하네요.

  めまいがします。

  메마이가 시마스.

- 속이 울렁울렁합니다.

  胃が むかむかします。

  이가 무까무까시마스.

- 토할 것 같아요.

  吐気が します。

  하끼께가 시마스.

68 휴식 권유 표현

- 몸 조심하세요.

  体を お大事にして ください。

  가라다오 오다이지니 시떼 구다사이.

- 푹 쉬세요.

  ゆっくり 休んで ください。

  육-꾸리 야슨-데 구다사이.

- 맘 편하게 지내셔요.

  気楽に お過ごしください。

  기라꾸니 오스고시 구다사이.

- 무리하지 마셔요.

  無理しないで ください。

  무리시나이데 구다사이.

69 아픈 증상 표현하기

- 배가 아파요.

  お腹が 痛いです。

  오나까가 이따이데스.

- 설사가 멈추질 않네요.

  下痢が 止まりません。

  게리가 도마리마센-.

70 부상을 입었을 때

- 다쳤네요.

  けがを して しまいました。

  게가오 시떼 시마이마시따.

- 피가 멈추지 않네요.

  出血が 止まりません。

  슉-께쯔가 도마리마센-.

- 화상을 입었어요.

  やけどを しました。

  야께도오 시마시따.

- 다리를 삐었어요.

  足首を ねんざしました。

  아시꾸비오 넨-자시마시따.

71 환전할 때 표현

- 환전하고 싶어요.

  両替したいんですが。

  료-가에 시따잉-데스가.

- 오늘 환율은 얼마입니까?

  今日の レートは いくらですか。

  교-노 레-또와 이꾸라데스까.

- 창구는 어디로 가야 되죠?
  窓口は どちらですか。
  마도구찌와 도찌라데스까.

- 수표에 서명해야 하나요?
  小切手に 署名が 必要ですか。
  고깃ー떼니 쇼메ー가 히쯔요ー데스까.

72 은행에 가서

- 현금자동인출기는 어디에 있습니까?
  現金自動支払機は どこに ありますか。
  겡ー낑ー지도ー시하라이끼와 도꼬니 아리마스까.

- 계좌를 개설하고 싶어요.
  口座を もうけたいです。
  고ー자오 모ー께따이데스.

- 이율은 몇 퍼센트입니까?
  利息は 何パーセントですか。
  리소꾸와 남ー빠ー센ー또데스까.

- 예금하고 싶은데요.
  預金したいんです。
  요낑ー시따잉ー데스.

- 돈을 찾고 싶어요.
  お金を 下ろしたいです。
  오까네오 오로시따이데스.

- 은행에 계좌를 개설했어요.
  銀行に 口座を 作りました。
  깅ー꼬ー니 고ー자오 쯔꾸리마시따.

- 잔고는 얼마나 됩니까?
  残高は どれくらい ありますか。
  잔ー다까와 도레꾸라이 아리마스까.

73 우체국에서

- 빠른 우편으로 부탁합니다.
  速達で お願いします。
  소꾸따쯔데 오네가이시마스.

- 우표 2장 주세요.
  切手2枚ください。
  깃ー떼 니마이 구다사이.

- 등기로 보내 주세요.
  書留に してください。
  가끼또메니 시떼 구다사이.

- 무게를 달아 주세요.
  重さを 計ってください。
  오모사오 하깟ー떼 구다사이.

일본어 여행 회화

04

1 좌석찾기

- 좌석으로 안내해 드릴까요?

  お座席に ご案内しましょうか。

  오자세끼니 고안-나이 시마쇼-까.

- 예, 부탁드리겠습니다.

  はい、お願いします。

  하이, 오네가이시마스.

- 제 좌석은 어디입니까?

  私の 席は どこですか。

  와따시노 세끼와 도꼬데스까.

- 탑승권을 보여 주십시오.

  搭乗券を 見せて ください。

  도-죠-껭-오 미세떼 구다사이.

- 예, 여기 있습니다.

  はい、これです。

  하이, 고레데스.

- 우측 복도편 좌석입니다.

  右側の 通路側の 座席です。

  미기가와노 쯔-로가와노 자세끼데스.

2 음식물 제공할 때

- 식사는 뭘로 하시겠습니까?

  食事は 何に なさいますか。

  쇼꾸지와 나니니 나사이마스까.

- 스테이크로 하겠습니다.

  ステーキに します。

  스떼-끼니 시마스.

- 음료는 뭘로 하시겠습니까?

  飲み物は 何に なさいますか。

  노미모노와 나니니 나사이마스까.

- 커피 부탁해요.

  コーヒーを お願いします。

  고-히-오 오네가이시마스.

- 설탕과 크림도 부탁합니다.

  砂糖と クリームも お願いします。

  사또-또 쿠리-무모 오네가이시마스.

- 물 한 잔만 주세요.

  お水を 一杯 ください。

  오미즈오 입-빠이 구다사이.

3 불편할 때

- 머리가 아픈데, 약 있습니까?

  頭が 痛いんですが、薬 ありますか。

  아따마가 이따인-데스가, 구스리 아리마스까.

- 두통이군요. 곧 가져다 드리겠습니다.

  頭痛ですね。すぐ お持ちします。

  즈쯔-데스네. 스구 오모찌시마스.

- 몸이라도 불편하십니까?

  体の 具合でも 悪いのですか。

  가라다노 구아이데모 와루이노데스까.

- 멀미약을 부탁해요.

  よい止め薬を お願いします。

  요이도메꾸스리오 오네가이시마스.

- 열이 있습니다.

  熱が あります。

  네쯔가 아리마스.

- 속이 좋지 않습니다.
  気分が 悪いです。
  기붕—가 와루이데스.

4 입국신고서 작성

- 입국신고서 작성하셨습니까?
  入国カードは お書きになりましたか。
  뉴—꼬꾸카—도와 오까끼니 나리마시따까.

- 쓰는 법을 좀 가르쳐 주시겠습니까?
  書き方を 教えて くれませんか。
  가끼까따오 오시에떼 구레마셍—까.

- 여기에 연락처와 여권번호를 쓰세요.
  こちらに 連絡先と 旅券番号を お書き
  ください。
  고찌라니 렌—라꾸사끼또 료껨—방—고—오 오까끼 구다
  사이.

- 펜을 빌려 주시겠습니까?
  ペンを 貸して もらえますか。
  펭—오 가시떼 모라에마스까.

- 이렇게 쓰면 되나요?
  このように 書けば いいですか。
  고노요—니 가께바 이—데스까.

5 입국심사

- 입국카드와 여권을 보여주십시오.
  入国カードと パスポートを 見せて くだ
  さい。
  뉴—꼬꾸카—도또 파스뽀—또오 미세떼 구다사이.

- 여행 목적은 무엇입니까?
  旅行の 目的は 何ですか。
  료꼬—노 모꾸떼끼와 난—데스까.

- 관광입니다.
  観光です。
  강—꼬—데스.

- 어디에서 오셨습니까?
  どこから 来ましたか。
  도꼬까라 기마시따까.

- 한국 서울에서 왔습니다.
  韓国の ソウルから 来ました。
  강—꼬꾸노 소—루까라 기마시따.

- 일본에서 며칠간 머무를 예정입니까?
  日本で 何日間 滞在する 予定ですか。
  니혼—데 난—니찌깐— 다이자이스루 요떼—데스까.

- 약 5일간입니다.
  約 5日間です。
  야꾸 이쯔쯔깐—데스.

- 어디에서 숙박하실 예정입니까?
  どこに お泊まりの 予定ですか。
  도꼬니 오또마리노 요떼—데스까.

- 유스호스텔입니다.
  ユースホステルです。
  유—스호스떼루데스.

- 직업은 무엇입니까?
  職業は 何ですか。
  쇼꾸교—와 난—데스까.

- 학생입니다.
  学生です。
  각세—데스.

- 좋은 여행되시길.

よい ご旅行を。

요이 고료꼬-오.

6 짐 찾기

- 짐은 어디에서 찾습니까?

荷物は どこで 受け取るんですか。

니모쯔와 도꼬데 우께또룬-데스까.

- 타고 오신 항공편은 무엇입니까?

乗って 来た 航空便は 何ですか。

놋-떼 기따 고-꾸-빙-와 난-데스까.

- KAL747편입니다.

KAL747 便です。

카-루 나나욘-나나빈-데스.

- 저기입니다.

あそこです。

아소꼬데스.

- 제 짐을 잃어버렸습니다.

私の 荷物を なくして しまいました。

와따시노 니모쯔오 나꾸시떼 시마이마시따.

- 제 짐이 안 나왔는데요.

私の 荷物が 出て きませんでした。

와따시노 니모쯔가 데떼 기마센-데시따.

7 세관검사

- 짐은 이게 전부입니까?

お荷物は これが 全部ですか。

오니모쯔와 고레가 젬-부데스까.

- 예, 그렇습니다.

はい、そうです。

하이, 소-데스.

- 뭐 신고할 물건은 없습니까?

何か 申告する ものは ありませんか。

나니까 신-꼬꾸스루 모노와 아리마센-까.

- 아니오, 없습니다.

いいえ、ありません。

이-에, 아리마센-.

- 가방을 열어 주십시오.

カバンを 開けて ください。

가방-오 아께떼 구다사이.

- 친구에게 줄 김치입니다.

友達に あげる キムチです。

도모다찌니 아게루 기무찌데스.

8 환전

- 환전소는 어디입니까?

両替所は どこですか。

료-가에쇼와 도꼬데스까.

- 저쪽 2번 창구입니다.

あそこの 2番の 窓口です。

아소꼬노 니반-노 마도구찌데스.

- 환전해 주십시오.

両替して ください。

료-가에시떼 구다사이.

- 어떻게 바꿔 드릴까요?

どのように 替えましょうか。

도노요-니 가에마쇼-까.

- 엔화로 바꿔 주세요.

  円に 替えて ください。

  엔–니 가에떼 구다사이.

- 여기에 서명해 주십시오.

  ここに サインして ください。

  고꼬니 사인–시떼 구다사이.

9 공항 교통 이용

- 우에노까지 어떻게 가면 되죠?

  上野まで どう 行けば いいですか。

  우에노마데 도– 이께바 이–데스까.

- 버스와 스카이라이너가 있습니다만.

  バスと スカイライナーが ありますが。

  바스또 스카이라이나–가 아리마스가.

- 스카이라이너는 어디에서 탑니까?

  スカイライナーは どこで 乗りますか。

  스카이라이나–와 도꼬데 노리마스까.

- 지하 1층입니다.

  地下 1階です。

  찌까 익–까이데스.

- 밖으로 나가 오른쪽에 있는 5번 정류장입니다.

  外へ 出て 右側の 5番 停留所です。

  소또에 데떼 미기가와노 고반– 데–류–죠데스.

- 표는 어디에서 삽니까?

  切符は どこで 買いますか。

  깁–뿌와 도꼬데 가이마스까.

10 기타 시설 이용

- 안내 센터는 어디입니까?

  インフォメーションセンターは どこですか。

  인–포메–숀–센–따–와 도꼬데스까.

- 관광 안내소는 어디입니까?

  観光案内所は どこですか。

  강–꼬–안–나이쇼와 도꼬데스까.

- JAL의 환승 카운터는 어디입니까?

  JALの 乗りつぎカウンターは どこですか。

  쟈–루노 노리쯔기카운–따–와 도꼬데스까.

- 몇 번 게이트입니까?

  何番 ゲートですか。

  남–반– 게–또데스까.

- 택시 타는 곳은 어디입니까?

  タクシー 乗り場は どこですか。

  타꾸시– 노리바와 도꼬데스까.

- 우에노의 센트럴호텔까지 부탁합니다.

  上野の セントラルホテルまで お願いします。

  우에노노 센–또라루호테루마데 오네가이시마스.

11 예약

- 1인실을 예약하고 싶습니다만.

  一人部屋を 予約したいのですが。

  히또리베야오 요야꾸시따이노데스가.

- 며칠부터 며칠간 묵으실 겁니까?

  何日から 何日間 お泊まりに なりますか。

  난–니찌까라 난–니찌깐– 오또마리니 나리마스까.

- 10월 13일부터 이틀입니다.
  10月 13日 から 2泊です。
  쥬―가쯔 쥬―산―니찌까라 니하꾸데스.

- 방값은 얼마입니까?
  部屋代は いくらですか。
  헤야다이와 이꾸라데스까.

- 1박에 8,000엔이고, 조식 포함입니다.
  1泊 8,000円で 朝食付きです。
  입―빠꾸 핫―셍―엔―데, 쵸―쇼꾸쯔끼데스.

- 방을 예약해 두었는데요.
  部屋を 予約したんですが。
  헤야오 요야꾸시딴―데스가.

12 룸서비스 요청

- 얼음과 물을 갖다 주실 수 없겠습니까?
  氷と 水を 持って きて いただけませんか。
  고―리또 미즈오 못―떼 기떼 이따다께마셍―까.

- 헤어드라이기를 갖다 주실 수 없겠습니까?
  ヘアドライヤーを 持って きて いただけませんか。
  헤아도라이야―오 못―떼 기떼 이따다께마셍―까.

- 모닝콜을 부탁하고 싶은데요.
  モーニングコールを お願いしたいんですが。
  모―닝―구코―루오 오네가이시따인―데스가.

- 몇 시가 좋으시겠습니까?
  何時が よろしいでしょうか。
  난―지가 요로시―데쇼―까.

- 아침 6시에 부탁합니다.
  朝 6時に お願いします。
  아사 로꾸지니 오네가이시마스.

- 세탁을 부탁하고 싶은데요.
  クリーニングを お願いしたいんですが。
  쿠리―닝―구오 오네가이시따인―데스가.

13 아침식사

- 아침식사는 어디에서 먹습니까?
  朝食は どこで 食べますか。
  쵸―쇼꾸와 도꼬데 다베마스까.

- 1층 식당입니다.
  1階の 食堂でございます。
  익―까이노 쇼꾸도―데고자이마스.

- 창가 쪽 테이블로 부탁합니다.
  窓ぎわの テーブルで お願いします。
  마도기와노 테―부루데 오네가이시마스.

- 이쪽으로 오십시오.
  こちらへ どうぞ。
  고찌라에 도―조.

- 무엇으로 드시겠습니까?
  何に なさいますか。
  나니니 나사이마스까.

- 우유와 토스트 주세요.
  牛乳と トースト お願いします。
  규―뉴―또 토―스또 오네가이시마스.

14 체크아웃

● 체크아웃 하겠습니다. 여기 룸키입니다

チェックアウトします。これ ルーム
キーです。

첵-꾸아우또시마스. 고레 루-무키-데스.

● 예, 여기 계산서입니다.

はい、こちらは 計算です。

하이, 고찌라와 게-산-데스.

● 지불은 어떻게 하시겠습니까?

支払いは どのように なさいますか。

시하라이와 도노요-니 나사이마스까.

● 현금으로 하겠습니다.

現金で します。

겡-낀-데 시마스.

● 이 카드로 지불하겠습니다.

この カードで 支払います。

고노 카-도데 시하라이마스.

● 여행자 수표로 지불해도 상관없습니까?

トラベラーズチェックで 払っても かまいませ
んか。

토라베라-즈첵-꾸데 하랏-떼모 가마이마셍-까.

15 숙박 기타 표현

● 더 싼 방은 없습니까?

もっと 安い 部屋は ありませんか。

못-또 야스이 헤야와 아리마셍-까.

● 방에 열쇠를 둔 채 잊고 나왔습니다.

部屋に 鍵を 置き忘れて 出ました。

헤야니 가기오 오끼와스레떼 데마시따.

● 텔레비전이 고장났습니다.

テレビが 故障しています。

테레비가 고쇼-시떼-마스.

● 방이 닫혀버렸습니다.

部屋を 閉め出されてしまいました。

헤야오 시메다사레떼 시마이마시따.

● 제 앞으로 메시지가 와 있습니까?

私宛の メッセージが きていますか。

와따시아떼노 멧-세-지가 기떼-마스까.

● 택시를 불러 주시겠습니까?

タクシーを 呼んで いただけませんか。

타꾸시-오 욘-데 이따다께마셍-까.

16 식당 기본 표현

● 일본 요리가 먹고 싶네요.

日本料理が 食べたいですね。

니혼-료-리가 다베따이데스네.

● 어디 좋은 데 없습니까?

どこか いい ところは ありませんか。

도꼬까 이- 도꼬로와 아리마셍-까.

● 맛있는 일본요리집이 있습니까?

おいしい 日本料理屋が ありますか。

오이시- 니혼-료-리야가 아리마스까.

● 제가 안내해 드리죠.

私が ご案内します。

와따시가 고안-나이시마스.

● 여기에서는 가벼운 식사가 가능합니까?

ここでは 軽い 食事が できますか。

고꼬데와 가루이 쇼꾸지가 데끼마스까.

- 여기는 싸고 맛있는 곳입니다.

  ここは 安くて おいしい ところです。

  고꼬와 야스꾸떼 오이시- 도꼬로데스.

17 고급 일식집에서

- 어서 오십시오. 몇 분이십니까?

  いらっしゃいませ。何名様でしょうか。

  이랏-샤이마세. 남-메-사마데쇼-까.

- 두 명입니다.

  二人です。

  후따리데스.

- 이쪽으로 오십시오. 메뉴입니다.

  こちらへ どうぞ。メニューでございます。

  고찌라에 도-조. 메뉴-데고자이마스.

- 추천요리는 무엇입니까?

  おすすめは 何ですか。

  오스스메와 난-데스까.

- 도미요리가 있습니다만.

  たい料理が ございますが。

  다이료-리가 고자이마스가.

- 그럼, 그걸로 주십시오.

  じゃあ、それを お願いします。

  쟈-, 소레오 오네가이시마스.

18 초대에 응해서 식사할 때

- 초대해 주셔서 감사합니다.

  お招き いただきまして ありがとうございます。

  오마네끼 이따다끼마시떼 아리가또-고자이마스.

- 아닙니다. 별말씀을요.

  いいえ、とんでもございません。

  이-에, 돈-데모고자이마셍-.

- 자, 들어오시죠.

  さあ、お上がり ください。

  사-, 오아가리 구다사이.

- 자, 우선 한 잔 합시다. 건배!

  さあ、まず 一杯 飲みましょう。乾杯！

  사-, 마즈 입-빠이 노미마쇼-. 감-빠이!

- 맛있어 보이네요. 잘 먹겠습니다.

  おいしそうですね。いただきます。

  오이시소-데스네. 이따다끼마스.

- 정말 잘 먹었습니다.

  どうも、ごちそうさまでした。

  도-모, 고찌소-사마데시따.

19 마실것을 주문할 때

- 알콜이 들어 있지 않은 음료수가 있습니까?

  アルコールの 入らない 飲物は ありますか。

  아루꼬-루노 하이라나이 노미모노와 아리마스까.

- 아이스커피는 있습니까?

  アイスコーヒーは ありますか。

  아이스코-히-와 아리마스까.

- 크림을 넣을까요?

  クリームを 入れましょうか。

  쿠리-무오 이레마쇼-까.

- 커피를 좀더 주시겠습니까?

  もう 少し コーヒーを いただけますか。

  모-스꼬시 고-히-오 이따다께마스까.

- 홍차로 하겠습니다.

  紅茶に します。

  고-챠니 시마스.

- 생맥주를 주시겠습니까?

  生ビールを いただけますか。

  나마비-루오 이따다께마스까.

20 예약할 때

- 예약을 하고 싶습니다만.

  予約を お願いしたいのですが。

  요야꾸오 오네가이시따이노데스가.

- 7시에 4명 자리를 부탁합니다.

  7時に 4人の席を お願いします。

  시찌지니 요닌-노세끼오 오네가이시마스.

- 창가 쪽 자리를 예약한 사람입니다.

  窓際の席を 予約した 者です。

  마도기와노세끼오 요야꾸시따 모노데스.

- 테라스 쪽 자리가 좋은데요.

  テラスの席が いいのですが。

  테라스노세끼가 이-노데스가.

- 금연석으로 부탁합니다.

  禁煙席に お願いします。

  깅-엔-세끼니 오네가이시마스.

- 흡연석으로 부탁합니다.

  喫煙席に お願いします。

  기쯔엔-세끼니 오네가이시마스.

21 버스

- 실례합니다만, 버스정류장은 어디입니까?

  すみませんが、バス停は どこですか。

  스미마셍-가, 바스떼-와 도꼬데스까.

- 곧장 앞으로 가세요.

  まっすぐ 行って ください。

  맛-스구 잇-떼 구다사이.

- 몇 번 버스를 타면 됩니까?

  何番バスに 乗れば いいですか。

  남-반-바스니 노레바 이-데스까.

- 7번을 타세요.

  7番に 乗って ください。

  나나반-니 놋-떼 구다사이.

- 하토버스 승차장은 어디입니까?

  はとバス 乗り場は どこですか。

  하또바스 노리바와 도꼬데스까.

- 버스 요금은 얼마입니까?

  バスの 料金は いくらですか。

  바스노 료-낑-와 이꾸라데스까.

22 전철 · 지하철

- 가장 가까운 전철역은 어디입니까?

  もよりの 電車駅は どこですか。

  모요리노 덴-샤에키와 도꼬데스까.

● 표는 어디에서 삽니까?
切符は どこで 買うんですか。
깁-뿌와 도꼬데 가운-데스까.

● 저쪽 자동판매기에서 사세요.
あそこの 自動販売機で 買って くだ
さい。
아소꼬노 지도-함-바이끼데 갓-떼 구다사이.

● 시나가와 방면은 이쪽에서 탑니까?
品川方面は こっちで 乗りますか。
시나가와호-멩-와 곳-찌데 노리마스까.

● 아니오. 반대편입니다.
いいえ。反対方面です。
이-에. 한-따이호-멘-데스.

● 몇 번 홈에서 타면 됩니까?
何番 ホームで 乗れば いいですか。
남-반- 호-무데 노레바 이-데스까.

---

23 택시를 탈 때

● 택시 승차장은 어디입니까?
タクシー乗り場は どこですか。
타꾸시-노리바와 도꼬데스까.

● 뒤 트렁크를 열어 주세요.
うしろの トランクを 開けて ください。
우시로노 토랑-꾸오 아께떼 구다사이.

● 이 주소로 가 주세요.
この 住所まで 行って ください。
고노 쥬-쇼마데 잇-떼 구다사이.

● 공항에 8시까지 가야 합니다.
空港に 8時まで 行かなければ なりま
せん。
구-꼬-니 하찌지마데 이까나께레바 나리마셍-.

● 여기서 잠시만 기다려 주시겠습니까?
ここで ちょっと 待って いただけません
か。
고꼬데 춋-또 맛-떼 이다다께마셍-까.

● 여기서 세워 주세요.
ここで 止めて ください。
고꼬데 도메떼 구다사이.

---

24 신칸센

● 교토행 「히카리」는 있습니까?
京都行きの 「ひかり」は ありますか。
교-또유끼노 '히까리'와 아리마스까.

● 10시 30분 출발이 있습니다.
10時 30分発が あります。
쥬-지 산-집-뿐-하쯔가 아리마스.

● 오늘 막차는 몇 시에 있습니까?
今日の 終車は 何時でしょうか。
교-노 슈-샤와 난-지데쇼-까.

● 교토까지 편도 2장 주십시오.
京都まで 片道 2枚 お願いします。
교-또마데 가따미찌 니마이 오네가이시마스.

● 지정석이 2만 엔, 자유석이 만 7천 엔입니다.
指定席が 2万円、自由席が 1万
7千円です。
시떼-세끼가 니망-엔-, 지유-세끼가 이찌만- 나나
셍-엔-데스.

- 지정석으로 하겠습니다.
  指定席に します。
  시떼-세끼니 시마스.

25 렌터카

- 차를 3일간 빌리고 싶습니다만.
  車を 3日間 借りたいのですが。
  구루마오 믹-까깐- 가리따이노데스가.

- 어떤 차를 원하십니까?
  どんな 車を ご希望ですか。
  돈-나 구루마오 고끼보-데스까.

- 소형으로 오토매틱차를 부탁드립니다.
  小型の オートマチック車を お願い
  します。
  고가따노 오-또마찍-꾸샤오 오네가이시마스.

- 여기 카탈로그가 있습니다.
  ここに、カタログが あります。
  고꼬니 카타로구가 아리마스.

- 국제면허증은 있지요?
  国際免許証は ありますね。
  곡사이멩-꾜쇼-와 아리마스네.

- 예, 물론입니다.
  はい、もちろんです。
  하이, 모찌론-데스.

26 교통 기타 표현

- 도쿄호텔로 가 주세요.
  東京ホテルまで お願いします。
  도-꾜-호떼루마데 오네가이시마스.

- 히비야는 몇 번째 역입니까?
  日比谷は いくつ目ですか。
  히비야와 이꾸쯔메데스까.

- ○○에 도착하면 알려 주시겠습니까?
  ○○に 着いたら 教えて いただけませ
  んか。
  ○○니 쯔이따라 오시에떼 이따다께마셍-까.

- 여기서 타면 시부야 역으로 갑니까?
  ここで 乗ると 渋谷駅に 行きますか。
  고꼬데 노루또 시부야에끼니 이끼마스까.

- 시부야 역이라면 건너편 3번 홈입니다.
  渋谷駅なら 向うの 三番ホームです。
  시부야에끼나라 무꼬-노 삼-반-호-무데스.

- 요금이 미터와 다릅니다.
  料金が メーターと 違います。
  료-낑-가 메-따-또 찌가이마스.

27 쇼핑 기본 표현

- 저어, 잠시 실례하겠습니다.
  あのう、ちょっと 失礼します。
  아노-, 촛-또 시쯔레-시마스.

- 이 근처에 백화점은 어디에 있습니까?
  この辺に デパートは どこに ありま
  すか。
  고노헨-니 데빠-또와 도꼬니 아리마스까.

- 아키하바라에는 어떻게 갑니까?
  秋葉原には どう 行けば いいですか。
  아키하바라니와 도ー 이께바 이ー데스까.

- 이 가게는 어디 있을까요?
  この店は どこに あるでしょうか。
  고노미세와 도꼬니 아루데쇼ー까.

- 이것은 얼마입니까?
  これは いくらですか。
  고레와 이꾸라데스까.

- 저것 좀 보여 주세요.
  あれを ちょっと 見せて いただけますか。
  아레오 춋ー또 미세떼 이따다께마스까.

28 백화점에서

- 무엇을 찾고 계십니까?
  何を お探しでしょうか。
  나니오 오사가시데쇼ー까.

- 친구한테 줄 선물을 사고 싶은데요.
  友達への お土産を 買いたいんですが。
  도모다찌에노 오미야게오 가이따인ー데스가.

- 화장품으로 보여 주세요.
  化粧品を 見せて ください。
  게쇼ー힝ー오 미세떼 구다사이.

- 향수 3개 주세요.
  香水 みっつ ください。
  고ー스이 밋ー쯔 구다사이.

- 예. 여기 영수증과 거스름돈입니다.
  はい。こちら 領収証と おつりです。
  하이. 고찌라 료ー슈ー쇼ー또 오쯔리데스.

- 따로 따로 포장해 주시겠습니까?
  別々に 包装して いただけますか。
  베쯔베쯔니 호ー소ー시떼 이따다께마스까.

29 전자상가에서

- 어서 오세요.
  いらっしゃいませ。
  이랏ー샤이마세.

- 뭘 찾으십니까?
  何を お探しですか。
  나니오 오사가시데스까.

- 디지털 카메라는 어느 쪽입니까?
  デジタルカメラは どちらですか。
  데지따루카메라와 도찌라데스까.

- 좀더 성능이 좋은 것은 없습니까?
  もっと 性能の いいものは ありませんか。
  못ー또 세ー노ー노 이ー모노와 아리마셍ー까.

- 이것이 최신 모델입니다.
  これが 最新の モデルです。
  고레가 사이싱ー노 모데루데스.

- 사용법을 알려 주세요.
  使い方を 教えて ください。
  쯔까이까따오 오시에떼 구다사이.

88

30 의류매장에서

- 입어 봐도 괜찮겠습니까?
  試着して みても いいですか。
  시쨔꾸시떼 미떼모 이-데스까.

- 다른 스타일의 것을 보여 주세요.
  違う スタイルの ものを 見せて ください。
  찌가우 스타이루노 모노오 미세떼 구다사이.

- 다른 색은 없습니까?
  色違いは ありませんか。
  이로찌가이와 아리마셍-까.

- 좀 끼이네요.
  ちょっと きついですね。
  춋-또 기쯔이데스네.

- 더 큰 사이즈는 없습니까?
  もっと 大きい サイズは ありませんか。
  못-또 오-끼- 사이즈와 아리마셍-까.

- 이 자켓은 진짜 가죽입니까?
  この ジャケットは 本物の 皮ですか。
  고노 쟈켓-또와 혼-모노노 가와데스까.

31 교환·반품

- 이것 바꿔 주시겠습니까?
  これ、交換して いただけませんか。
  고레, 고-깐-시떼 이따다께마셍-까.

- 왜 그러십니까?
  どうか なさいましたか。
  도-까 나사이마시따까.

- 여기 솔기가 좋질 않아서요.
  ここの 縫い目が よくありません。
  고꼬노 누이메가 요꾸아리마셍-.

- 그 옷과 영수증을 보여 주십시오.
  その服と 領収証を 見せて ください。
  소노후꾸또 료-슈-쇼-오 미세떼 구다사이.

- 지금 같은 사이즈가 떨어졌는데요.
  今 同じ サイズを 切らして おりますが。
  이마 오나지 사이즈오 기라시떼 오리마스가.

- 어떻게 하죠?
  どうしたら いいんでしょうか。
  도-시따라 이인-데쇼-까.

32 쇼핑 기타 표현

- 매번 찾아주셔서 감사합니다.
  毎度 ありがとうございます。
  마이도 아리가또-고자이마스.

- ○○매장은 어디입니까?
  ○○売り場は どこですか。
  ○○우리바와 도꼬데스까.

- ○○을 사고 싶은데요.
  ○○を 買いたいんですが。
  ○○오 가이따인-데스가.

- 잠깐 구경하는 것뿐입니다.
  ちょっと 見るだけです。
  춋-또 미루다께데스.

- 아직 거스름돈을 받지 않았습니다.

  まだ おつりを もらって いません。

  마다 오쯔리오 모랏–떼 이마셍–.

- 이것을 반품할 수 있습니까?

  これを 返品<small>へんぴん</small>すること できますか。

  고레오 헴–삥–스루꼬또 데끼마스까.

33 관광지 기본 표현

- 실례합니다만, 관광안내소는 어디입니까?

  失礼<small>しつれい</small>ですが、観光案内所<small>かんこうあんないしょ</small>は どこでしょうか。

  시쯔레–데스가, 캉–꼬–안–나이쇼와 도꼬데쇼–까.

- 안녕하세요. 어디에서 오셨습니까?

  こんにちは。どこから いらっしゃいましたか。

  곤–니찌와. 도꼬까라 이랏–샤이마시따까.

- 한국에서 왔습니다.

  韓国<small>かんこく</small>から 来<small>き</small>ました。

  캉–꼬꾸까라 기마시따.

- 시내를 구경하고 싶은데요.

  市内<small>しない</small>を 見物<small>けんぶつ</small>したいんですけど。

  시나이오 켐–부쯔시따인–데스께도.

- 시내 지도는 있습니까?

  市内地図<small>しないちず</small>は ありますか。

  시나이찌즈와 아리마스까.

- 전철 노선도도 한 장 부탁합니다.

  電車<small>でんしゃ</small>の 路線図<small>ろせんず</small>も 1枚<small>いちまい</small> お願<small>ねが</small>いします。

  덴–샤노 로센–즈모 이찌마이 오네가이시마스.

34 길 묻기

- 메이지진구에는 어떻게 가면 됩니까?

  明治神宮<small>めいじじんぐう</small>には どう 行<small>い</small>けば いいですか。

  메–지진–구–니와 도– 이께바 이–데스까.

- 이 거리는 뭐라고 합니까?

  この 通<small>とお</small>りは 何<small>なん</small>と 言<small>い</small>いますか。

  고노 도–리와 난–또 이–마스까.

- 메이지진구는 여기에서 가깝습니까?

  明治神宮<small>めいじじんぐう</small>は ここから 近<small>ちか</small>いですか。

  메–지진–구–와 고꼬까라 찌까이데스까.

- 걸어서 몇 분 정도 걸립니까?

  歩<small>ある</small>いて 何分<small>なんぷん</small>くらい かかりますか。

  아루이떼 남–뿐–꾸라이 가까리마스까.

- 이 길은 아사쿠사로 가는 길입니까?

  この 道<small>みち</small>は 浅草<small>あさくさ</small>へ 行<small>い</small>く 道<small>みち</small>ですか。

  고노 미찌와 아사꾸사에 이꾸 미찌데스까.

- 국립미술관은 어디입니까?

  国立美術館<small>こくりつびじゅつかん</small>は どこですか。

  고꾸리쯔 비쥬쯔깡–와 도꼬데스까.

35 길을 잃었을 때

- 여기가 오사카성 공원입니까?

  ここが 大阪城公園<small>おおさかじょうこうえん</small>ですか。

  고꼬가 오–사카죠–꼬–엔–데스까.

- 아니오. 여기는 우쓰보공원인데요.

  いいえ。ここは うつぼ公園<small>こうえん</small>ですけど。

  이–에. 고꼬와 우쯔보꼬–엔–데스께도.

- 어떻게 하죠? 길을 잃었어요.

  どうしましょう。道に迷いました。

  도-시마쇼-. 미찌니 마요이마시따.

- 어떻게 가야 합니까?

  どうやって行けばいいですか。

  도-얏-떼 이께바 이-데스까.

- 전철을 타고 모리노미야역에서 내리면 됩니다.

  電車に乗って、森ノ宮駅で降りればいいです。

  덴-샤니 놋-떼, 모리노미야에끼데 오리레바 이-데스.

- 아, 다행입니다.

  あ、助かりました。

  아, 다스까리마시따.

36 단체관광을 하고 싶을 때

- 시내 단체관광에 참가하고 싶은데요.

  市内の団体観光に参加したいんですが。

  시나이노 단-따이깡-꼬-니 상-까시따인-데스가.

- 어떤 일정이 있습니까?

  どんな日程がありますか。

  돈-나 닛-떼-가 아리마스까.

- 반나절 관광과 하루 관광이 있습니다만.

  半日観光と一日観光がありますが。

  한-니찌깡-꼬-도 이찌니찌깡-꼬-가 아리마스가.

- 하루 관광의 일정은 어떻습니까?

  一日観光の日程はどうですか。

  이찌니찌깡-꼬-노 닛-떼-와 도-데스까.

- 아침 7시에 호텔 앞에서 출발합니다.

  朝7時にホテルの前で出発します。

  아사시찌지니 호떼루노마에데 슛-빠쯔시마스.

- 한 사람당 얼마입니까?

  一人当たりいくらですか。

  히또리아따리 이꾸라데스까.

37 관광지에 대해 물을 때

- 입장권은 어디에서 팝니까?

  入場券はどこで売っていますか。

  뉴-죠-껭-와 도꼬데 웃-떼 이마스까.

- 입장료는 얼마입니까?

  入場料はいくらですか。

  뉴-죠-료-와 이꾸라데스까.

- 박물관 팸플릿을 얻을 수 있습니까?

  博物館のパンフレットをもらえますか。

  하꾸부쯔깐-노 판-후렛-또오 모라에마스까.

- 어른 두 장과 어린이 한 장 주세요.

  大人2枚と子供1枚ください。

  오또나 니마이또 고도모 이찌마이 구다사이.

- 여기에서 유명한 것은 무엇입니까?

  ここで有名なのは何ですか。

  고꼬데 유-메-나노와 난-데스까.

- 관내에서 사진을 찍어도 됩니까?

  館内で写真を撮ってもいいですか。

  간-나이데 샤싱-오 돗-떼모 이-데스까.

38 가부키 관람

- 가부키를 보고 싶은데요.
  歌舞伎を 見たいですけど。
  가부끼오 미따이데스께도.

- 가부키는 어디에서 볼 수 있습니까?
  歌舞伎は どこで 見られますか。
  가부끼와 도꼬데 미라레마스까.

- 긴자의 가부키좌에 가면 볼 수 있습니다.
  銀座の 歌舞伎座に 行けば 見られます。
  긴―자노 가부끼자니 이께바 미라레마스.

- 공연 시작은 몇 시입니까?
  開演は 何時ですか。
  가이엥―와 난―지데스까.

- 이 좌석까지 안내해 주시겠습니까?
  この 座席まで 案内して いただけますか。
  고노자세끼마데 안―나이시떼 이따다께마스까.

- 저 배우의 이름은 무엇입니까?
  あの 俳優の 名前は 何ですか。
  아노 하이유―노 나마에와 난―데스까.

39 사진 찍기

- 저어, 잠시 실례하겠습니다.
  あのう、ちょっと 失礼します。
  아노―, 춋―또 시쯔레―시마스.

- 셔터를 눌러 주시겠습니까?
  シャッターを 押して もらえませんか。
  샷―따―오 오시떼 모라에마셍―까.

- 당신과 사진을 찍어도 됩니까?
  あなたと 写真を 取っても いいですか。
  아나따또 샤싱―오 돗―떼모 이―데스까.

- 한 장 더 부탁합니다.
  もう 1枚 お願いします。
  모― 이찌마이 오네가이시마스.

- 저 박물관을 배경에 넣어주세요.
  あの 博物館を 背景に 入れて ください。
  아노 하꾸부쯔깡―오 하이께―니 이레떼 구다사이.

- 어디에서 필름을 삽니까?
  どこで フィルムを 買えますか。
  도꼬데 휘루무오 가에마스까.

40 관광지에서

- 여기서 얼마나 걸립니까?
  ここから どれくらい かかりますか。
  고꼬까라 도레구라이 가까리마스까.

- 여기에서 유명한 온천은 어디입니까?
  ここで 有名な 温泉は どこですか。
  고꼬데 유―메―나 온―센―와 도꼬데스까.

- 이곳의 명소를 소개해 주십시오.
  ここの 名所を 紹介して ください。
  고꼬노 메―쇼오 쇼―까이시떼 구다사이.

- 이곳은 처음입니다.
  ここは 始めてです。
  고꼬와 하지메떼데스.

- 선술집으로 한잔하러 갑시다.

  居酒屋へ 飲みに 行きましょう。

  이자까야에 노미니 이끼마쇼-.

- 가라오케에도 가 보고 싶습니다.

  カラオケにも 行ってみたいです。

  가라오케니모 잇-떼미따이데스.

41 여권 분실

- 경찰서는 어디입니까?

  警察署は どこですか。

  게-사쯔쇼와 도꼬데스까.

- 여권을 잃어 버렸습니다.

  パスポートを なくして しまいました。

  파스뽀-또 오 나꾸시떼 시마이마시따.

- 이 도난 증명서를 써 주십시오.

  この 盗難証明書を 書いて ください。

  고노 도-난-쇼-메-쇼오 가이떼 구다사이.

- 그 다음에 어떻게 하면 됩니까?

  その 後は どうすれば いいですか。

  소노 아또와 도-스레바 이-데스까.

- 한국대사관에 가서 재발급 받으십시오.

  韓国大使館に 行って、再発行して もらって ください。

  강-꼬꾸따이시깐-니 잇-떼, 사이학-꼬-시떼 모랏-떼 구다사이.

- 찾게 되면 연락 드리겠습니다.

  もどって きたら、連絡します。

  모돗-떼 기따라 렌-라꾸시마스.

42 지갑 도난

- 지갑을 잃어 버렸습니다.

  財布を なくしました。

  사이후오 나꾸시마시따.

- 경찰에 신고하세요.

  警察に 届けて ください。

  게-사쯔니 도도께떼 구다사이.

- 언제, 어디에서 도난당했습니까?

  いつ、どこで 盗まれましたか。

  이쯔, 도꼬데 누스마레마시따까.

- 오후, 전철 안에서요.

  午後、電車の 中です。

  고고, 덴-샤노 나까데스.

- 안에 무엇이 들어 있었습니까?

  中に 何が 入って いましたか。

  나까니 나니가 하잇-떼 이마시따까.

- 현금과 신용카드가 있습니다.

  現金と クレジットカードが 入って います。

  겡-낀-또 크레짓-또카-도가 하잇-떼 이마스.

43 교통사고

- 앗! 위험해요.

  あっ、あぶない。

  앗-, 아부나이.

- 자동차에 치였습니다.

  車に ひかれました。

  구루마니 히까레마시따.

- 다리가 아픈데요.
  足が いたいです。
  아시가 이따이데스.

- 도와 주세요.
  助けて ください。
  다스께떼 구다사이.

- 곧 구급차를 부르겠습니다.
  すぐ 救急車を 呼びます。
  스구 규-뀨-샤오 요비마스.

- 경찰을 불러 주세요.
  警察を 呼んで ください。
  게-사쯔오 욘-데 구다사이.

44 출국 수속

- 대한항공 카운터는 어디입니까?
  大韓航空の カウンターは どこですか。
  다이깡-꼬-꾸-노 카운-따-와 도꼬데스까.

- 항공권과 여권을 보여 주십시오.
  航空券と パスポートを 見せて ください。
  고-꾸-껜-또 파스뽀-또오 미세떼 구다사이.

- 짐은 이것뿐입니까?
  お荷物は これだけですか。
  오니모쯔와 고레다께데스까.

- 탑승 게이트는 몇 번입니까?
  搭乗ゲートは 何番ですか。
  도-죠-게-또와 남-반-데스까.

- 출국 게이트를 들어가서 오른쪽입니다.
  出国ゲートを 入って、右の ほうです。
  슉-꼬꾸 게-또오 하잇-떼 미기노 호-데스.

- 출국 게이트는 어디입니까?
  出国ゲートは どこですか。
  슉-꼬꾸 게-또와 도꼬데스까.

45 작별 인사

- 정말 신세 많이 졌습니다.
  大変、お世話に なりました。
  다이헨-, 오세와니 나리마시따.

- 덕분에 매우 즐거웠습니다.
  お陰様で、とても 楽しかったです。
  오까게사마데, 도떼모 다노시깟-따데스.

- 한국에도 놀러 오십시오.
  韓国にも 遊びに 来て ください。
  강-꼬꾸니모 아소비니 기떼 구다사이.

가나 쓰기가 쉬워지는
일 본 어 펜맨십

05

あ	｀ ↑ あ								
	あ	あ	あ	あ	あ	あ	あ	あ	あ
아 [a]									

い	↓ い								
	い	い	い	い	い	い	い	い	い
이 [i]									

う	｀ う								
	う	う	う	う	う	う	う	う	う
우 [u]									

え	｀ え								
	え	え	え	え	え	え	え	え	え
에 [e]									

お	｀ お お								
	お	お	お	お	お	お	お	お	お
오 [o]									

か	つ か か							
카 [ka]	か	か	か	か	か	か	か	か

き	ー ニ き き								
키 [ki]	き	き	き	き	き	き	き	き	き

く	く								
쿠 [ku]	く	く	く	く	く	く	く	く	く

け	い に け								
케 [ke]	け	け	け	け	け	け	け	け	け

こ	っ こ								
코 [ko]	こ	こ	こ	こ	こ	こ	こ	こ	こ

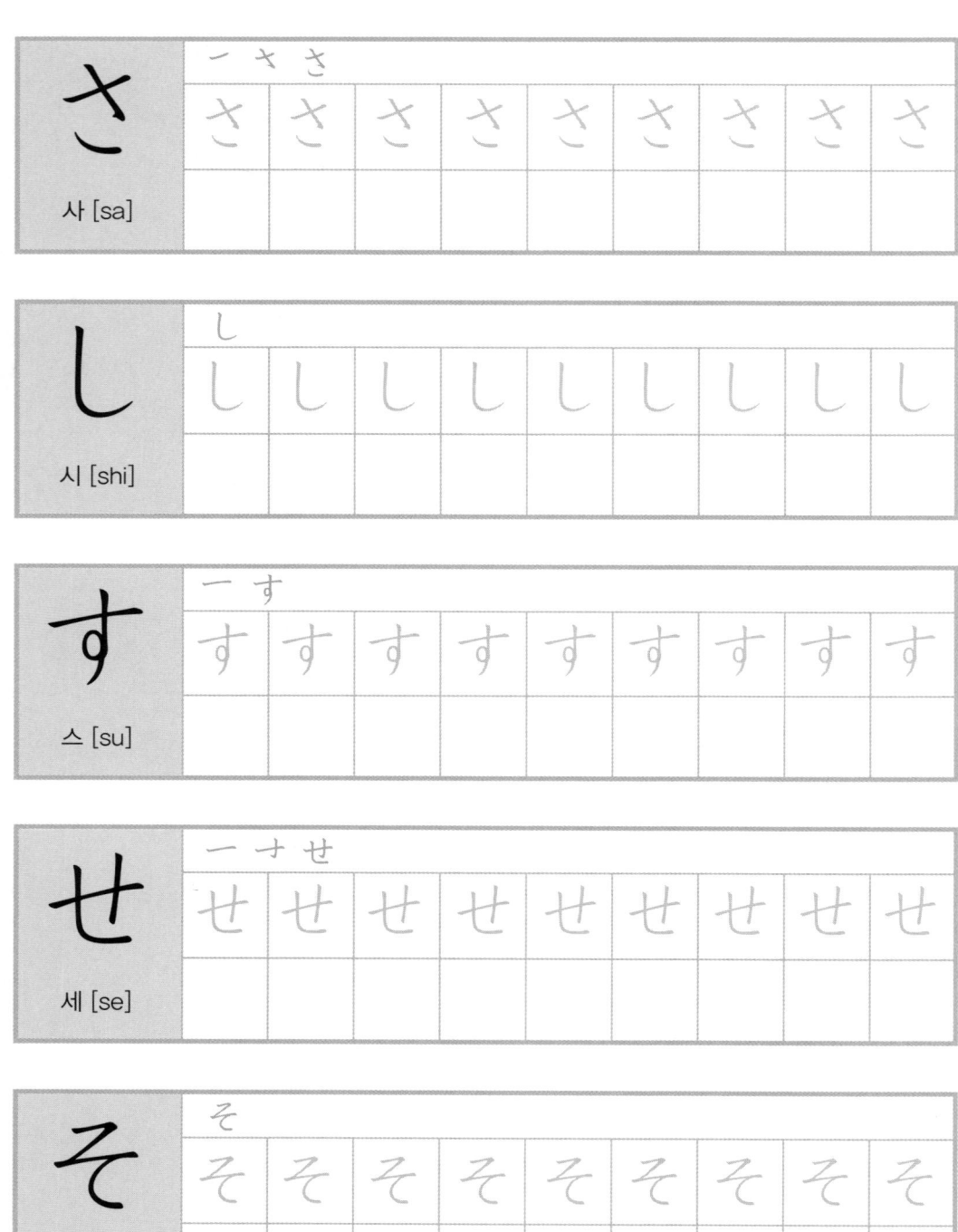

さ
사 [sa]
ー さ さ
さ さ さ さ さ さ さ さ さ

し
시 [shi]
し
し し し し し し し し し

す
스 [su]
ー す
す す す す す す す す す

せ
세 [se]
ー 十 せ
せ せ せ せ せ せ せ せ せ

そ
소 [so]
そ
そ そ そ そ そ そ そ そ そ

た	ー ナ た た
타 [ta]	た　た　た　た　た　た　た　た　た

ち	ー ち
치 [chi]	ち　ち　ち　ち　ち　ち　ち　ち　ち

つ	つ
츠 [tsu]	つ　つ　つ　つ　つ　つ　つ　つ　つ

て	て
테 [te]	て　て　て　て　て　て　て　て　て

と	ヽ と
토 [to]	と　と　と　と　と　と　と　と　と

な 나 [na]	ー ナ か な	な	な	な	な	な	な	な	な
に 니 [ni]	l に に	に	に	に	に	に	に	に	に
ぬ 누 [nu]	＼ ぬ	ぬ	ぬ	ぬ	ぬ	ぬ	ぬ	ぬ	ぬ
ね 네 [ne]	l ね	ね	ね	ね	ね	ね	ね	ね	ね
の 노 [no]	の	の	の	の	の	の	の	の	の

は	し に は
하 [ha]	は は は は は は は は は

ひ	ひ
히 [hi]	ひ ひ ひ ひ ひ ひ ひ ひ ひ

ふ	` ふ ふ ふ
후 [fu]	ふ ふ ふ ふ ふ ふ ふ ふ ふ

へ	へ
헤 [he]	へ へ へ へ へ へ へ へ へ

ほ	し に に ほ
호 [ho]	ほ ほ ほ ほ ほ ほ ほ ほ ほ

ま 마 [ma]	ｰ ｰ ま								
	ま	ま	ま	ま	ま	ま	ま	ま	ま

み 미 [mi]	み み								
	み	み	み	み	み	み	み	み	み

む 무 [mu]	ｰ む む								
	む	む	む	む	む	む	む	む	む

め 메 [me]	﹨ め								
	め	め	め	め	め	め	め	め	め

も 모 [mo]	し も も								
	も	も	も	も	も	も	も	も	も

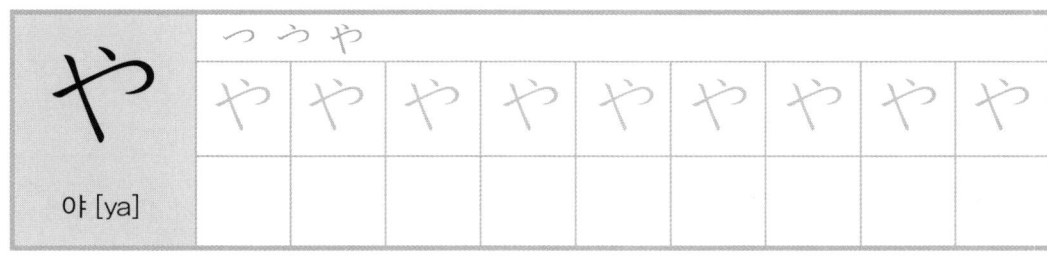

や
야 [ya]

ゆ
유 [yu]

よ
요 [yo]

쓰기 어려운 글자 연습

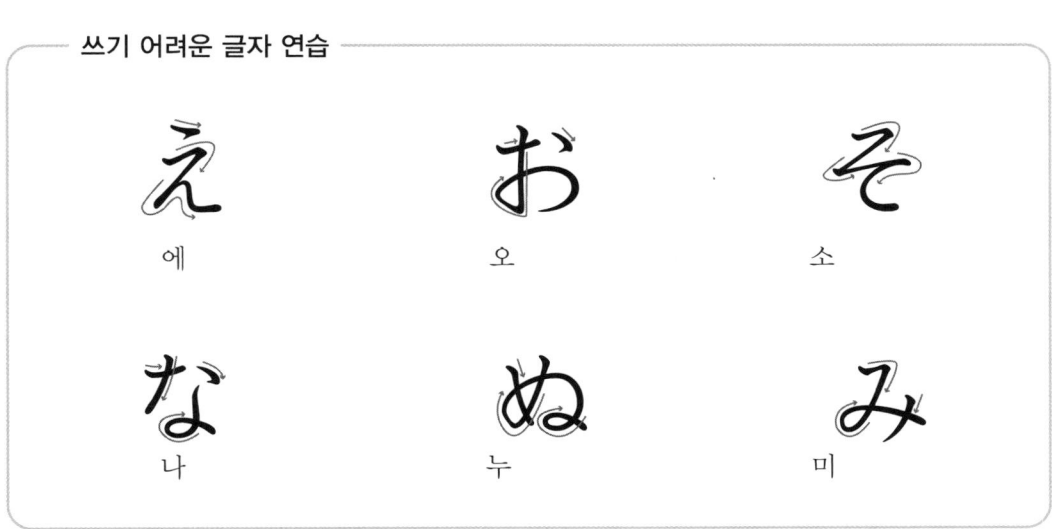

え
에

お
오

そ
소

な
나

ぬ
누

み
미

| ら 라 [ra] | ら | ら | ら | ら | ら | ら | ら | ら | ら |
| | | | | | | | | | |

| り 리 [ri] | り | り | り | り | り | り | り | り | り |
| | | | | | | | | | |

| る 루 [ru] | る | る | る | る | る | る | る | る | る |
| | | | | | | | | | |

| れ 레 [re] | れ | れ | れ | れ | れ | れ | れ | れ | れ |
| | | | | | | | | | |

| ろ 로 [ro] | ろ | ろ | ろ | ろ | ろ | ろ | ろ | ろ | ろ |
| | | | | | | | | | |

わ 와 [wa]	｜ わ わ わ わ わ わ わ わ わ わ
を 오 [wo]	ー ナ を を を を を を を を を を
ん 응 [ŋ]	ん ん ん ん ん ん ん ん ん ん

── 쓰기 어려운 글자 연습 ──

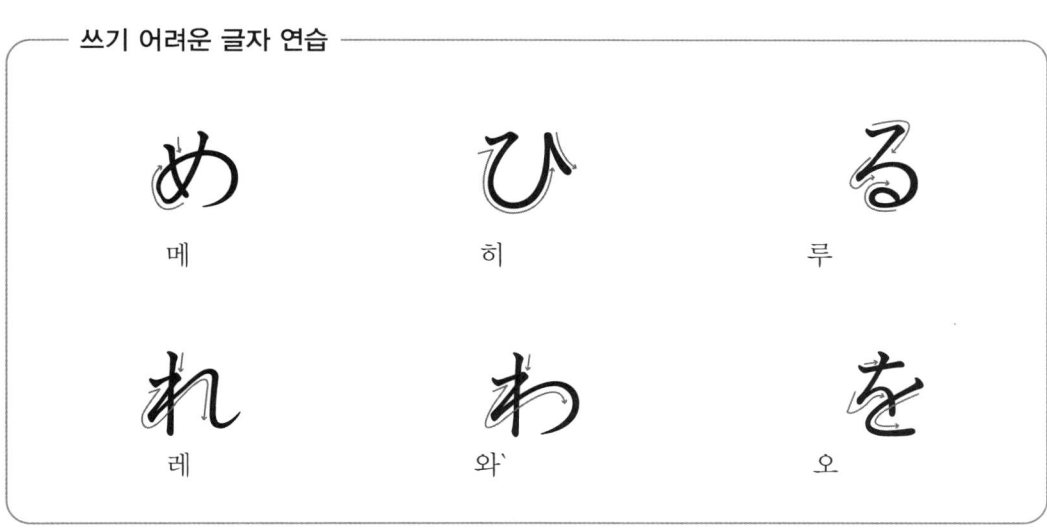

め　　　　ひ　　　　る
메　　　　히　　　　루

れ　　　　わ　　　　を
레　　　　와`　　　　오

ア 아 [a]	ｰ ア ア ア ア ア ア ア ア ア ア
イ 이 [i]	ノ イ イ イ イ イ イ イ イ イ イ
ウ 우 [u]	' ' ウ ウ ウ ウ ウ ウ ウ ウ ウ ウ
エ 에 [e]	ｰ ｰ エ エ エ エ エ エ エ エ エ エ
オ 오 [o]	ｰ ｰ オ オ オ オ オ オ オ オ オ オ

カ	フ カ								
카 [ka]	カ	カ	カ	カ	カ	カ	カ	カ	カ

キ	一 二 キ								
키 [ki]	キ	キ	キ	キ	キ	キ	キ	キ	キ

ク	ノ ク								
쿠 [ku]	ク	ク	ク	ク	ク	ク	ク	ク	ク

ケ	ノ ト ケ								
케 [ke]	ケ	ケ	ケ	ケ	ケ	ケ	ケ	ケ	ケ

コ	フ コ								
코 [ko]	コ	コ	コ	コ	コ	コ	コ	コ	コ

サ 사 [sa]	ー 十 サ サ サ サ サ サ サ サ サ サ								

シ 시 [shi]	丶 ニ シ シ シ シ シ シ シ シ シ シ								

ス 스 [su]	フ ス ス ス ス ス ス ス ス ス ス								

セ 세 [se]	┐ セ セ セ セ セ セ セ セ セ セ								

ソ 소 [so]	丶 ソ ソ ソ ソ ソ ソ ソ ソ ソ ソ								

タ	ノ ク タ								
	タ	タ	タ	タ	タ	タ	タ	タ	タ
타 [ta]									

チ	´ 二 チ								
	チ	チ	チ	チ	チ	チ	チ	チ	チ
치 [chi]									

ツ	` ´´ ツ								
	ツ	ツ	ツ	ツ	ツ	ツ	ツ	ツ	ツ
츠 [tsu]									

テ	一 二 テ								
	テ	テ	テ	テ	テ	テ	テ	テ	テ
테 [te]									

ト	l ト								
	ト	ト	ト	ト	ト	ト	ト	ト	ト
토 [to]									

ナ

一 ナ

ナ ナ ナ ナ ナ ナ ナ ナ ナ

나 [na]

二

一 二

二 二 二 二 二 二 二 二 二

니 [ni]

ヌ

フ ヌ

ヌ ヌ ヌ ヌ ヌ ヌ ヌ ヌ ヌ

누 [nu]

ネ

丶 ラ ネ

ネ ネ ネ ネ ネ ネ ネ ネ ネ

네 [ne]

ノ

ノ

ノ ノ ノ ノ ノ ノ ノ ノ

노 [no]

ハ	ノ ハ								
하 [ha]	ハ	ハ	ハ	ハ	ハ	ハ	ハ	ハ	ハ

ヒ	一 ヒ								
히 [hi]	ヒ	ヒ	ヒ	ヒ	ヒ	ヒ	ヒ	ヒ	ヒ

フ	フ								
후 [fu]	フ	フ	フ	フ	フ	フ	フ	フ	フ

ヘ	ヘ								
헤 [he]	ヘ	ヘ	ヘ	ヘ	ヘ	ヘ	ヘ	ヘ	ヘ

ホ	一 ナ オ ホ								
호 [ho]	ホ	ホ	ホ	ホ	ホ	ホ	ホ	ホ	ホ

マ 마 [ma]	フ マ
	マ マ マ マ マ マ マ マ マ

ミ 미 [mi]	ー ニ ミ
	ミ ミ ミ ミ ミ ミ ミ ミ ミ

ム 무 [mu]	ム ム
	ム ム ム ム ム ム ム ム ム

メ 메 [me]	ノ メ
	メ メ メ メ メ メ メ メ メ

モ 모 [mo]	ー ニ モ
	モ モ モ モ モ モ モ モ モ

ヤ	ｱ ヤ ヤ								
야 [ya]	ヤ	ヤ	ヤ	ヤ	ヤ	ヤ	ヤ	ヤ	ヤ

ユ	ｱ ユ								
유 [yu]	ユ	ユ	ユ	ユ	ユ	ユ	ユ	ユ	ユ

ヨ	ｱ ヲ ヨ								
요 [yo]	ヨ	ヨ	ヨ	ヨ	ヨ	ヨ	ヨ	ヨ	ヨ

┌─ 헷갈리는 글자 똑바로 쓰기 ─

シ	ツ	コ	ユ
시	츠	코	유

オ	ネ	ホ	モ
오	네	호	모

ラ 라 [ra]	ˉ ラ ラ	ラ	ラ	ラ	ラ	ラ	ラ	ラ	ラ

リ 리 [ri]	ㅣ リ リ	リ	リ	リ	リ	リ	リ	リ	リ

ル 루 [ru]	ノ ル ル	ル	ル	ル	ル	ル	ル	ル	ル

レ 레 [re]	レ レ	レ	レ	レ	レ	レ	レ	レ	レ

ロ 로 [ro]	ㅣ ㄲ ロ ロ	ロ	ロ	ロ	ロ	ロ	ロ	ロ	ロ

ワ 와 [wa]	ヽ ワ ワ	ワ	ワ	ワ	ワ	ワ	ワ	ワ	ワ

ヲ 오 [wo]	フ ヲ ヲ ヲ	ヲ	ヲ	ヲ	ヲ	ヲ	ヲ	ヲ	ヲ

ン 응 [ŋ]	ヽ ン ン	ン	ン	ン	ン	ン	ン	ン	ン

┌─ 헷갈리는 글자 똑바로 쓰기 ─

ソ	ン	ラ	ヲ
소	응	라	오

が
つ カ か が が
が が が が が が が が が

가 [ga]

ぎ
一 二 き ぎ ぎ
ぎ ぎ ぎ ぎ ぎ ぎ ぎ ぎ ぎ

기 [gi]

ぐ
く ぐ ぐ
ぐ ぐ ぐ ぐ ぐ ぐ ぐ ぐ ぐ

구 [gu]

げ
l lニ け げ げ
げ げ げ げ げ げ げ げ げ

게 [ge]

ご
一 こ ご ご
ご ご ご ご ご ご ご ご ご

고 [go]

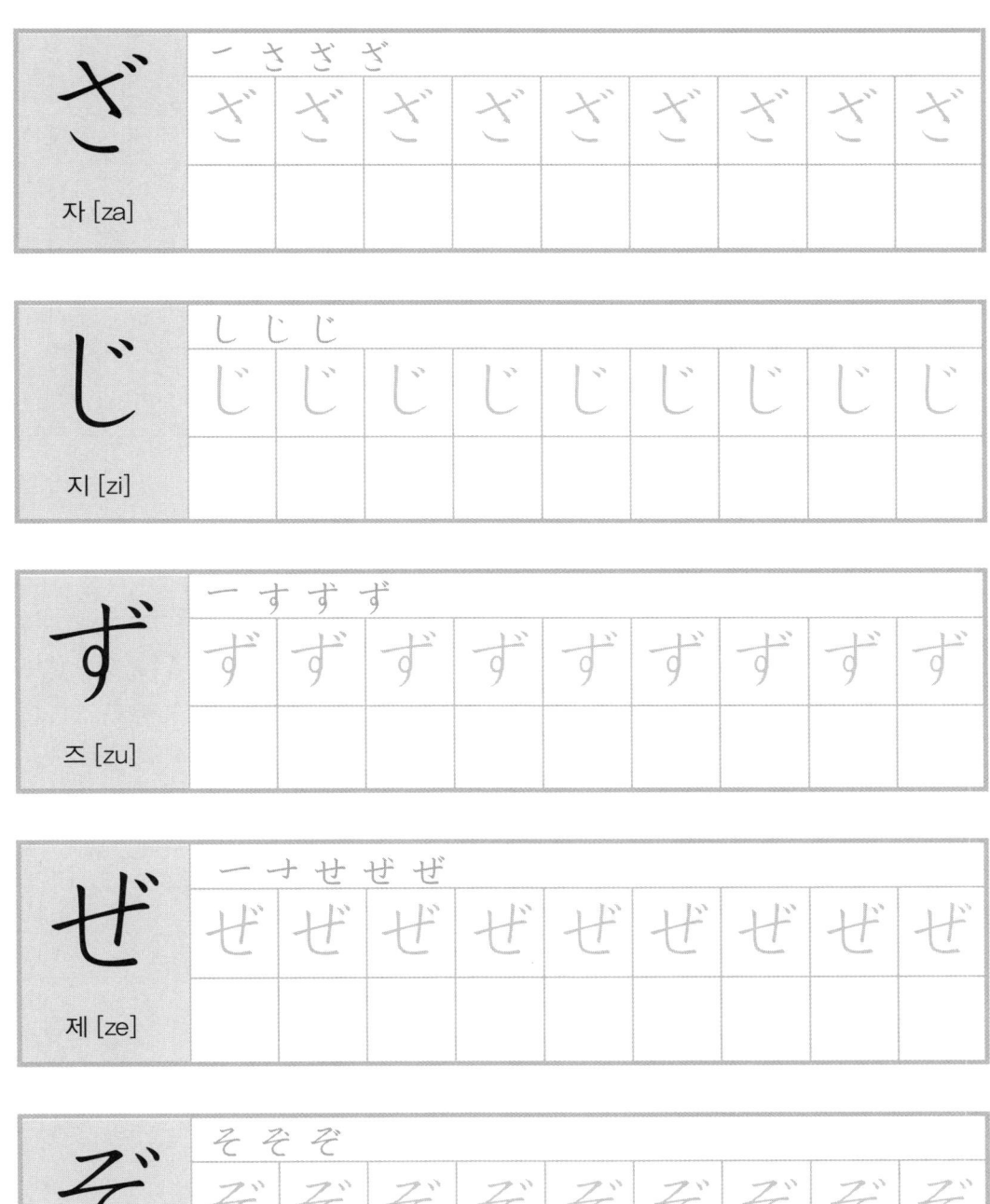

ざ
一 ざ ざ ざ
자 [za]

じ
し じ じ
지 [zi]

ず
一 す ず ず
즈 [zu]

ぜ
一 ナ せ ぜ ぜ
제 [ze]

ぞ
そ そ ぞ
조 [zo]

히라가나 탁음

だ 다 [da]	一 ナ た た だ だ								
	だ	だ	だ	だ	だ	だ	だ	だ	だ

ぢ 지 [zi]	一 ち ぢ ぢ								
	ぢ	ぢ	ぢ	ぢ	ぢ	ぢ	ぢ	ぢ	ぢ

づ 즈 [zu]	つ づ づ								
	づ	づ	づ	づ	づ	づ	づ	づ	づ

で 데 [de]	て で で								
	で	で	で	で	で	で	で	で	で

ど 도 [do]	丶 と ど ど								
	ど	ど	ど	ど	ど	ど	ど	ど	ど

ば	し　に　は　ば　ば								
바 [ba]	ば	ば	ば	ば	ば	ば	ば	ば	ば

び	ひ　び　び								
비 [bi]	び	び	び	び	び	び	び	び	び

ぶ	゛　ふ　ふ　ふ　ぶ　ぶ								
부 [bu]	ぶ	ぶ	ぶ	ぶ	ぶ	ぶ	ぶ	ぶ	ぶ

べ	へ　べ　べ								
베 [be]	べ	べ	べ	べ	べ	べ	べ	べ	べ

ぼ	し　に　に　ほ　ほ　ぼ								
보 [bo]	ぼ	ぼ	ぼ	ぼ	ぼ	ぼ	ぼ	ぼ	ぼ

ガ	フ カ ガ ガ								
가 [ga]	ガ	ガ	ガ	ガ	ガ	ガ	ガ	ガ	ガ

ギ	一 二 キ ギ ギ								
기 [gi]	ギ	ギ	ギ	ギ	ギ	ギ	ギ	ギ	ギ

グ	ノ ク グ グ								
구 [gu]	グ	グ	グ	グ	グ	グ	グ	グ	グ

ゲ	ノ ヶ ケ ゲ ゲ								
게 [ge]	ゲ	ゲ	ゲ	ゲ	ゲ	ゲ	ゲ	ゲ	ゲ

ゴ	一 コ コ ゴ ゴ								
고 [go]	ゴ	ゴ	ゴ	ゴ	ゴ	ゴ	ゴ	ゴ	ゴ

ザ	ー ＋ サ ザ ザ
자 [za]	ザ ザ ザ ザ ザ ザ ザ ザ ザ

ジ	` `' シ ジ ジ
지 [zi]	ジ ジ ジ ジ ジ ジ ジ ジ ジ

ズ	フ ス ズ ズ
즈 [zu]	ズ ズ ズ ズ ズ ズ ズ ズ ズ

ゼ	ㄱ セ ゼ ゼ
제 [ze]	ゼ ゼ ゼ ゼ ゼ ゼ ゼ ゼ ゼ

ゾ	` ゾ ゾ ゾ
조 [zo]	ゾ ゾ ゾ ゾ ゾ ゾ ゾ ゾ ゾ

ダ
다 [da]

ヂ
지 [zi]

ヅ
즈 [zu]

デ
데 [de]

ド
도 [do]

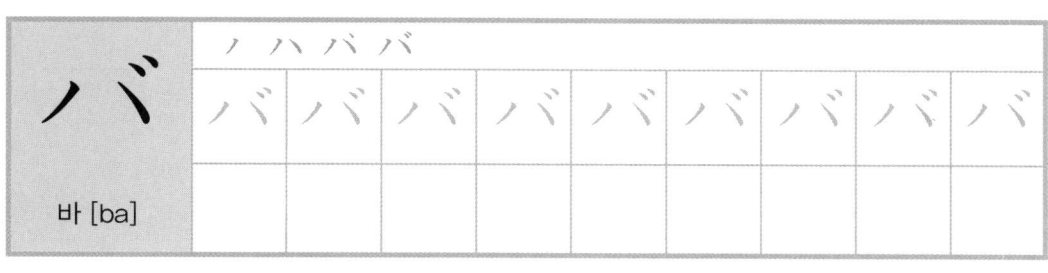

バ

바 [ba]

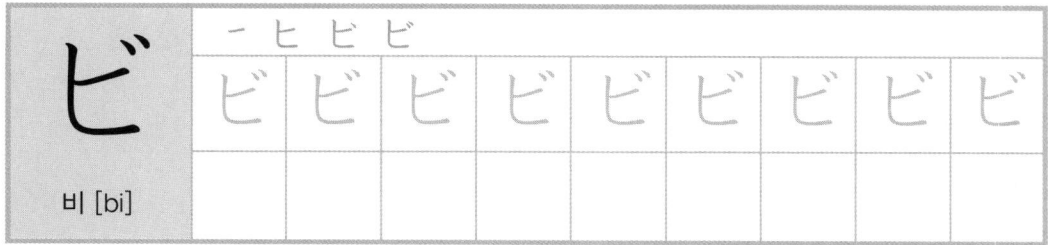

ビ

비 [bi]

ブ

부 [bu]

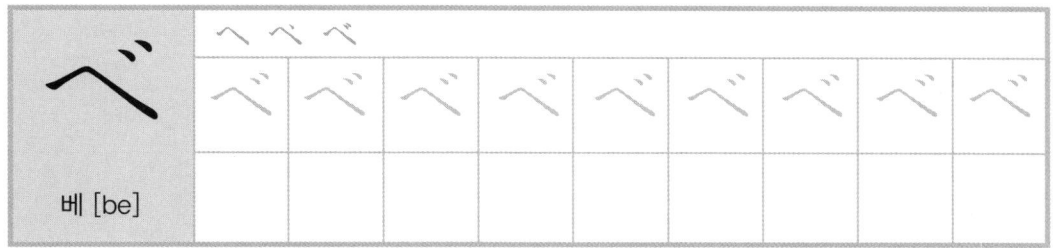

ベ

베 [be]

ボ

ー ナ オ ホ ボ ボ

ボ ボ ボ ボ ボ ボ ボ ボ ボ

보 [bo]

ぱ 파 [pa]	ｌ に は ぱ ぱ ぱ ぱ ぱ ぱ ぱ ぱ ぱ ぱ

ぴ 피 [pi]	ひ ぴ ぴ ぴ ぴ ぴ ぴ ぴ ぴ ぴ ぴ

ぷ 푸 [pu]	` う ふ ふ ぷ ぷ ぷ ぷ ぷ ぷ ぷ ぷ ぷ ぷ

ぺ 페 [pe]	へ ぺ ぺ ぺ ぺ ぺ ぺ ぺ ぺ ぺ ぺ

ぽ 포 [po]	ｌ に ほ ぽ ぽ ぽ ぽ ぽ ぽ ぽ ぽ ぽ ぽ

パ	ノ ハ パ								
파 [pa]	パ	パ	パ	パ	パ	パ	パ	パ	パ

ピ	ー ヒ ピ								
피 [pi]	ピ	ピ	ピ	ピ	ピ	ピ	ピ	ピ	ピ

プ	フ プ								
푸 [pu]	プ	プ	プ	プ	プ	プ	プ	プ	プ

ペ	へ ペ								
페 [pe]	ペ	ペ	ペ	ペ	ペ	ペ	ペ	ペ	ペ

ポ	ー ナ オ ホ ポ								
포 [po]	ポ	ポ	ポ	ポ	ポ	ポ	ポ	ポ	ポ

きゃ	きゃ	きゅ	きゅ	きょ	きょ
캬 [kya]		큐 [kyu]		쿄 [kyo]	

ぎゃ	ぎゃ	ぎゅ	ぎゅ	ぎょ	ぎょ
갸 [gya]		규 [gyu]		교 [gyo]	

しゃ	しゃ	しゅ	しゅ	しょ	しょ
샤 [sya]		슈 [syu]		쇼 [syo]	

じゃ	じゃ	じゅ	じゅ	じょ	じょ
쟈 [zya]		쥬 [zyu]		죠 [zyo]	

ちゃ	ちゃ	ちゅ	ちゅ	ちょ	ちょ
챠 [chya]		츄 [chyu]		쵸 [chyo]	

にゃ	にゃ	にゅ	にゅ	にょ	にょ
냐 [nya]		뉴 [nyu]		뇨 [nyo]	

ひゃ	ひゃ	ひゅ	ひゅ	ひょ	ひょ
햐 [hya]		휴 [hyu]		효 [hyo]	

びゃ	びゃ	びゅ	びゅ	びょ	びょ
뱌 [bya]		뷰 [byu]		뵤 [byo]	

ぴゃ	ぴゃ	ぴゅ	ぴゅ	ぴょ	ぴょ
퍄 [pya]		퓨 [pyu]		표 [pyo]	

みや	みや	みゆ	みゆ	みよ	みよ
먀 [mya]		뮤 [myu]		묘 [myo]	

りゃ	りゃ	りゅ	りゅ	りょ	りょ
랴 [rya]		류 [ryu]		료 [ryo]	

キャ	キャ	キュ	キュ	キョ	キョ
캬 [kya]		큐 [kyu]		쿄 [kyo]	

ギャ	ギャ	ギュ	ギュ	ギョ	ギョ
갸 [gya]		규 [gyu]		교 [gyo]	

シャ	シャ	シュ	シュ	ショ	ショ
샤 [sya]		슈 [syu]		쇼 [syo]	

ジャ	ジャ	ジュ	ジュ	ジョ	ジョ
쟈 [zya]		쥬 [zyu]		죠 [zyo]	

チャ	チャ	チュ	チュ	チョ	チョ
챠 [chya]		츄 [chyu]		쵸 [chyo]	

ニャ	ニャ	ニュ	ニュ	ニョ	ニョ
냐 [nya]		뉴 [nyu]		뇨 [nyo]	

ヒャ	ヒャ	ヒュ	ヒュ	ヒョ	ヒョ
햐 [hya]		휴 [hyu]		효 [hyo]	

ビャ	ビャ	ビュ	ビュ	ビョ	ビョ
뱌 [bya]		뷰 [byu]		뵤 [byo]	

ピャ	ピャ	ピュ	ピュ	ピョ	ピョ
퍄 [pya]		퓨 [pyu]		표 [pyo]	

ミヤ	ミヤ	ミュ	ミュ	ミョ	ミョ
먀 [mya]		뮤 [myu]		묘 [myo]	

リャ	リャ	リュ	リュ	リョ	リョ
랴 [rya]		류 [ryu]		료 [ryo]	

▶ 히라가나

행 단	あ행	か행	さ행	た행	な행	は행	ま행	や행	ら행	わ행	
あ단	あ a	か ka	さ sa	た ta	な na	は ha	ま ma	や ya	ら ra	わ wa	ん ŋ
い단	い i	き ki	し shi	ち chi	に ni	ひ hi	み mi		り ri		
う단	う u	く ku	す su	つ tsu	ぬ nu	ふ fu	む mu	ゆ yu	る ru		
え단	え e	け ke	せ se	て te	ね ne	へ he	め me		れ re		
お단	お o	こ ko	そ so	と to	の no	ほ ho	も mo	よ yo	ろ ro	を wo	

▶ 가타카나

행 단	ア행	カ행	サ행	タ행	ナ행	ハ행	マ행	ヤ행	ラ행	ワ행	
ア단	ア a	カ ka	サ sa	タ ta	ナ na	ハ ha	マ ma	ヤ ya	ラ ra	ワ wa	ン ŋ
イ단	イ i	キ ki	シ shi	チ chi	ニ ni	ヒ hi	ミ mi		リ ri		
ウ단	ウ u	ク ku	ス su	ツ tsu	ヌ nu	フ fu	ム mu	ユ yu	ル ru		
エ단	エ e	ケ ke	セ se	テ te	ネ ne	ヘ he	メ me		レ re		
オ단	オ o	コ ko	ソ so	ト to	ノ no	ホ ho	モ mo	ヨ yo	ロ ro	ヲ wo	

이것만 알면 통한다

여행시리즈

★ ★ ★ ★ ★

해외여행에서 바로 바로 찾아 쓰는
생생한 일어회화

편집부 저
272면 | 4×6변형판 | 7,500원 | MP3